Philippe Jaenada a fait une entrée remarquée en littérature en 1997 avec *Le Chameau sauvage*, couronné par le prix de Flore. À partir de 2013, il se tourne vers le fait divers, qu'il traite à sa manière inimitable, entre digressions, humour et désespoir. En 2017, il obtient le prix Femina pour *La Serpe*.

Philippe Jaenada

LA GRANDE
À BOUCHE MOLLE

ROMAN

Éditions Julliard

ISBN 978-2-7578-7370-0

(ISBN 978-2-260-01553-6, 1ʳᵉ publication)

© Éditions Julliard, 2001

« Il n'est pas toujours facile de savoir ce qu'il faut faire »

Dashiell Hammett

1

Un détective dans le brouillard

Je m'appelle Philippe Jaenada, je suis né dans les Yvelines, je vis depuis quelques années à Paris avec ma fiancée la belle Anne-Catherine, j'aime les bars, les livres, les gens et les courses de chevaux, j'ai du mal à dormir, je fume beaucoup, je trouve que je grossis trop ces temps-ci, j'ai trente-cinq ans et je travaille dans une agence de détectives. Mais je vais peut-être me mettre à mon compte.

D'abord parce que détective « privé » ça pose son homme, ça isole illico du monde : on imagine le monde sombre, lourd et maladroit, fourmillant de petites créatures déprimées qui circulent en tous sens dans un brouillard opaque (sans jamais parvenir à quoi que ce soit), et à côté de ça, en haut, dans un bureau, on voit le grand type un peu fatigué avec son chapeau et son imper, flanqué d'une bouteille de whisky à bouchon de liège et d'une secrétaire brune à lunettes avec des jambes longues et souples, des yeux sérieux, innocents, et des seins disproportionnés – on voit là-haut le grand type un peu fatigué mais pas déprimé pour autant, paisible et loin du brouillard : il ne s'est pas rasé depuis l'avant-veille, il a le teint pâle et son imper est froissé, mais personne ne songerait à le plaindre. Il est de ces grands hommes qui peuvent sortir un 7 avec un dé. Quand il descend dans le brouillard, même s'il lui arrive de passer des jours à se traîner hagard au milieu des fourmis névrotiques et de tourner en rond avec elles, ou de se heurter comme elles aux murs qui bordent le labyrinthe (voire de prendre en chemin de violents coups de massue sur le sommet du crâne, car il exerce un métier dangereux), il finit toujours par trouver ce qu'il cherche et peut ensuite remonter l'âme en paix dans son bureau. Sa perspicacité, son flair et son Beretta ne l'ont jamais trahi. C'est ce qu'il se dit en avalant une gorgée de Glenlivet à la bouteille, avant d'adresser un sourire un peu fatigué à sa secrétaire extraordinaire. À tous les coups, une veuve pleine aux as va frapper d'une seconde à l'autre à sa porte et venir déposer un gros rouleau de dollars sur son bureau pour qu'il retrouve sa fille de seize ans, qui n'est pas aussi sage qu'on devrait l'être à son âge, ne tient pas l'alcool, se déshabille trop facilement devant ses mauvaises fréquentations et n'est pas rentrée à la maison depuis huit jours. Oui, il va la retrouver. On ajoute un rouleau pour les frais ?

Je crois que je vais me mettre à mon compte.

Moi, pour l'instant, je suis juste détective. On dit même « agent de recherches », de nos jours. Je ne suis pas le genre de type qui ne s'aventure dans le brouillard que pour y trouver rapidement ce qu'il veut et en ressortir avec un hochement de tête de calme triomphe (je n'en suis jamais sorti, du brouillard (car je n'ai jamais rien trouvé) : la brume, la vase, la moutarde, le foutoir où l'on ne résout rien, c'est mon milieu naturel – je n'ai pas de bureau). Je ne suis pas non plus le genre de type à boire du whisky à la bouteille en faisant un clin d'œil à ma secrétaire (je ne bois vraiment qu'une fois

12

par semaine, le mercredi ou le jeudi, pour me détendre jusqu'à l'apathie spongieuse ; quant à la secrétaire, je n'en ai même pas une simple, avec des jambes et des seins). Finalement, les seuls points communs que j'ai avec le privé qui se joue des échecs et des mystères de l'existence, c'est d'être mal rasé et un peu fatigué. Et la dernière fois qu'une veuve pleine aux as est venue frapper à ma porte, c'était pour me réclamer le loyer.

Je suis détective depuis dix ans, je n'ai jamais vraiment avancé dans la boîte, j'ai un salaire très modeste, mon métier me consterne plus qu'il ne me passionne, mais je m'en fous. J'ai juste besoin d'un peu d'argent comme ça. Je trouve qu'un travail, ça doit rester purement alimentaire, sinon c'est l'invasion. Le type qui prend son travail à cœur, qui adore ce qu'il fait pour gagner sa vie, il est foutu, il n'a plus envie de rien faire d'autre que de gagner sa vie. Il ne peut plus aller dans les bars, lire des tas de livres, parler et baiser avec sa fiancée, jouer aux coursés. Il s'intéresse à son travail. Il est foutu.

Avant l'aventure palpitante que j'ai vécue par hasard le printemps dernier, je n'avais eu l'occasion d'utiliser mon flair et ma perspicacité que pour ne pas perdre de vue, dans une foule compacte, le dos large et parfumé d'une épouse de dentiste qui trottinait dans sa robe du dimanche vers son amant, ou pour épier à la fourbe les agissements d'un petit caissier myope aux épaules couvertes de pellicules qu'un patron à qui on ne la fait pas (car il a l'air con comme ça mais faut pas croire) soupçonnait de piocher dans la recette en tapinois, le vicieux.

À propos de mon Beretta, je peux dire, comme mon idole, qu'il ne m'avait jamais trahi. Mais je suis un peu obligé d'ajouter que c'est normal étant donné qu'il ne m'avait non plus jamais servi. Personne d'ailleurs ne savait que j'en avais un, pas même mon boss (le gros Gilles), dont l'idée de me demander de m'en procurer un n'a sans doute pas une fois traversé l'esprit grumeleux. Et pour quoi faire, s'il te plaît ? (L'agence Déclic ne travaille que sur les adultères et les affaires d'argent, et encore, les plus minables. Le gros Gilles ne veut pas entendre parler de gangsters, de crimes, de cambriolages ni de disparitions trop mystérieuses – honnêtement, c'est pour ça que je me suis tourné vers cette agence quand je me suis lancé dans l'humble carrière de détective.) Mais moi, je n'avais jamais croisé un détective sans flingue, dans les livres. Aucun de mes collègues de l'agence n'en possédait un, certes, mais ce n'est pas pareil : contrairement à ce qu'on apprend dans les livres, où c'était le bon temps, ce n'est pas un outil indispensable dans le métier, de nos jours. On imagine mal un spécialiste de l'adultère sortir son feu, le visage déformé par un affreux rictus, et loger un pruneau de plomb brûlant entre les yeux ahuris d'une épouse de dentiste. (Elle vient de se retourner brusquement sur le trottoir du boulevard Haussmann pour me demander, irritée, ce que j'ai à la suivre comme ça, si vous croyez que je ne vous ai pas repéré, vous êtes engagé par mon mari, c'est ça ? *Bon sang je suis grillé* – PAN ! PAN ! PAN ! – *c'est moche, mais je pouvais pas me permettre de te laisser en vie*.) Enfin j'en avais un quand même (sans permis de port d'arme, évidemment), offert par mon pote Thierry qui l'avait récupéré je ne sais où – sans doute sous les sabots d'un cheval, où se trouve tout ce qui n'existe que dans les rêves et parfois surgit par magie hors de l'univers parallèle. Cette fois, en l'occurrence, un Beretta. (Je l'avais toujours sur moi, dans mon sac matelot (comme porte-bonheur, peut-être, et surtout pour ne pas le laisser à la maison, entre les pattes folles d'Anne-Catherine), même lorsque j'allais acheter des cigarettes ou du fromage. Il était un peu trop lourd.)

Si je me dis aujourd'hui que je ferais peut-être bien de me mettre à mon compte, c'est que lors de cette aventure palpitante et épouvantable qui m'est arrivée au printemps dernier, mon flair et ma perspicacité m'ont permis de poursuivre des gangsters de la pire espèce à travers le monde et même à la campagne, de déjouer les pièges déloyaux et normalement mortels qu'ils ont tendus partout sur mon passage, même en plein jour et devant des tas de gens (car je constituais un danger manifeste pour leur impunité), et mon Beretta ne m'a pas trahi quand il s'est agi d'en trouer quelques-uns de part en part (je ne suis pas tueur dans l'âme (au départ je voulais être écrivain), mais quand par exemple un gros type roux aux yeux de bête se jette sur vous en brandissant une hache et en poussant un hurlement barbare, le mieux à faire est de lui tirer dessus).

Aujourd'hui, je me dis que ma perspicacité, mon flair et mon Beretta ayant largement fait leurs preuves au plus haut niveau, ce serait montrer trop de zèle dans l'humilité que de ne pas me mettre à mon compte. Le gros Gilles a assez profité de moi. Je pourrais devenir détective privé, si je voulais. Le whisky de qualité qu'on s'envoie à petites gorgées distraites et la secrétaire qui fait fondre le visiteur, ça se trouve dans les bonnes boutiques. Le bureau, ça se loue. Et les veuves pleines aux as, ça s'appâte aux tartelettes.

Je suis sûr qu'avec encore un minimum d'efforts et d'organisation, maintenant que j'ai l'expérience du terrain, je ne serais pas plus mauvais qu'un autre dans le rôle du privé. D'autant que j'ai quelques avantages sur l'autre. D'une part, j'ai lu beaucoup de livres, dont un bon nombre de romans policiers. Or les détectives qui lisent, ça ne court pas les rues (heureusement pour eux : ils se cogneraient dans les poteaux). On sait que les règles et les astuces qui permettent de comprendre la vie et ses énigmes se trouvent en grande partie dans les livres, j'ai donc pas mal de longueurs d'avance sur mes concurrents amateurs de boxe et de jolies pépées. D'autre part, je suis né dans les Yvelines – ça donne un genre, pour un détective. Enfin, et surtout, je suis fort amoureux de la belle Anne-Catherine, dont je partage la vie depuis deux ans (elle est assez frappée, sociable comme un cactus, possessive et totalement dépourvue de confiance en elle, mais ça ne fait rien). De ce côté-là, je ne suis pas un détective banal. Elle est si particulière (si inconcevable sur terre) que je n'en vois plus une autre, je la regarde tout le temps, j'aurai un enfant avec elle et je ne la quitterai pas avant ma disparition totale de la surface de la planète, dans extrêmement longtemps, et elle non plus ne me quittera pas j'espère. Je pense à elle sans arrêt, comme un jeune homme, je voudrais une vie calme et heureuse à ses côtés, comme un vieux, j'aime être à la maison avec elle, comme si on était mariés. Alors ça, c'est très très rare chez les détectives privés. Par rapport à eux, je suis en ménage, ça me donne de la force et de la stabilité (même si on vit un cauchemar, avec Anne-Catherine, même si on se tape dessus tous les deux jours, même si on se rend compte tous les trois jours qu'il n'y a absolument aucune autre issue que de se séparer – ça s'arrange chaque fois, c'est comme le jour et la nuit). Mais justement, ce n'est peut-être pas un hasard si les privés n'ont pas de femme fixe. Qui sait s'ils n'ont pas besoin d'être libres et lâchés dans la ville comme des cochons truffiers sans attache pour mener leur mission à bien ? Bref, je n'ai ni l'envie ni les moyens de me lancer dans une étude interminable sur les critères, les accessoires et les qualités qui font ou ne font pas un bon détective privé. J'ai mes avantages et mes inconvénients, je peux tenter le coup et me confronter à eux. Même s'il faut reconnaître que l'aventure palpitante, épouvantable et profondément désespérante qui m'est arrivée le printemps dernier ne m'incite pas réellement, en fin de compte, à me mettre au mien. De compte. Car il est temps d'avouer, avant de donner de faux espoirs, que ça ne s'est pas très bien passé.

2

Le conducteur volage

Tout a commencé au début du joli mois de mai, un mercredi pluvieux. Depuis quatre jours, je filais un conducteur de métro quinquagénaire que sa femme soupçonnait d'infidélité. Chef d'entreprise, la riche épouse, bienveillante et occupée à fouetter d'autres chats, autorisait son mari à assouvir sa passion ferroviaire, même si le ménage pouvait largement se passer des largesses relatives de la RATP. Depuis tout petit, il était fasciné par les trains, comme bien des jeunes de son âge, pleins d'ardeurs et d'espoirs, et n'avait jamais décroché, comme bien des vieux gamins qui s'ennuient. Mais la bonté de Madame avait ses limites, celles de la petite ceinture. Elle ne supportait pas l'idée de son mari sillonnant la France toute la journée, fou de liberté, et lui avait gentiment ordonné de se contenter du chemin de fer parisien, de rester sous terre – de toute façon, le métro devenant miraculeusement « aérien » en plusieurs endroits de la capitale (Barbès, Corvisart, et tant d'autres), de quoi se plaignait-il ? (Elle disait cela par habitude professionnelle, car il ne se plaignait pas.) J'éprouvais une certaine sympathie pour ce brave petit conducteur.

S'étant aperçue, malgré un emploi du temps impos-sible et des soucis permanents (« Ils me rendent folle »), qu'il avait retrouvé la joie de vivre des premiers temps de leur amour et prenait de nouveau soin de son apparence (un beau pantalon en velours, des chaussures neuves, les cheveux toujours bien coiffés), elle avait fait un saut chez le gros Gilles entre un déjeuner et une manucure, l'air las et agacé, pour lui demander d'enquêter sérieusement sur les agissements parallèles de ce mari perfide, à qui elle avait pourtant tout donné. Comme si elle n'avait pas assez de problèmes. À qui voulez-vous faire confiance ?

Le boss avait décidé que ce serait moi qui le filerais, car ça ne semblait pas sorcier. (Je suis connu dans le métier pour me tromper assez fréquemment. Non pas que je sois stupide ou maladroit (bien au contraire), mais, lorsque je suis face à une alternative quelconque, comme tourner à droite ou à gauche pour retrouver un type que j'ai perdu de vue, ou bien parier sur tel ou tel cheval, il n'est pas rare que je fasse le mauvais choix, par malchance.)

Dans la journée, on l'imagine, rien n'est plus facile que de filer un conducteur de métro. Et le plus agréable, c'est qu'il ne peut pas s'en douter (ou alors il est particulièrement méfiant, et sa vie au travail doit être un véritable enfer, avec ces milliers de gens tapis dans son dos, qui ne le lâchent pas d'une semelle). Je n'avais donc aucune difficulté à le prendre en chasse jusqu'à seize heures, mais évidemment ça ne présentait pas d'intérêt pour mon enquête. Sa poule n'allait pas l'attendre en bout de quai à la station Miromesnil pour lui donner un baiser de quarante secondes avant qu'il ne reprenne son chemin inexorable et fier dans l'obscurité des profondeurs de Paris. Si je le suivais dans les tunnels, c'était surtout pour me donner l'impression d'être l'un des meilleurs détectives d'Europe : littéralement collé à ma proie, mais invisible, je ne lâchais jamais prise. C'est ensuite, lorsqu'il remontait à la surface où tout est complexe et tourmenté, que les choses se corsaient.

Cependant, je n'ai mis que deux jours à le coincer car je suis un crack à mon échelle. Le premier soir, il est rentré directement chez lui – en métro, d'ailleurs. Le lendemain, vers seize heures quinze, il est sorti à Bonne-Nouvelle pour pénétrer dans une brasserie toute proche. Littéralement collé à ma proie, presque invisible, je ne lâchais pas prise.

Une petite brune dodue l'attendait au comptoir, fébrilement engoncée dans un tailleur bleu électrique. J'ai presque vu mon conducteur de métro bondir de joie en l'apercevant, il s'est avancé vers elle en accélérant le pas, mais pas trop, et les deux amants maudits se sont embrassés goulûment pendant un bon quart d'heure. Ils fermaient les yeux, isolés du reste, protégés du monde. J'ai commandé un demi, j'en ai bu une gorgée, puis j'ai sorti mon Pentax de mon sac matelot écossais, que je ne quittais jamais, et j'ai pris cinq photos. Mon travail était quasiment terminé.

Le lendemain, j'ai continué malgré tout à filer le joli cœur des sous-sols. Une enquête ne doit pas s'achever trop rapidement, c'est une règle dans le métier, il faut trouver une durée intermédiaire entre le trop long (qui laisse à penser que nous sommes des incapables qui piétinent) et le trop court (qui laisse à penser que n'importe qui aurait pu faire le boulot et que c'était bien la peine de dépenser une somme pareille).

De plus, ce conducteur de métro qui brisait ses chaînes au mépris du danger me devenait de plus en plus sympathique. Je détenais cinq photos qui allaient détruire sa vie en un clin d'œil, clic-clac – il me paraissait évident que, dans les bras amoureux et potelés de cette petite boulotte clandestine, il vivait pour la première fois de son existence. J'allais aider son patron de femme à le ramener au bercail par l'oreille, tu vas me faire le plaisir de laisser cette grosse godiche retourner d'où elle vient, et même si en général je ne me pose des problèmes de conscience que pour la forme, le rôle que je tenais dans l'histoire m'accablait – comme souvent dans ces affaires. Je donnerais les photos, bien sûr, on me payait pour ça, mais quelques jours de répit feraient du bien à mon infidèle. Il n'en saurait rien, il ne pourrait pas me remercier, mais tant pis. On n'agit parfois que pour la beauté de l'acte, dans le stade imaginaire et vide de l'olympisme personnel.

Enfin, en poursuivant ma filature, je pouvais continuer à observer joyeusement (quoique avec consternation) la foule souterraine déprimante qui traversait Paris en métro à toute heure de la journée. Je n'en ai pas souvent l'occasion, car je ne me déplace qu'en voiture (j'ai une belle Ford noire, et un garage providentiel sous mon immeuble). J'aime les gens, je l'ai déjà dit. Mais ce que j'aime en eux, c'est leur vie, leur grand univers intérieur, leurs problèmes qui ne transparaissent que rarement à la surface, leur passé unique et sinueux, comme tout le monde, leur mère morte, leurs envies utopiques, leurs projets ridicules, leur tête le matin devant le bol de café. Quand je n'ai pas le temps d'imaginer leur substance au-delà de l'apparence insignifiante et terne, quand je ne les vois passer devant moi que comme des *silhouettes qui agissent*, c'est autre chose. Mais je suis détective, mon rôle est d'observer. (D'observer les gens, tous les gens. Un détective, ça n'a affaire qu'aux gens. On n'enquête jamais sur le recul des falaises en pays de Caux, nous autres, ni sur l'invasion des termites, ni sur les pannes de machines à laver.)

Entre huit heures et vingt heures, le métro est bondé de silhouettes. Je ne sais plus qui disait : « Dans le métro, les gens font tout le temps la gueule. »

3

Cauchemar en sous-sol

Il y a ceux qui entrent dans le wagon comme des béliers en colère. Sans laisser le temps à ceux qui descendent de descendre, ils se ramassent sur eux-mêmes, serrent les dents, baissent la tête (à la fois pour percuter plus efficacement les trop mous qui leur barreraient le passage et pour ne pas risquer de croiser le regard étonné ou agacé de leurs victimes (la moindre pause dans leur course vers le bonheur (le strapontin), le moindre balbutiement en réponse à « Vous pourriez vous excuser, non ? » risqueraient de leur faire perdre de précieuses fractions de seconde au profit d'un bélier moins scrupuleux, mieux entraîné à la pénétration en milieu humain)), ils chargent à l'aveuglette et foncent contractés vers une place assise. Si un obstacle se présente, ils ne le contournent pas, ils poussent, ils poussent, jusqu'à ce que l'obstacle s'écarte en haussant les sourcils et en secouant la tête avec dégoût pour laisser la boule de rage opiniâtre poursuivre sa route de peine. Le paradis atteint, le bélier s'assied très vite (on ne sait jamais, une anguille peut surgir de nulle part) et, n'assumant pas son comportement ridicule, continue à regarder par terre pour désamorcer les regards accusateurs qui l'épinglent. On devine qu'il a honte mais ne peut s'empêcher de jubiler : « Vous aimeriez l'avoir, hein, mon strapontin ? Trop tard ! Vous vous êtes bien moqués de moi quand je fonçais, mais maintenant vous vous en mordez les doigts, vous donneriez n'importe quoi pour être à ma place. Il fallait vous réveiller plus tôt ! » Alors qu'évidemment tout le monde s'en fout. En de rares et émouvantes occasions, deux béliers touchent au but exactement en même temps (le plus souvent, l'un des deux a quelques centimètres d'avance sur l'autre et cela suffit à lui assurer la victoire : il passe l'épaule et se démène comme un forcené pour faire suivre le reste du corps en agitant furieusement la tête). Lorsque deux adversaires, que ni le chronomètre ni la position plus ou moins avantageuse du corps ne peuvent départager, se retrouvent devant une place vide, c'est le drame. Dans un premier temps, ils se refusent à admettre l'impossible. Ex æquo ? Non… Toujours tête basse et poings serrés, chacun des opposants pousse nerveusement contre l'autre, en grognant dans sa tête et en se tortillant dans l'espoir insensé de se faufiler ou de trouver un point faible dans la carapace de l'ennemi, afin de le déséquilibrer et de s'ouvrir une brèche vers le strapontin. Ils donnent toutes les forces et l'énergie qui leur restent au bout du chemin. Quel spectacle ! Mais, au fond d'eux-mêmes, ils savent bien que c'est vain. Cette fois, l'obstacle est de leur trempe, il ne s'effacera pas comme ces rigolos qui encombraient le terrain près des portes. C'est un professionnel. Le combat est dans une impasse. C'est alors que les béliers doivent se résoudre à faire ce que jamais ne fait un bélier : lever la tête. Et là, tout va très vite. Durant une ou deux secondes, ils se regardent dans les yeux, sans bouger un cil, tendus à l'extrême. C'est poignant. Mais la décision se fait très vite. Les deux rivaux sont d'une force égale, mais psychologiquement, il n'en va pas de même. Il ne faut qu'un court instant au plus timide, au plus peureux, pour percevoir la puissance et la détermination qui brillent dans le regard de son bourreau. Il ne demande pas son reste, s'écarte aussitôt, et doit aller se mêler piteusement aux géants debout qu'il a percutés en entrant, tandis que le vainqueur, arrogant et sûr de son droit, s'installe sur le strapontin comme un roi. Oh ! comme le bélier vaincu fait peine à voir ! Il est seul au milieu de ceux qu'il considérait comme de minables quilles à bousculer, et qui le dévisagent à présent avec mépris, ricanant de sa misère. Il n'a pas fait le poids, mentalement. Un regard l'a terrassé. Il est faible, veule, rongé du matin au soir par le doute, malgré sa force physique.

Généralement, les béliers sont des femmes de cinquante à soixante ans, ou de petits messieurs au crâne dégarni.

Dans le métro, il y a aussi les sans-gêne-aucune, ceux qui ne se doutent pas que l'odeur de l'aisselle qu'ils vous collent au nez peut nuire sensiblement à votre confort (ce sont les adeptes de la vie en groupe, au grand air, ceux qui se coupent les ongles de pied à table, au camping, parce que de toute façon c'est naturel, faut pas avoir honte) ; ceux qui vous lancent un regard outré quand vous lisez un titre de leur journal pardessus leur épaule (« T'as pas de quoi t'en payer un, vaurien ? ») ; ceux qui mangent comme s'ils étaient seuls devant leur télé (par obligation, comme on se soigne, et qui pensent : « Faut bien mettre du carburant dans la machine, faut bien se remplir, alors autant faire ça pendant le trajet, ça gagnera du temps » ; ceux qui, sans honte aucune, offrent aux autres passagers une vue terrifiante de leurs dents jaunes et cariées qui broient mécaniquement les frites mal cuites, de leur salive mousseuse qui dilue dans les coins la gélatine des raviolis chinois aux crevettes, de leurs lèvres huileuses qui engloutissent un morceau de chips rebelle, de leur langue molle qui clapote dans la sauce orangée du hamburger (« Ben quoi ? Faut bien bouffer, non ? »)) ; ceux qui vous soufflent leur haleine de phoque malade en pleine figure comme si vous étiez une barre métallique ; ceux qui gardent obstinément les yeux braqués droit devant eux, comme des élèves terrorisés en classe, quand quelqu'un leur demande un franc et répète sa question, pensant qu'ils n'ont pas entendu, sans déclencher la moindre réaction (« Il ne faut surtout pas que je tourne la tête, que je lui laisse comprendre que j'ai remarqué sa présence, sinon je suis foutu ») ; ceux qui vous percutent l'épaule de plein fouet et ne se retournent même pas parce qu'on n'a pas que ça à foutre et que de toute manière à quoi ça servirait ; ceux qui poussent de gros soupirs exaspérés quand un musicien entre dans le wagon ; ceux qui s'asseyent à côté de vous les cuisses largement écartées, bien à l'aise, en vous écrasant contre la paroi et en plaçant confortablement leur gros coude sur votre petit corps ; et ceux qui sont morts de trouille à l'idée de ne pas pouvoir descendre, qui se fraient un passage jusqu'à la porte, bien avant la sation, en bousculant avec l'énergie de la panique ceux qui s'interposent entre la liberté et eux (ils se sont embringués dans un métier qui ne leur convient pas, mais il est trop tard pour en changer, leur jeunesse est passée sans qu'ils s'en aperçoivent, ils n'ont jamais songé à quitter un chemin tout tracé, alors au moins dans le métro, ils espèrent réussir à sortir au bon moment – là, ils se démènent comme des fous pour ne pas se laisser emporter).

Il n'y a pas de meilleur endroit que le métro pour haïr l'humanité. Ça fait du bien, parfois. Ça enlève un poids. Parce qu'on se démène, on parle à tout le monde, on enquête comme des fous, personne ne nous aide, au contraire, et nous on est là bien pommes à aimer les gens. Alors de temps en temps, ça fait du bien de les haïr en bloc, le temps d'un trajet sous terre : une petite revanche condensée. Quand on revient à la surface, ça va mieux. Je crois que c'est Marcel Duchamp qui a écrit : « Métro : M.É.T.R.O. » Vus d'en haut, c'est vrai, ces « abrutis » (qu'on le prenne dans un sens ou dans l'autre, la plupart des gens sont des abrutis, personne ne peut dire le contraire) sont plutôt touchants, presque héroïques à se débattre ainsi comme des damnés dans le vacarme du sous-sol.

Et parmi eux, il y a des adolescents attardés qui vont filer rejoindre une petite boulotte dans un bar du boulevard Bonne-Nouvelle, en cachette de leur toute-puissante épouse.

Et moi, je les dénonce. Clac, terminé. On rentre.

4

Panique sur le périph

Je ne comprends pas pourquoi je fais ça, moi qui aime bien les gens. Pourtant, c'est mon boulot. Je veux dire : je fais ça parce que c'est mon boulot, évidemment, et qu'il faut bien gagner un peu d'argent pour aller au restaurant, dans les bistrots, jouer aux courses et offrir de belles robes à sa fiancée Anne-Catherine (même si on peut choisir des tas d'autres boulots qui ne font de mal à personne, comme boulanger ou danseur (enfin, boulanger il faut se lever à des heures impossibles, et danseur je crois que je manquerais de grâce)), mais ce que je veux dire, c'est : je devrais comprendre pourquoi je fais ça, car comprendre, c'est mon boulot. Nous les agents de recherches, il y a quand même peu de choses qui nous laissent perplexes. On cherche, on fouine, on réfléchit intensément, on met deux trois trucs en œuvre, on observe bien les gens, et tout à coup ça y est on a compris. Je vois moi, par exemple, même si je me cantonne aux affaires conjugales, au crime ménager, même si je fais dans le bas de gamme poisseux, je réussis toujours à trouver le fin mot de l'histoire, à comprendre ce qui a rendu le sourire au petit mari terne ou ce qui fait que l'aide-comptable célibataire a pu s'offrir une Mercedes. Mais alors dans ma vie, c'est une autre histoire. La plupart du temps, je ne trouve aucune raison à mes actes.

Donc, je n'arrivais pas à me décider à trahir le conducteur de métro. (J'ai brisé sans trop de vergogne des tas d'idylles, mis au chômage ou en taule des tas de malheureux employés qui se vengeaient en douce d'un patron esclavagiste, mais cette fois ça coinçait et je ne savais pas pourquoi.) Alors j'ai continué à le suivre, pour repousser l'échéance – inéluctable. Le quatrième jour, je n'ai toutefois pas passé la journée dans le métro : j'avais ma dose de moutons, de béliers, de porcs et de poules folles en convoi. J'avais besoin de choses plus palpitantes.

Ce quatrième jour, un mercredi pluvieux, j'ai commencé la journée en terminant un bon Chandler devant deux ou trois bols de café, puis, quand Anne-Catherine est revenue de chez son psy, on a baisé vivement dans le fauteuil du salon, comme elle aime (à la télé, il y avait un reportage sur la guerre en Tchétchénie), je lui ai lu une courte nouvelle de Brautigan pendant qu'elle se préparait un sandwich considérable, je suis sorti vers treize heures, je suis passé faire un tour au Saxo Bar, à côté de chez nous, j'ai bu deux bières en consultant sur le comptoir avec Thierry, mon pote Thierry, le *Paris-Turf* pour l'après-midi à Longchamp, puis j'ai pris la Ford et je suis parti vers Balard, où je savais que le conducteur finissait son service à seize heures.

Comme j'étais un peu en avance, je suis entré dans une cabine et j'ai appelé le service de paris par téléphone du PMU. J'ai donné mon numéro de compte, indiqué à l'opératrice le solde qui me restait dessus (huit cent douze francs), et j'ai joué cent francs gagnant sec sur le 3 dans la sixième, Tchiky. Un adepte de la course en tête, que j'avais repéré dans le journal avec Thierry :

un jockey très prometteur, Christophe Soumillon, un entraîneur adroit, Cédric Boutin, une dernière sortie plus qu'encourageante (son jockey ne lui ayant pas demandé grand-chose dans la ligne droite), un poids qui n'avait rien de prohibitif, cinquante-sept kilos, une distance parfaitement dans ses cordes, mille quatre cents mètres, un terrain très souple dans lequel il pourrait s'exprimer pleinement et quatorze adversaires de qualité moyenne face auxquels il n'aurait sans doute pas grand mal à dicter sa loi. Il était donné quatrième dans le pronostic du *Turf*, il partirait probablement à 7 ou 8 contre 1 – soit huit ou neuf cents balles pour ma pomme. Après avoir joué, il me restait sept cent douze francs sur le compte.

Je suis descendu dans le métro et j'ai attendu que mon conducteur ait terminé de discuter avec ses collègues dans le poste de service. Je les voyais derrière les baies vitrées, ils avaient l'air de bien s'amuser (de quoi peuvent discuter des conducteurs de métro après le travail, qui soit si drôle ?). Je n'avais pas pris la peine de me trouver un style vestimentaire différent des jours précédents, ni même de mettre des lunettes, et je ne cherchais pas spécialement à me cacher : j'ai les photos, le nom et l'adresse de sa belle secrète, il peut me repérer s'il en a envie. Au contraire, même, ça m'arrangerait. Je serai obligé de lui avouer ma mission inavouable (ce qu'une conscience professionnelle que je dois en partie à mes lectures m'interdit de faire de mon chef), ainsi il aura peut-être une chance de préparer une parade ou un mensonge que quelques heures de réflexion acharnée ne seront pas de trop pour élaborer. (« C'est la cousine de mon neveu, elle est russe, tu connais leurs coutumes, ils s'embrassent à tire-larigot, alors ce qui se passe c'est qu'elle a quand même pu quitter son pays, enfin c'est-à-dire celui du mari de sa mère, de son père, quoi, mais donc le mari de la sœur de la femme de mon frère, enfin tu me comprends, bref il était diplomate et, bon ce n'est pas le problème, mais pour finir, si je n'osais pas te la présenter, c'est tout bêtement parce qu'elle est un peu vulgaire et, comment t'annoncer ça ? voilà, elle se drogue, et puis pas qu'un peu, tu sais, elle est complètement sous l'emprise de l'héroïne, mais je ne peux pas la rejeter pour ça, du moins pas dès son arrivée, elle a assez de problèmes avec l'exil et la toxicomanie, en fait mon plan c'était de me montrer de plus en plus distant, de la refouler en douceur, et je n'ai pas voulu te mêler à cette histoire sordide. Tu m'en veux ? »)

Pendant ce temps, la bonne partie de rigolade avec les collègues s'était achevée, et mon conducteur refermait la porte du poste derrière lui. Il est passé devant moi sans me remarquer, gorgé d'amour pour sa faiblesse en tailleur bleu, débordant d'allégresse printanière à la perspective d'aller se blottir dans ses petits bras gras-souillets, de mordiller la chair rose et chaude de son cou, et aveugle à tout ce qui l'entourait. La veille, il était rentré docilement à la caserne conjugale après le travail, sans passer par la case bagatelle, il allait cer-tainement la voir ce soir. Et peut-être pour la dernière fois. Jaenada, tu es un misérable.

Stupeur ! Au lieu de reprendre directement le métro comme d'habitude, il s'est dirigé vers les escalators de la sortie, vers l'air libre, de son pas lent de conducteur à pied. Qu'est-ce qu'il va faire à Balard ? Il habite à côté des Invalides, sa chérie près de Bonne-Nouvelle, qu'est-ce qu'il va foutre à Balard ? Bon, ne nous affolons pas, ce n'est pas ça qui risque de faire la une des journaux demain, il y a des tas de choses anodines et régulières à faire à Balard. Il n'est que seize heures quinze.

Et n'oublions pas que ce petit bonhomme n'est pas un redoutable psychopathe dont chaque geste imprévu peut faire trembler la planète, mais un mari asservi qui s'offre une petite folie parfumée deux ou trois fois par semaine. Là, il va sûrement chez son dentiste.

Pourtant, à quelques mètres derrière lui sur l'escalator qui nous montait immobiles vers la lumière, je ne le sentais pas insouciant et détendu comme un type qui va chez son dentiste (enfin, je me comprends : les types qui vont chez leur dentiste insouciants et détendus, ce sont justement de redoutables psychopathes). Il paraissait… lourd. Dense. Chargé de pensées sombres et tempétueuses, en montant vers la lumière grise.

De face, mon conducteur avait l'air d'un brave homme effacé et craintif, du genre à rêver d'une autre vie, pour se distraire, tout en sachant avec certitude qu'il ne fera jamais rien pour changer le moindre paramètre de la sienne – ce serait risqué, et sans doute inutile ; de profil, il avait l'air d'un homme simple et modeste mais pas soumis, qui ne va quand même pas se laisser complètement avoir, l'air d'un consciencieux qui veut bien donner le change vingt-deux heures sur vingt-quatre à condition qu'on le laisse se détendre tranquillement avec sa poupée bleue quand il en a envie ; et de dos, comme maintenant, il avait l'air d'un instable complexé et révolté qui mijote quelque chose.

Je me suis souvenu que j'avais déjà éprouvé ce mélange de gêne et d'appréhension dans le métro, quand je me plaçais juste derrière lui dans le premier wagon, près de la glace presque sans tain qui sépare le conducteur des voyageurs. En observant son dos courbé, sa tête légèrement penchée en avant vers le long boyau obscur, implacablement étroit, je m'amusais à penser qu'il ruminait un coup tordu, qu'il rêvait de braquer brusquement d'un côté ou de l'autre pour nous emmener tous avec lui hors des rails.

À présent, comme je le suivais sur l'escalator, c'était moins amusant. Car en haut, à la surface, tout était vaste.

Parvenu à l'air libre, sous la pluie fine, il a traversé le boulevard Victor sans regarder si des voitures lancées à pleine vitesse risquaient de lui faire exploser le corps, et une centaine de mètres plus loin, avenue Félix-Faure, il est monté dans une Corsa blanche. Quoi ?

Ce type n'a pas de voiture, ce type n'a jamais eu de voiture, je sais presque tout de lui, ce type n'a jamais eu de voiture et le voilà qui se met au volant d'une Corsa blanche à Balard. Bon, on a vu pire dans les annales de l'étrange, mais reconnaissons qu'il y a là un truc bizarre. Car ce type n'a jamais eu de voiture – ce n'est pas son genre, d'avoir une voiture. Mon flair a fonctionné à merveille, tout à l'heure sur l'escalator, à l'époque où tout était encore parfaitement normal.

Sans perdre une seconde à réfléchir, j'ai traversé la rue et foncé comme un démon jusqu'à ma Ford, ingénieusement garée rue Vasco-de-Gama (quel dommage que personne de mon entourage n'ait été là pour me voir courir, je fendais l'air lumineux de cet après-midi de printemps, je levais les genoux comme un sprinter gonflé à bloc, je serrais les dents et les poings, je hochais rageusement la tête (on devait à peine pouvoir me distinguer au passage – mon entourage se serait déplacé pour rien), j'ai même failli tomber dans un virage tellement j'allais vite). Je me demandais, malgré tout, ce qui me prenait de m'affoler de la sorte, mais je n'allais pas m'arrêter et risquer de perdre sa trace pour répondre à une question théorique. Je devais le suivre, c'était mon boulot.

J'ai effectué une marche arrière de cascadeur qui a perdu la tête et je suis arrivé juste à temps avenue Félix-Faure pour voir la Corsa blanche passer au feu vert place Balard, en direction du périphérique. Ouf. Je n'avais pas couru pour rien (je ne me serais pas remis de l'inutilité d'une telle performance (dans ma voiture, je soufflais comme un vieux cheval qui vient de donner tout ce qu'il a dans le ventre pour finir avant-dernier (car, emporté par l'urgence et l'élan du devoir, j'avais oublié que je suis pataud et nul en course – déjà, adolescent, mon grand-père me laissait à trente mètres))), maintenant c'était du gâteau, tout redevenait simple et normal, je suivais paisiblement, à la papa, un gus qu'on me payait pour suivre. Il était désormais en voiture, curieusement, mais je n'allais pas paniquer pour ça.

Sa Corsa était immatriculée 51. Une bagnole de location, donc. (On ne nous la fait pas, à nous les détectives.) Il est entré sur le périphérique extérieur, c'est-à-dire ici le périphérique sud, qui était à cette heure-ci aussi bouché, aussi gavé qu'un cou de canard à l'approche des fêtes. Alors là mon vieux, pour ne pas le perdre de vue, c'était coton. Je devais rester sur la même file que lui (car tout le monde sait qu'on est toujours dans la file qui avance le moins vite, il allait donc me semer), et si je laissais une ou deux voitures s'intercaler entre nous, c'était courir le risque d'en voir s'y intercaler quatre ou cinq, voire douze : les gens roulent bien mal. Je n'avais qu'une solution : me mettre juste derrière lui et lui coller aux fesses comme si je voulais le mordre. Certains détectives très malins ont dû se livrer à des filatures plus subtiles, mais moi je n'ai rien trouvé d'autre. Je crois que s'il avait circulé en voiture depuis le début, je me serais moqué de le perdre en route ce jour-là, mais dans ces circonstances où tout à coup il se retrouvait dans une voiture, il aurait fallu me taper de nombreuses fois sur le crâne avec un gourdin pour que je lâche prise. Car j'avais le sentiment d'avoir quelque chose à apprendre. Même si c'était : il va jusqu'à la porte de Châtillon, passe chercher sa maîtresse à la sortie de son yoga du mercredi et l'emmène boire un verre dans une guinguette à Joinville-le-Pont, ça me suffisait.

De toute façon, il ne prêtait aucune attention à son rétroviseur. Il regardait droit devant lui et ne bougeait pas la tête d'un millimètre. Comme dans sa cabine de pilotage du métro. Avait-il ici aussi l'impression de traîner toutes les personnes qui se trouvaient derrière lui ? La seule différence, c'est qu'ici ça allait beaucoup moins vite. Tout le monde roulait en première. Au rythme de mon conducteur.

Il pleuvait toujours. Je m'ennuyais. Pour me distraire, j'ai remarqué que ses feux stop ne s'allumaient jamais (c'était pratique, ça me permettait de rester éveillé, car il faut beaucoup de concentration pour freiner au bon moment dans ces conditions, même si l'on avance comme des tortues arthritiques). Sur une voiture de location (une belle Corsa comme ça), il était peu probable que ce soit dû à un quelconque dysfonctionnement. Je me suis alors souvenu d'un chauffeur de taxi que j'avais rencontré (fort brièvement) quelques années plus tôt. À chaque ralentissement de la circulation, à chaque feu rouge, il se servait de son frein à main – qu'il maniait d'ailleurs avec une dextérité remarquable, tout en souplesse et en nuances – plutôt que de sa pédale de frein. Quand je lui en avais demandé la raison, il m'avait répondu avec le plus grand sérieux, et même une pointe de fierté : « C'est pour pas user les ampoules de mes feux stop. »

Deux cent cinquante ans plus tard, notre longue caravane passait la porte d'Orléans. Je m'ennuyais, au milieu de mes semblables – on doit éprouver ce sentiment lors d'une traversée du désert en groupe, à dos de chameau. Soudain, mon conducteur a ralenti (c'est toujours possible), pour pouvoir s'immiscer dans la file qui se trouvait à notre droite. Je l'ai suivi, discret comme un gros rat sur le dos d'un teckel. Il a répété la manœuvre, moi aussi. Il allait enfin sortir de cette compote de bagnoles.

Il a mis son clignotant à quelques mètres de la bretelle d'accès à l'autoroute A6. (De la bretelle d'accès à quoi ?) Quoi ? Non. Qu'est-ce qu'il fait ? Je ne pense pas qu'il va prendre l'autoroute, quand même. À droite, là, la bretelle. Si ? Nom de Dieu. Mon conducteur de métro paisible et timoré, qui n'a pas de voiture ? Eh bien si. Qu'est-ce que je vais faire ? C'est foutu, il va prendre l'autoroute. Oh putain. Voilà, ça y est, il prend l'autoroute, le plus naturellement du monde (quoique, vu de dos, c'est dur à dire). Qu'est-ce que je fais ? Au secours, à l'aide.

Je me suis dit qu'il ne me restait plus qu'à rentrer pour donner les photos et l'adresse de la petite brune au gros Gilles, je me suis souvenu que le boss avait déjà une autre enquête pour moi (une jeune pharmacienne à qui la rumeur prêtait quatre amants), j'ai pensé au dîner à l'Indien que j'avais promis à Anne-Catherine, il était dix-sept heures trente, j'ai allumé la radio pour savoir si Tchiky avait gagné la sixième à Longchamp, je me suis rappelé que je me foutais de ce que pouvait faire dorénavant mon conducteur et je l'ai suivi sur l'autoroute du Soleil.

5

À fond la caisse vers nulle part

J'adorais lire *Picsou*, quand j'étais petit. Surtout les gros, épais et denses sous leur couverture brillante, les *Super Picsou Géant*. On les avait bien en main, je les regardais longtemps avant de les ouvrir. Alors ça, on me mettait au lit avec un bon *Super Picsou Géant*, je n'avais plus besoin de rien sur terre, je me crispais de plaisir par avance, j'oubliais tout le reste, les cheveux qu'on m'avait coupés trop courts, le D en dessin, le vaccin du surlendemain, cette saleté d'Alvarez qui m'avait piqué mes gants – je m'installais confortablement sur l'oreiller, je remontais bien la couverture, et attention je vais commencer l'histoire. « Tu ne lis pas trop tard, hein, Philippe ? » (Compte là-dessus, tiens.) Mickey me gonflait, comme d'ailleurs tous les autres gentils héros de Disney, mais alors Donald, ses neveux, Picsou et compagnie, ça c'était de bons personnages (l'avare tyrannique, le naïf malchanceux, les petits malins qui font des bêtises, les voleurs stupides, ils me convenaient tous – Mickey c'était juste le bon gars bien comme il faut, avec que des qualités, courageux et intègre, sûr de lui, mièvre, je l'aurais tué). Quand j'étais malade, c'était le bonheur. Je restais toute la journée couché au chaud à lire mes *Super Picsou Géant*. Ce que j'aimais surtout, c'était le début, quand il ne se passait rien de particulier. Donald emmène Riri, Fifi et Loulou en pique-nique, leur petite voiture ronde prend de beaux virages, Picsou nage tranquillement la brasse dans ses flots d'or, bien à l'abri dans son coffre-fort géant avec le gros « F » dessus, les Rapetous mettent au point un énième plan d'attaque, Donald a perdu sa canne à pêche, Loulou prépare une bonne farce à ses frères, Daisy se trompe dans les ingrédients de son gâteau, Gontran gagne dix millions à la loterie, je dévorais ces pages d'aventures tranquilles avec joie, je ne sais pas pourquoi. Je rêvais d'un *Super Picsou Géant* entier où il n'arriverait rien de grave ni d'extraordinaire, rien d'extérieur à la « vraie vie », seulement de légères déconvenues, des petits incidents de tous les jours (j'imagine que je n'aime pas le drame). Je tournais chaque page en tremblant, en priant pour que les ennuis ne surviennent pas tout de suite, mais je savais au fond de moi que ça n'allait plus tarder. Les auteurs de ces histoires n'étaient pas assez intelligents pour laisser de côté la grosse artillerie du sensationnel. Et tout à coup, c'était la catastrophe : on volait toute la fortune de Picsou mais les coupables n'étaient pas les Rapetous, ou bien Gontran réussissait à hypnotiser Daisy pour qu'elle cède à tous ses désirs, ou Donald était kidnappé par des inconnus, et j'en passe et des pires. Ça me mettait réellement en colère. Ils ne peuvent pas laisser la vie se dérouler normalement ? Ce n'est plus crédible, maintenant. Ou si c'est vrai, c'est encore pire. On est là, tranquille, on n'arrive pas à attraper un seul poisson mais bon c'est pas si grave, et tout à coup on est kidnappé par des inconnus ? Je n'aimais pas ça.

On venait de passer Orly en trombe sous la pluie et je me concentrais de toutes mes forces pour essayer de comprendre ce que j'étais en train de faire. Pauvre fou, Jaenada. En début de fin d'après-midi, la circulation était encore assez fluide sur l'autoroute, mon conducteur roulait à tombeau ouvert sur la voie de gauche (je ne l'aurais jamais cru capable de dépasser le 110), j'avais le pied au plancher pour secouer la carcasse de ma vieille Ford (moi, j'avais réellement la sensation de rouler à tombeau ouvert) et la forcer à se sortir les tripes (s'il accélérait encore un peu, je le perdais définitivement de vue – la débâcle totale : je file un type dont je n'ai plus rien à faire (je ne continue à le filer que pour ne pas le dénoncer), il prend l'autoroute de manière complètement inattendue, je le suis sans raison, à l'instar du mouton, nous fonçons comme des déments au risque de perdre la vie à tout jamais, puis soudain il me sème et je rentre ?) Avant de mettre une station de radio musicale (pour arrêter de gamberger sur mon comportement irrationnel, et chanter à tue-tête en me concentrant sur la conduite périlleuse), j'ai attendu le résultat des courses sur France Info. Je ne sais plus qui disait : « De temps en temps, il faut respirer un peu. »

Selon les propres mots du journaliste hippique qui résumait la sixième course, Tchiky était parti « comme un fer à repasser ». Il avait dû fournir un effort considérable pour revenir se placer en tête (c'était sa tactique : mener le peloton d'un bout à l'autre, en tambour major) et l'avait payé à quelques mètres du poteau, se faisant coiffer sur le fil par le favori de l'épreuve, un certain Épervier Blanc (une chèvre). Pour une encolure, je perdais les huit cents francs qui m'étaient promis. C'est bête parce qu'aujourd'hui, il avait vraiment tout pour lui, Tchiky.

Agrippé au volant de son bolide, le conducteur ivre de vitesse ne levait pas la semelle d'un millimètre. Ça ne pouvait pas durer. En détective inspiré, j'ai pris une résolution. Je savais qu'il y avait un premier péage à quarante ou cinquante kilomètres de Paris, peut-être du côté de Fontainebleau. Je n'irais pas plus loin. Il y a des limites, et il fallait bien que je m'en fixe une. Sinon il allait m'emmener à toute allure à l'autre bout de la France et moi, bonne bête sans cervelle, je galoperais à ses trousses en laissant toute ma vie derrière moi, loin derrière moi. (Et toute ma vie, c'est Anne-Catherine – des bars et des livres, il y en a partout, mon compte PMU me permet de jouer depuis n'importe quelle cabine de France (et de l'étranger (on ne sait jamais ce qui pourrait arriver, avec ce conducteur de métro lâché dans la nature)), mais Anne-Catherine est unique, c'est peu dire, et actuellement elle se trouve dans le XVIIᵉ arrondissement de Paris, déjà assez loin derrière moi. Qu'est-ce qu'elle doit faire, au fait, à dix-huit heures ? manger un sandwich considérable ? dormir ? marcher seule dans les rues du quartier, très droite, de son grand pas rapide ? Je n'en sais rien. Je n'aime pas ça.)

Il fallait s'y attendre, nous approchions du péage. Je n'aimais pas ça non plus, car, s'il ne se décidait pas à sortir (mais qu'irait-il fabriquer en forêt de Fontainebleau ?), nous allions devoir nous séparer et ça m'irritait par avance. Mais, manifestement, l'échappé ne comptait pas s'arrêter en si bon chemin. J'avais environ deux cents mètres de retard sur lui. Il a ralenti à contrecœur (ça se sentait) et s'est patiemment rangé derrière trois ou quatre voitures sur l'une des files « Fast » (c'est vraiment n'importe quoi : bientôt, la capitale du pays s'appellera « Perwisse »). Comme je l'avais décidé quelques kilomètres plus tôt (je n'aime pas revenir sur ma parole, même lorsque je me parle tout seul, c'est une question de principe, d'éthique de détective), j'ai mis mon clignotant à droite et me suis engagé sur la petite bretelle qui permettait de sortir juste avant le péage, laissant mon conducteur à son destin énigmatique. Je l'ai abandonné. Du moins intérieurement, dans mon imagination poétique (je me suis vu prendre la bretelle en haussant les épaules pour me dédouaner, un sourire humble et fataliste sur mon beau visage). Car dans l'incroyable réalité, je n'ai pas pu m'empêcher de le suivre.

Lorsque la barrière rouge et blanc s'est levée (il va falloir que je me rende compte à un moment ou un autre que c'est bien la vraie vie – on a kidnappé Donald), il est reparti comme s'il avait trop longtemps tiré sur un élastique fixé sur une voiture quelque part devant, propulsant son compteur à 160 km/h en une pincée de secondes, derrière lui j'ai tapé furieusement sur le volant de ma pauvre Ford pour la sortir de sa torpeur, et nous avons repris notre course aveugle à fond la caisse vers nulle part. J'ai glissé la main dans mon sac matelot, posé sur le siège passager, pour m'assurer que mon Beretta s'y trouvait toujours.

6

Une grosse fille tombée du ciel

Une trentaine de kilomètres plus loin, il s'est arrêté dans une station-service Shell. La pluie avait cessé. Nous avons pris de l'essence, puis nous nous sommes garés devant la boutique et il est descendu de sa Corsa en arborant judicieusement l'air absent et flegmatique du Français moyen qui fait une pause café-chiottes sur l'autoroute. Je l'ai suivi à l'intérieur, souple comme un renard. Ou une anguille.

Il a pris un café, l'a bu d'un trait (ces saletés sont brûlantes, en général – ce type n'est pas normal, il a un œsophage d'acier), puis il est entré dans les chiottes. Décontracté, comme s'il n'avait rien à se reprocher. Je l'ai attendu seul entre les cinq machines à café et les trois hautes tables rondes au formica poisseux, sans savoir quoi faire de mon corps énorme (je ne suis pas si gros, mais j'avais le sentiment de prendre toute la place dans l'« espace détente » : en sortant, il n'allait voir que moi, il aurait même sûrement du mal à me contourner pour rejoindre la sortie). J'ai pris un café en grains court non sucré pour me donner un genre occupé. Lorsqu'il a réapparu (soulagé, j'imagine, mais ça ne se remarquait pas – même s'il avait un poignard dans le dos, on ne le devinerait pas sur son visage (ce type a

42

des nerfs d'acier)), il est passé devant moi sans me voir. Selon toute vraisemblance, même si c'est invraisemblable, il ne m'avait toujours pas repéré. J'ai décidé de ne plus me fatiguer à me faufiler dans son sillage à la manière de l'anguille (de toute façon, ce n'est pas mon fort) : je crois que même si j'avais porté un costume de lapin depuis quatre jours, il ne se serait aperçu de rien (« – N'avez-vous pas remarqué un gros lapin de fourrure rose, avec des oreilles de cinquante centimètres de haut, qui se trouvait dans tous les endroits où vous êtes passé pendant quatre jours ? – Ma foi non… »)

Avant de quitter la boutique, il s'est penché au-dessus du grand bac à sandwiches. Pendant qu'il faisait son choix, je l'observais du coin de l'œil et faisais mine d'admirer les dauphins en verre peint (non, je ne faisais pas réellement mine d'admirer : hausser les sourcils et me mordre les lèvres en hochant la tête d'un air épaté m'aurait rendu suspect aux yeux de tous), les petites filles en terre cuite et les lampes de chevet aux couleurs pastel (qui sont ces déséquilibrés qui viennent acheter des lampes de chevet dans les stations-service de l'autoroute ?). J'avais faim, car la poursuite creuse, mais je ne pouvais raisonnablement pas aller me choisir un sandwich à côté de lui – ou alors, autant laisser là ma Ford et demander à mon bonhomme de me prendre sur son siège passager pour la suite de la filature.

Il est allé s'installer sur une table en bois à l'extérieur, visible depuis l'intérieur, avec deux sandwiches (un triangulaire et un long (sans doute un poulet-cornichons-mayonnaise, d'après la couleur de l'étiquette)), un Coca et un Danone à boire, fraise ou framboise. Décidément, il se lâchait, ce n'était plus le même homme. J'avais eu raison de le prendre en chasse, il se passait quelque chose de sérieux.

Cette parenthèse gastronomique tombait bien. J'avais deux coups de fil à passer pour retrouver mes esprits (quand on n'est plus seul à savoir qu'on est en train de faire n'importe quoi, on se sent un peu rattaché au réel solide, on se remet indirectement en contact avec l'univers paradisiaque de la vie de tous les jours) : l'un à mon boss, l'autre à Anne-Catherine. Je préférais commencer par mon boss, car Anne-Catherine risquait de réagir bizarrement (comme toujours). Entre autres particularités déconcertantes ou agaçantes, elle hait l'humanité – comme quelqu'un qui vivrait jour et nuit dans un wagon de métro surchargé. Non, je suis injuste : disons que quarante pour cent de la population la laissent complètement indifférente, et que soixante pour cent seulement lui inspirent une aversion réelle. Elle n'a aucun ami, n'en a jamais eu – peut-être deux ou trois relations superficielles, car il est impossible de passer toujours entre les gouttes –, et sa pire hantise est d'avoir à adresser la parole à quelqu'un ailleurs que dans un commerce. (D'un autre côté, elle devient morose, irascible, et tourne en rond comme une détraquée en apnée si on la plonge plus de deux jours en milieu désert et fermé – mais c'est un autre problème, juste une ligne dans la longue liste de ses contradictions extraterrestres.) Donc, je me demandais comment j'allais lui annoncer que je partais loin d'elle, en cinquième vitesse, sur les talons d'un conducteur de métro que je ne connaissais pas, que je n'avais pas envie de connaître, et que mon travail ne m'obligeait même pas à suivre. Elle n'allait pas comprendre (elle ne suivrait même pas Louis XIV si elle le voyait passer sur le trottoir d'en face). Elle penserait que je m'ennuie avec elle, elle croirait que je cherche un prétexte pour lui échapper, pour prendre des vacances.

– Agence Déclic, bonjour.

– Claudine ? C'est Philippe.

– Tiens, salut mon gros. Ça roule ?

– On peut dire ça…

– Je te passe la commandantur ?

– S'il te plaît. Et je suis pas gros.

– Mais non, t'es pas gros. T'es costaud.

– Costaud, voilà.

(Tut tut tut.)

(Je suis pas gros.)

– Mouais ?

– Gilles ? C'est Philippe.

– Philippe qui ?

– Jaenada, m'sieur.

– Ah… Qu'est-ce que vous devenez, vous ?

– Je suis sur l'autoroute, là, à quatre-vingts kilo-mètres de Paris, je suis en train de filer monsieur Persin.

– Qui c'est celui-là ?

– Le mari de madame Persin.

– Ah… Mais qu'est-ce qu'il fout là, lui ? Qu'est-ce que vous foutez là, tous les deux, sur l'autoroute ? Ça va pas bien ou quoi ?

– Justement, j'appelle pour vous demander un conseil. Plus que ça, même. C'est vous le chef, c'est à vous de me dire ce que je dois faire.

– Eh merde. Bon, magnez-vous, j'ai pas toute la nuit.

– Voilà, monsieur Persin est parti de Paris cet après-midi dans une voiture de location, tout seul, et depuis il fonce sur l'autoroute du Sud. Je l'ai suivi, vous me payez pour ça, mais je me demande si ça vaut le coup. Je ne sais pas où il va m'emmener, moi, ça n'a peut-être rien à voir avec notre affaire. Alors voilà, je voulais vous en parler avant de laisser tomber.

– Putain, tout ça pour un baltringue qui se fait sucer deux fois la semaine par une caissière ! Je vous rappelle que vous avez une pharmacienne nymphomane sur le billot, Jaenada. Pas question d'aller faire le zouave au soleil. Allez, demi-tour. Au pied.

– Bon…

– Vous avez le nom et l'adresse de sa grosse ?

– Oui.

– Vous avez les photos de la bavure ?

– Les photos ? C'est-à-dire… En fait, voilà, je voulais vous… Non, je n'ai pas encore réussi à prendre une bonne photo.

– Quoi ?

– J'en ai, bien sûr, mais rien de suffisamment compromettant.

– Vous vous foutez de ma gueule ? Vous filez un cave depuis quatre jours et vous n'êtes même pas foutu de lui tirer le portrait dans les bras de sa poufiasse ?

– C'est que… ce n'est pas facile, ils sont plus malins qu'il n'y paraît.

– Ou alors c'est vous qui êtes plus con qu'il n'y paraît, Jaenada. Bordel de merde… La mère Persin me fait couper les pouces, si je lui refile qu'un nom et une adresse. Alors tant pis, restez sur le coup, il va sûrement rejoindre sa moukère quelque part. Tâchez de bien les cadrer, et vite fait. Mais appliquez-vous, quand même. On n'est pas aux pièces, la pharmacienne va pas se reboucher du jour au lendemain.

– D'accord, chef. Pour les frais, c'est bon ?

– Mouais, allez-y mollo, bouffez des casse-croûte. Mais vous tracassez pas, on fera cracher la vieille. Sur ce, bonjour.

Je me demanderais plus tard pourquoi j'avais menti à propos des photos, car l'échappé en pause entamait déjà son sandwich triangulaire au pain de mie (thon-œuf-crudités ?) et il fallait que j'appelle Anne-Catherine.

Elle n'était pas contente. Elle pensait que je partais avec une fille, elle n'avait pas envie de passer la soirée toute seule à la maison, elle était en colère pour le repas à l'Indien. Elle voulait savoir à quelle heure je rentrais. J'ai répété trois fois qu'il n'y avait pas de fille avec moi. Je lui ai promis qu'on irait à l'indien le lendemain, j'ai ajouté que je n'avais aucune idée de l'heure à laquelle j'allais rentrer, peut-être pas cette nuit, elle a poussé un grognement enragé, puis elle a pris sur elle et m'a demandé de l'appeler dès que je saurais, à n'importe quelle heure. J'ai juré. Finalement, elle m'a dit qu'elle comprenait, qu'elle savait que j'aimais bien les gens et que ça me poussait à faire n'importe quoi, elle m'a rappelé que curiosity kill the cat et, avant de raccrocher, de me souhaiter bonne chance et de me dire qu'elle m'aimait, elle m'a prévenu : « Tu n'apprendras rien sur ce bonhomme. » Anne-Catherine est sorcière visionnaire, alors je n'ai pas osé la contredire.

Le conducteur repu jetait ses emballages à la poubelle. Quand j'ai tourné le dos à la cabine, une grosse fille rousse debout près d'une machine à café me dévisageait, les bras le long du corps.

Je me suis dépêché de quitter la boutique, sans courir car ça ne se fait pas dans ces endroits (on m'aurait inévitablement poursuivi et ce n'était pas le moment de me faire plaquer au sol), mais en progressant du pas vif et rêveur à la fois que nous utilisons souvent dans notre métier de détective. L'échappé se dirigeait vers son automobile rapide. En passant la porte, j'ai croisé deux hommes en survêtement dont l'un disait :

– J'ai vu tous les films de Kubrick, du premier au dernier. J'te conseille pas, hein. Nul !

Je me suis retourné sur eux par réflexe, et j'ai remarqué que la grosse fille aux bras le long du corps marchait derrière moi. Elle portait une robe vert pomme qui lui donnait l'apparence d'une belle granny-smith. Son visage était impassible. Elle ne me lâchait pas du regard.

Nom d'un petit bonhomme. On m'a pris en filature. Qu'est-ce que c'est que cette embrouille ?

L'échappé ouvrait déjà sa portière. Je ne pouvais pas me permettre de réfléchir. De plus, je devais passer devant sa Corsa. Danger. Jaenada, sors le grand jeu. Je me suis précipité rêveusement vers ma Ford.

Au moment où je m'asseyais derrière le volant, j'ai aperçu l'énorme fille verte qui trottait vers moi, toujours les bras le long du corps et le visage impassible. Alors là, ce n'est plus de la filature, c'est une hallucination ou une menace effrayante. Elle me fonce dessus, ce n'est pas possible. Je ne vois pas ce qui peut se passer, maintenant. Elle va prendre la Ford à bout de bras et la lancer à quinze mètres en poussant un hurlement de créature de l'espace ? Elle trotte, mon Dieu, ses énormes seins ballottent, elle n'est plus qu'à deux mètres ! Madame, non !

J'ai jeté un coup d'œil affolé vers la Corsa, pour voir où en était mon gibier mais surtout pour savoir s'il observait la scène et s'il allait pouvoir me venir en aide. Il se regardait les dents dans le rétroviseur. C'est foutu, allez. Elle a frappé à ma vitre. Pliée en deux à l'équerre, ballonnée de partout, sa grosse tête neutre à trente centimètres de la mienne. Ces yeux éteints qui me fixent, qu'est-ce qui m'arrive ?

Ah ! je ne sais pas pourquoi j'ai baissé la glace, je ne sais pas. Peut-être par crainte qu'elle ne donne un coup de poing dedans… Honnêtement, je ne sais pas. Mon échappé s'apprêtait à démarrer, j'aurais dû faire une marche arrière hystérique à fond les ballons de la mort, quitte à bousculer un peu la martienne en transe, elle aurait poussé un juron dans sa langue et je me serais enfui sain et sauf, libre, seul derrière monsieur Persin. Mais non. Comprends pas.

– Pourrais-tu m'emmener, toi ?

– Pardon ?

Elle avait de longs cheveux roux et, autour d'un cou gonflé et laiteux, une chaîne en or avec un pendentif rond, en or aussi, sur lequel j'ai cru reconnaître le profil de Georges Pompidou. Mais je n'en étais pas sûr car ça me paraissait bizarre.

– Pourrais-tu me trimbaler dans ton véhicule ?

– Pardon ? (Je l'avais déjà dit.) Ah… euh… eh non.

– Tu me refuses ?

– Mais non, non… Enfin si, justement.

L'échappé entamait sa marche arrière tranquillement, seul dans sa Corsa, heureux comme un pape.

– Je ne veux pas rester dans la panade, s'il te plaît. Embarque-moi. Et c'est parti !

– Ce n'est pas possible. Excusez-moi… Je n'ai pas le temps.

– Mais je ne prends pas de temps. Je ne suis que dans l'espace.

Je le savais. L'échappé quittait la station-service.

– Ce n'est pas ce que… Je suis désolé, je dois vous laisser.

– Non, je t'ai vu, tu es gentil. Prends-moi avec toi, comme un boulet.

L'échappé m'échappait, c'était horrible.

– Bon, montez. Mais vite !
– Hourra.

Quand j'ai quitté la station-service Shell en brûlant
l'asphalte, la granny smith géante était assise à ma
droite. Elle avait les mains sur les genoux et regardait
droit devant elle, les traits figés par la concentration.
Préoccupé par l'échappé en fuite, je n'avais pas ouvert
la bouche depuis qu'elle était montée. De temps en
temps, elle murmurait : « *Ça*, c'est la vie ! » en hochant
légèrement la tête sur le « ça ». Après tout, j'avais besoin
d'une secrétaire.

7

Un boulet nommé Fabienne

Monsieur Persin n'avait sans doute pas la digestion facile. Alourdi par ses deux sandwiches, son Coca et son Danone, il avait ralenti de 10 km/h au moins et nous l'avons rattrapé sans trop de mal. Ma Ford semblait retrouver une certaine jeunesse, peut-être allégée par la présence non négligeable de la rousse éthérée. J'allais maintenant devoir expliquer à ma grosse assistante en vert le but de ce voyage qui n'en avait pas (le seul but se trouvait à cinquante mètres devant nous et, malgré la vitesse élevée de la poursuite, le resterait sûrement longtemps). Mais auparavant, je tenais à la questionner habilement pour savoir à qui j'avais affaire (on ne confie pas un secret professionnel à la première venue, montée en marche). Je le pressentais, ça n'allait pas être commode.

Je n'ai pas appris grand-chose. Elle s'appelait Fabienne du Val d'Orvault. En gros, c'est tout. Du moins, c'est la seule certitude que j'ai tirée de notre longue discussion. Et encore.

Elle s'est lancée dans quelques développements historiques au sujet de sa famille, mais je n'ai rien compris car elle parlait de manière très particulière et ses explications, malgré mes nombreuses tentatives de recentrage, restaient trop décousues pour un esprit cartésien comme se doit d'être celui d'un détective d'agence. D'après ce que j'ai pu déduire d'un patient travail de reconstitution mentale, elle descendait d'une vieille famille noble dont les derniers représentants, ruinés mais dignes, vivaient dans la pauvreté distinguée du côté de Nevers ou de Toulouse (elle répétait souvent le nom de ces deux villes). L'auguste profil que j'avais hasardeusement attribué à Georges Pompidou appartenait en fait à son arrière-arrière-grand-père, Ernest du Val d'Orvault – ça me semblait plus probable. Son nom était gravé au dos de la petite médaille, avec les dates « 1852-1944 ». J'ai cru deviner qu'elle avait quitté d'elle-même le domaine familial quelques années auparavant, mais je n'ai pas vraiment compris pourquoi, ni dans quelles circonstances. (« Je me suis débinée pour le prestige, disait-elle, en me propulsant par la fenêtre. ») Une chose semblait l'obséder : ne jamais revenir. Elle ne m'en a pas expliqué la raison. Elle répétait seulement : « S'ils me retrouvent, tout le prestige part en eau de boudin. Jamais. Jamais. Plutôt mourir que de revenir en arrière, car tout partirait en eau de boudin. » Elle ne m'a pas non plus beaucoup aidé à retracer son existence depuis cette envolée spectaculaire par la fenêtre. En me fiant toujours à ma sagacité laborieuse, j'ai conclu qu'après un certain temps passé chez le boucher très sympathique d'un village voisin, elle avait traversé plusieurs fois la France en train, en long, en large et en diagonale, mais que les contraventions qui s'entassaient dans son sac (quel sac ?) avaient fini par l'agacer (« Je ne mérite pas la punition, même en théorie ») et que les bonnes blagues de ces sacrés contrôleurs avaient laissé trop de traces douloureuses, non seulement entre ses jambes (« Ils ne faisaient pas attention, ils rudoyaient ma chatte ») mais aussi sur le reste de son corps (ils l'avaient jetée deux fois hors du train – à petite vitesse mais enfin quand même, ça doit meurtrir). Pour plus de sécurité, elle avait donc choisi le stop, en général sur l'autoroute car c'est beaucoup plus rapide.

Quand nos routes se sont croisées à la station Shell (je ne bouge pas beaucoup, en temps normal, mais avec les innombrables lignes qu'elle traçait dans le pays, j'avais toutes les chances de la rencontrer), elle attendait là « depuis belle lurette », après avoir été lâchée « comme une vieille » par un type qui n'arrêtait pas de fouiller sous sa robe en roulant et avait tenté de la culbuter sur une aire de repos (or elle en avait marre : « Je n'aime pas trop le rapport sexuel, question baise, et en plus j'avais mes époques. ») Elle s'était peut-être propulsée pour le prestige, mais les résultats tardaient à venir.

Elle n'avait pas de papiers, pas d'argent, pas de bagages, pas d'affaires de toilette. Juste cette grande robe vert pomme qu'elle disait tenir du gentil boucher (elle semblait parfaitement propre, je me suis demandé comment elle se débrouillait pour la laver et la sécher (elle avait sans doute des relations compréhensives dans de nombreuses stations-service)), des tennis de toile blanche, et « une bonne culotte que m'a donnée madame Prenant ». Je n'aurais pu dire si elle avait vingt ou trente-cinq ans (c'est souvent le cas avec les personnes bien en chair : leur peau tendue à l'extrême présente moins de marques significatives du passage du temps.) Quand je lui ai demandé son âge, elle m'a répondu : « C'est dur à dire. Je n'ai pas une mémoire du tonnerre. Mais je sais que je n'ai pas beaucoup vécu, mon ami. » Je pense qu'elle était française, malgré son langage incongru, moins bête que n'aurait pu le croire un observateur stupide, et pas tout à fait cinglée. Les apparences ne plaidaient pas pour elle, mais en dépit de son attitude à la station Shell, et surtout de son passé récent, on ne pouvait absolument pas la comparer à ce qu'on appelle, avec un mélange de mépris et de compassion, une « paumée ». Des paumées, j'en ai rencontré des flopées, et je peux les reconnaître au premier coup d'œil – moi qui sais toujours où je vais.

J'étais en train de pourchasser à 140 km/h un conducteur de métro dont je me foutais éperdument, avec pour copilote une grosse rousse imprévisible que j'avais prise au vol dans une station-service. Elle ne me serait d'aucune utilité dans mon travail, elle me gênerait sans doute si la chasse prenait une autre tournure et s'il devenait nécessaire de courir, par exemple, mais elle paraissait de bonne composition : j'avais le sentiment qu'elle n'entraverait pas activement, volontairement, ma noble quête de la vérité. Un boulet n'a jamais sauté au visage de son prisonnier pour l'empêcher d'avancer. De plus, ça me faisait un peu de conversation dans la voiture, ce qui m'évitait de trop penser à l'absurdité de ma conduite. Et puis j'aimais bien Fabienne, pour tout dire. Lorsque je lui ai raconté ce que je faisais sur l'autoroute, lorsque je lui ai expliqué en quelques mots l'histoire du conducteur et mes craintes quant à l'aboutissement de cette traque aberrante, mes doutes sur mes capacités à stopper cette hémorragie géographique, elle m'a simplement conseillé, sans même tourner la tête vers moi, comme on propose à quelqu'un qui a soif de se servir un verre d'eau :

– Fais parler la poudre.

Ça m'a bien plu, ça.

8

L'hôtel de l'angoisse

La nuit était tombée, et il pleuvait de nouveau. Je me demandais quand j'allais pouvoir commencer à faire parler la poudre. Et surtout comment. Pour l'instant, je me sentais plutôt dépendant des événements. Manipulé. Rien à voir avec le gars qui ne va pas tarder à faire parler la poudre si on ne se calme pas très vite.

À une vingtaine de kilomètres dans notre dos, les Lyonnais et les Lyonnaises allaient pisser pendant la pause pub de TF1, abrités derrière leurs fenêtres éclairées, confortablement incrustés dans leur grande ville. Certains ramenaient de la cuisine un morceau de fromage et une tranche de pain, d'autres se préparaient une tisane Ricola aux cinq plantes, d'autres terminaient leur dissert pour le lendemain, d'autres se brossaient les dents en se regardant dans la glace de la salle de bains et en se demandant s'ils avaient eu raison de dire à Dubreuil d'aller se faire voir, des hommes se massaient les pieds et des femmes enlevaient leur culotte.

Mon boulet et moi, nous roulions toujours à fond dans le sillage de l'échappé, bien sages sur l'autoroute obscure, les yeux braqués sur ses feux arrière. Nous parlions des stations-service, car c'était à peu près la seule chose que nous avions en commun – même si la passion des stations-service n'est pas l'un des traits les plus représentatifs de ma personnalité (la peur de l'inconnu, par exemple, c'est plus moi – ou bien l'amour des livres, je ne sais pas, ou la hantise de poursuivre un type bizarre en pleine nuit sur l'autoroute sans savoir pourquoi ; mais les stations-service…).

– C'est tout un monde de couleurs et de sandwiches, disait mon boulet.

Je n'écoutais que d'une oreille distraite (celle qui était de son côté), mais j'entretenais tout de même la conversation, parce que je ne voulais pas blesser Fabienne mais aussi pour ne pas me retrouver soudain à foncer dans le noir à côté d'une grosse fille étrange et silencieuse.

– Il y a également beaucoup de boissons gazeuses, affirmais-je. Et les gens ont tous le même air un peu étourdi et déstabilisé. Comme dans un refuge de montagne, j'imagine.

– Ce n'est pas pareil, attention. Faut pas confondre.

Le jour où tout avait commencé n'était plus qu'un souvenir, et avec lui s'était dissipé tout espoir de revenir rapidement en arrière, dans l'univers stable du bien-être et de la logique, dans le brouillard habituel. J'étais bel et bien parti pour l'inconnu. Il fallait que j'appelle Anne-Catherine, qui devait se gratter jusqu'au sang sur le fauteuil du salon (je n'aime pas quand elle se fait mal volontairement (ce qui lui arrive souvent), car elle a un corps très admirable, intact). Je n'avais pas de portable (et c'était pas demain la veille parce que si j'avais été une vache laitière, disons, je n'aurais pas apprécié du tout qu'on me mette une cloche au cou – ça m'aurait rendu dingue, et avec mes grosses pattes rigides et mes sabots peu commodes, j'aurais toujours pu me brosser pour réussir à la détacher), et il était évidemment hors de question que je m'arrête quelque part pour appeler d'une cabine : l'échappé ne m'aurait pas attendu (même si les chances qu'il m'ait repéré et adopté avaient sensiblement augmenté depuis que nous avions allumé nos phares sur cette autoroute presque déserte – mais, après tout, j'avais aussi une voiture à cent mètres derrière moi depuis Lyon, peut-être même avant, et je me serais trouvé bien paranoïaque et ridicule de m'en alarmer). Bon, quand il n'y a pas de solution et qu'on en est certain parce qu'il n'y avait le choix qu'entre deux et que ben non ni l'une ni l'autre n'est possible, il est inutile de se creuser la tête plus longtemps car ça sert à rien et qu'on a sûrement pas mal d'autres trucs à examiner à la place (mais c'est vrai, quand on a très envie d'un morceau de camembert et qu'on sait parfaitement qu'on n'en a pas dans le frigo (c'est le genre de conviction qui ne laisse en général aucune place au doute), on ne peut s'empêcher de se lever deux ou trois fois dans la soirée pour aller vérifier contre toute raison (mais la faim est plus forte) qu'il n'en est pas apparu une boîte par magie fantastique). Il fallait que je l'admette : je ne pourrais pas téléphoner à la femme de ma vie pour la rassurer tant que le conducteur de métro ne l'aurait pas décidé.

Ce qui m'inquiétait surtout, c'est qu'après la nuit vient le jour. C'est plutôt réconfortant d'habitude (demain est un autre, etc.) mais dans mon cas cela signifiait que j'allais franchir un nouveau cap. On peut considérer la nuit comme une sorte de suite, de longue traînée de la veille, mais quand l'aube arrive, il n'y a plus à tortiller, on est passé de l'autre côté. Après la sortie du périphérique, où j'avais quitté le cercle familier comme expulsé par la force centrifuge, après le premier péage, où la barrière s'était levée sur les vastes étendues inex-plorées (par moi), après la station Shell où je m'étais équipé pour l'éternité d'un boulet excentrique et après l'adieu à Lyon, dernière cité civilisée avant les terres barbares, j'allais carrément me retrouver au début d'une nouvelle journée sans l'avoir vue venir, au début d'une nouvelle ère. (Car on ne me ferait pas croire que ce conducteur de métro partait simplement rejoindre sa pupuce à la campagne : il était louche ou je ne m'y connais pas (il était louche, donc).) Le soleil se lèverait sur un Philippe Jaenada dangereusement détective, un détective privé d'attaches, plongé seul dans le milieu du doute, de la ruse, du suspens agaçant et du crime, si ça se trouve. Seul parmi les ombres vicieuses. Ce n'est pas mon genre, mais ce serait moi.

Pourtant j'aurais dû me réjouir, moi qui rêvais de ressembler à ces seigneurs en imper qui se faufilent entre les balles dum-dum, envoient des caïds au tapis d'un puissant direct du gauche et se réveillent parfois au fond d'une cave avec une bosse comme un œuf de corbeau sur le crâne mais réussissent à se glisser par le soupirail malgré l'engourdissement de tout leur corps – et alors là, cette vermine de Sonny-la-Chance ne perd rien pour attendre. Mais j'avais le sentiment agaçant que ce ne serait pas vraiment pareil pour moi. Je n'étais pas dans le cadre idéal. Je suivais un type louche, je n'avais pas la moindre idée de ce qu'il cherchait, et pour l'instant il ne faisait rien de mal. Ça sentait le vice à plein nez. Les cartes n'étant pas nettement distribuées, je ne pouvais pas agir (de toute façon, j'étais trop loin de lui). Je ne me voyais pas le coincer sur une aire de repos et lui envoyer un puissant direct du gauche à la mâchoire, à ce pauvre type. Et lui ne semblait pas décidé à ralentir pour baisser sa vitre et me balancer une rafale de 45. Misère, c'était fourberie et compagnie. Il finirait bien par s'arrêter quelque part, mais aurait-il le courage et l'honnêteté de baisser son masque et de jouer cartes sur table ? Ce serait terrifiant, bien entendu, mais au moins on saurait où on en est. Et s'il ne se passait rien, ce qui restait malgré tout possible, ce serait encore pire : ce serait frustrant et déprimant.

— Tu le poursuis bien, m'a dit la verte Fabienne. On va l'avoir.

Elle ne paraissait pas comprendre que le but était justement de ne pas le rattraper. Mais effectivement, quand on y réfléchit, ce n'est pas clair.

Je n'ai pas pu philosopher longtemps car il a quitté l'autoroute. Je ne savais pas où nous étions exactement, il a soudain déboîté sur la droite sans mettre son clignotant pour s'engager sur une bretelle de sortie, comme pris d'une illumination au beau milieu de l'A6 nocturne, je n'ai même pas pu lire la pancarte (cent cinquante mètres à 140 km/h, ça fait moins de quatre secondes), le temps que je me dise : « Quoi ? Qu'est-ce que… Merde, il sort ! » j'arrivais déjà à la hauteur de la bretelle ahurissante : où va-t-il ?

— Suis-le ! a crié mon boulet. Là, à droite !

C'est sans doute ce qu'on appelle une secrétaire efficace. (Elle devait penser que j'étais assez idiot pour continuer en fronçant les sourcils avec l'impression dérangeante que quelque chose avait changé dans le décor, mais c'était son devoir : les détectives sont souvent de grands enfants tête en l'air.) Arrivé en haut, le conducteur rebelle a tourné sans hésiter à gauche, sur le pont qui enjambait l'autoroute, et a continué sur une départementale de campagne, obscure et rectiligne. Je ne rêvais pas : il y avait du changement.

C'était l'ébullition dans la Ford. Surexcitée, Fabienne clignait frénétiquement des paupières, comme un gros robot qui pète les plombs, et répétait : « C'est le coup de théâtre ! C'est le coup de théâtre ! » De mon côté, je tentais de garder les mains sur le volant, le pied sur la pédale et la tête sur les épaules, ce qui n'a l'air de rien mais demande une certaine gymnastique. Chaque fois que ma secrétaire disait : « C'est le coup de théâtre ! », je lui répondais : « Attends, attends », sous-entendant malgré moi que le vrai spectacle allait débuter d'une seconde à l'autre. Je crois que c'était surtout pour m'occuper la langue et ne pas l'avaler (ce que font les chevaux trop émotifs quand on leur demande de se surpasser). Cette fois le dénouement approchait, car il ne pouvait plus aller bien loin – je ne pense pas que la vie s'étale sur plus d'une quinzaine de kilomètres de part et d'autre de l'autoroute (de chaque côté du Nil, il paraît que c'est à peine quelques centaines de mètres). Mais, ficelé dans l'action rapide, je ne parvenais plus à raisonner comme à mon habitude (c'est-à-dire quand je suis assis dans une pièce et que je n'ai qu'un problème à résoudre), les questions s'accumulaient et s'entre-mêlaient dans mon esprit secoué comme des écharpes dans une machine à laver, et je ne savais plus laquelle choisir. Que se passerait-il s'il roulait jusqu'à un village perdu, se garait et entrait dans une maison ? Je me retrouverais en pleine pampa, à dix kilomètres à vol de vautour du premier café ouvert, seul dans la nuit lugubre avec Fabienne, mon boulet. Non, je devais réfléchir à la manière des forts, au coup par coup et dans la seconde, comme un Chinois au ping-pong. Mon premier souci était le suivant : maintenant c'était sûr, bonne nuit les illusions, il ne pouvait manquer de me repérer. Sur l'autoroute c'était limite, mais ici, dans le néant latéral, je me lançais dans le style de filature qui vaut 2 à l'école des détectives. Cependant, je n'avais pas le choix. Et puis je me suis soudain rendu compte

– tardivement, mais je n'ai pas plusieurs têtes et je ne suis pas une terreur dans les machins simultanés – que la voiture qui roulait derrière nous sur l'autoroute avait emprunté la même bretelle que nous et nous suivait sur la départementale. Ça faisait du monde, enfin une bonne nouvelle. Cette sortie de l'A6 était sans doute plus utilisée que je ne l'avais d'abord imaginé (il y avait peut-être un truc époustouflant dans les parages), ma proie ne remarquerait pas facilement ma présence dans cette foule. Cela dit… Une bonne nouvelle, je me précipite un peu.

Après cinq minutes de route (ils avaient oublié de mettre des panneaux, sur cette départementale, ou quoi ?), le conducteur a bifurqué une nouvelle fois à droite pour pénétrer dans une sorte de grande zone industrielle, avec un Mr Bricolage, un Conforama, un Surgelés Picard – une zone immense et morte avec des magasins et des entrepôts de ce genre, constellée d'une myriade de petits panneaux indicateurs multicolores. Allons bon. Il va prendre livraison d'une cargaison de quelque chose ?

– Je sens la menace, a déclaré Fabienne.

Moi aussi, mais gardons notre sang-froid.

La troisième voiture avait tourné avec nous. Si le truc époustouflant se trouvait dans le coin, il était sûrement tout petit. Non… J'avais la sensation de devenir une proie, ça ne me convenait qu'à moitié.

Le paisible monsieur Persin se dirigeait dans ce labyrinthe de gros bâtiments sinistres comme s'il venait travailler là tous les matins. Je nageais dans la béchamel.

Et brusquement, la lumière. Il a pris à gauche derrière un Palais de la Chaussure massif, et lumière ! (Enfin.) Nous sommes tombés sur un Formule 1 pimpant qui cachait en partie, ronronnant deux cents mètres plus loin, un Mercure mystérieux. Pourvu que le rebelle ait le goût du confort.

— Je n'en crois pas mes oreilles, a murmuré Fabienne. Il nous a eus.

Pour ma part, peu féru d'affaires malhonnêtes en entrepôt, j'étais plutôt soulagé. Je me voyais mal intervenir avec mon Beretta pendant l'achat clandestin d'un stock de grenades ou de schnaps frelaté. Et de toute façon, je n'avais pas la moindre intention de jouer les flics. Je ne vois pas pourquoi je me prendrais tout à coup pour un héros national. Ni même régional. Ce qui m'arrange bien, en plus, c'est qu'il a passé le Formule 1 et se dirige vers le Mercure. Ça c'est bon. Il se gare, impeccable. Tiens, je vais me mettre là, moi, pile une place. Il y a du monde, dans cet hôtel, dis donc.

Au moment où nous entrions dans le parking du Mercure, j'avais jeté un coup d'œil de technicien avisé dans le rétroviseur et m'étais aperçu en souriant que l'autre voiture ne rampait plus derrière nous. Sûrement un malheureux qui s'apprêtait à passer la nuit dans un placard du Formule 1. Ou un truand quelconque qui allait s'approvisionner en saucissons de contrebande au Palais de la Chaussure, habile couverture. Ou encore un malin, mais si on doit se méfier de tout le monde…

À quelques kilomètres brillaient les lumières orangées d'une ville de taille moyenne. Mais je ne suis pas assez calé en villes pour pouvoir en reconnaître une à distance, la nuit. Et honnêtement, ça ne m'intéressait pas beaucoup.

Il y avait du monde, dans cet hôtel, dis donc. Un congrès ou un Salon devait être organisé en ville car, malgré l'heure tardive et la zone fantôme dans laquelle nous avions échoué, on se serait cru au Mercure de

Biarritz en août : plusieurs personnes vagabondaient dans le hall, le restaurant qui se trouvait sur la droite était encore à moitié plein, et une dizaine de clients poursuivaient la soirée au bar, sur la gauche.

Si c'est un congrès de conducteurs de métro, je mange mon Beretta.

Monsieur Persin s'approchait de la réception. Il portait une grande valise de cuir marron (nous, rien). En passant près de deux amoureux qui ne formaient qu'un seul gros être gluant, il a secoué la tête. Même de dos, j'ai vu qu'il levait les yeux au ciel. Ça ne me disait rien de bon.

– Je vais faire semblant de fixer un prospectus, m'a chuchoté Fabienne à l'oreille.

Avant que j'aie pu réagir (c'est-à-dire avec une rapidité sidérante), elle s'est élancée vers le comptoir de la réception et l'a atteint presque en même temps que le conducteur, comme poussée par de puissants réacteurs. J'ai d'abord pensé que c'était une bonne idée, car elle allait pouvoir me dire s'il avait réservé, s'il donnait son vrai nom, et quel était le numéro de sa chambre. Mais j'ai changé d'avis en un éclair : d'une part je me foutais du numéro de sa chambre (avec ce monde, j'avais peu de chances d'en dégoter une voisine – et même, je n'avais pas de stéthoscope pour écouter au mur), d'autre part envoyer mon boulet vert pomme en guise d'espion passe-partout ne relevait pas du génie pur. Il n'avait pas pu la louper à la station Shell (dont les couleurs, rappelons-le, sont le jaune et le rouge). Or Fabienne du Val d'Orvault ferait passer un gros lapin rose pour un agent du KGB de la grande époque. Le pauvre homme allait devenir fou.

Elle s'est emparée d'un prospectus sur le présentoir, est allée se placer, en arborant une expression pensive et nonchalante qui lui convenait comme la rage à un moine, à trois ou quatre centimètres de l'épaule gauche de l'échappé rattrapé, qui parlait avec la réceptionniste, et s'est mise à contempler fixement son dépliant, en le levant presque à hauteur des yeux. Persin et l'employée ont tourné ensemble la tête vers elle, l'air de se demander ce qu'était cette masse verte qui venait mollement se souder à eux, mais elle n'a pas bougé d'un millimètre, fascinée par tout ce que proposait l'hôtel.

Je ne respirais pas beaucoup.

Au moment où sa proie s'éloignait vers l'ascenseur avec sa clé, elle a bondi sur le côté avec l'agilité d'une machine à laver, l'a attrapé par la manche et… a entamé une discussion avec lui. Persin semblait lui répondre assez sèchement, les sourcils froncés, le corps légèrement en retrait – pourtant elle ne le tenait plus. Elle a commencé à faire de grands gestes avec ses bras, il a pris un pas de recul. Lorsque je l'ai vue me désigner du doigt, j'ai senti mes jambes fléchir, je suis tombé dans les pommes, je me suis effondré lourdement au sol, ma tête a heurté le marbre rose avec un bruit d'aubergine jetée du troisième étage sur un trottoir de béton, trois infirmiers en blouse blanche se sont immédiatement précipités vers moi, m'ont placé sur un brancard qu'ils ont balancé à la diable dans une ambulance garée devant l'hôtel et m'ont emmené à toute blinde vers l'hôpital de la ville voisine, une ville de taille moyenne, où j'ai passé cinq heures en réanimation avant de subir toute une série d'examens savants dont l'autoritaire Dr Planard a déduit que je devais rester au moins trois jours en observation, sous le regard bienveillant d'une infirmière nommée Sandra qui portait toujours une culotte bariolée sous sa blouse légère, trois jours au bout desquels j'ai pu tirer ma révérence avec un bandage impressionnant sur le crâne, retourner au Mercure en taxi, arracher rageusement mes pansements devant la porte, pénétrer dans le hall, m'arrêter au milieu et voir Fabienne revenir vers moi en souriant, tandis que le conducteur de métro attendait près de l'ascenseur.

– … ? ai-je glapi.

– Il n'avait pas réservé, figure-toi.

– Hein ? Non, mais…

– Que dalle. Cela dit, il s'est présenté sous le nom de Jacques Persin et il a réussi à décrocher la 326. J'ai tout entendu grâce à mon prospectus.

– Non, d'accord, mais… Pourquoi tu lui as parlé ? Qu'est-ce que tu lui as dit ?

– Oh, rien.

– Quoi ? Comment ça, rien ? Fabienne…

– C'était juste pour voir s'il avait du cran. On parle comme si de rien n'était, quand on a du cran.

– Oui mais quoi ? Tu lui as dit que je l'espionnais ?

– Non, grande nouille. Je lui ai demandé s'il connaissait l'hôtel, car j'ai le sommeil léger, tu comprends. Des fois c'est pas confortable du tout et il y a tout un ramdam dans les couloirs. Ça fait un boucan, mon ami.

– C'est pour ça que tu faisais de grands gestes ?

– Ben oui. Pour mimer le ramdam.

Elle a souri fièrement, en redressant le buste, comme un artiste de music-hall. C'est pas tout le monde qui peut mimer le ramdam, mesdames messieurs.

– Mais tu m'as montré du doigt !

– J'ai dit que tu étais mon mari et que tu en savais quelque chose.

– De quoi ?

– Du ramdam. Que ça me gêne.

– Bon. Maintenant c'est sûr, il m'a reconnu.

– Justement, c'était pour savoir s'il allait bondir en te voyant, ou écarquiller les yeux. Mais rien, des clous. Si c'est lui, il a un sacré cran.

– Si c'est lui ? Et ça me fait une belle jambe, moi, qu'il ait du cran. Il ne faut pas prendre des risques comme ça, Fabienne.

– Au contraire. Il s'est peut-être dit que ta tête lui rappelait quelqu'un, si tu veux. Et alors ? Au contraire. Ça va pas plus loin. Tu imagines, toi, un détective qui se balade partout avec une grosse dame comme moi ?

Nous avons pris une chambre ensemble. Il n'y en avait plus beaucoup de libres, mais ce n'était pas pour ça. Et bien entendu, c'était encore moins pour se caresser fiévreusement à l'abri des regards indiscrets et baiser à la sauvage jusqu'à l'aube qui lave tout – je suis fidèle comme un setter. Primo, mon boulet n'avait pas un franc, je ne possédais pas non plus la fortune de Picsou et il me serait probablement difficile de faire accepter les deux nuits au gros Gilles dans les notes de frais. Secundo, je ne pouvais pas l'imaginer toute seule dans une chambre d'hôtel – il me semblait qu'elle ne pourrait pas deviner que les robinets, par exemple, ça se tourne. Et tertio, l'intégrité conjugale de mon grand corps d'ivoire ne risquait pas grand-chose : non seulement elle était gentille et ne chercherait sûrement pas à me prendre par la force, mais de plus elle n'était pas tentée par les rapports sexuels, question baise.

Voilà. J'espère qu'Anne-Catherine comprendra.

Fabienne voulait se coucher tout de suite. Sans manger. Je n'avais pas très faim non plus, la tension de ces dernières heures m'ayant un peu ballonné, mais elle, quand même, je me demandais comment cet organisme gigantesque allait pouvoir survivre jusqu'au lendemain matin sans être ravitaillé, entretenu par quelques kilos de viande et trois ou quatre litres de lait (par rapport à Anne-Catherine, qui ressemble à un coquelicot et mange comme un bûcheron, ça me déconcertait).

– La chasse m'a noué le ventre, m'a-t-elle expliqué, vaguement honteuse.

J'ai décidé de redescendre boire un verre au bar, où je trouverais certainement quelque chose à grignoter. Je n'avais pas sommeil, je ne tenais pas particulièrement à la voir se déshabiller, j'avais besoin de faire le point au calme sur mon enquête, et envie d'un ou deux whiskies pour me rassurer. Je pourrais aussi me renseigner sur notre situation géographique. Fabienne m'a prévenu :

– J'ai le sommeil léger, comme je disais au suspect. D'un autre côté, je n'aime pas avoir peur. Quand tu reviens, frappe quatre coups avant d'entrer pour que je te remette. Deux longs, et deux courts.

Je n'ai pas voulu chercher la petite bête et je suis sorti en hochant la tête d'un air entendu. Nous étions dans la chambre 212. Je ne l'oublierai jamais. Car après cette nuit-là, après mon passage dans la chambre 212, ma vie a basculé. De manière impressionnante.

Il restait moins de monde au bar, cinq ou six personnes, dont deux mecs au comptoir, assez vulgaires et visiblement bourrés. Je me suis accoudé le plus loin d'eux possible, j'ai commandé un Oban sans glace, je l'ai bu cul sec et je suis allé téléphoner à Anne-Catherine dans le hall – en laissant mes Camel et mon briquet sur le comptoir, car je voulais revenir.

Après que je lui ai résumé la soirée, elle m'a demandé si je n'étais pas taré. « Je t'ai dit que tu n'apprendrais rien sur ce bonhomme. » Je lui ai expliqué que je ne pouvais pas faire autrement, que de toute façon ça n'allait pas durer une éternité, et que je serais de retour le lendemain ou le surlendemain au plus tard. Elle paraissait furieuse mais faisait manifestement des efforts pour ne pas me le montrer, garder son calme, sa relative confiance en moi, et me faire croire que le principal était que je remplisse ma mission d'agent de recherches qu'on ne décramponne pas comme ça, ou que j'assouvisse mon inconcevable curiosité. Elle était en train de regarder un film à la télé. Ensuite elle mangerait quelques tartines de Nutella, donnerait de la Vache qui Rit à Spouque, le chat, se raserait les jambes, travaillerait une heure ou deux à la correction du roman qu'elle venait d'écrire, puis se coucherait en m'envoyant par l'autoroute des ondes puissantes et bénéfiques. Avant de raccrocher, elle m'a dit : « Tu me rappelles s'il y a des morts, hein ? »

Je n'avais pas jugé très utile de lui parler de mon boulet. Je sentais que le coup de la chambre commune lui resterait en travers de la gorge, un peu comme un couteau de cuisine dans celle d'un hamster. (À Paris, si je disais bonjour à une fille qu'elle ne connaissait pas, elle devenait pâle, se mettait à trembler et ne prononçait plus un mot pendant une heure.) Quoi qu'il en soit, Fabienne allait bientôt disparaître, je lui demanderais le lendemain de trouver un autre convoyeur car je devais être libre de mes mouvements. Quand la vérité n'a pas grand intérêt, le mensonge est légitime.

Avant de retourner boire un whisky, j'ai demandé la chambre 326.

– Oui ?

J'ai réalisé que c'était la première fois que j'entendais la voix de monsieur Persin. Une voix… normale. Juste un peu intriguée par ce coup de fil inattendu dans une chambre d'hôtel à cinq cents kilomètres de chez lui. Ce qui est bien naturel. J'ai raccroché. Il ne sortirait sans doute plus avant le matin. De toute façon, on apercevait les ascenseurs depuis le bar. Il suffirait que je me lève très tôt demain pour être sûr de ne pas le manquer, et la poursuite pourrait reprendre.

Le troisième whisky m'a fait du bien. À présent, la plupart des clients avaient quitté le restaurant pour regagner leur chambre (depuis notre arrivée, j'avais vu des jeunes, des vieux, des intercalés, des couples avec ou sans enfants, des types en costume et des types en tee-shirt, des moroses et des joviaux, des mous presque morts et des costauds à têtes de tueurs, un petit groupe de gais lurons genre agents d'assurances, une grande brune seule en minirobe jaune, très belle, un couple onctueux qui avait agacé Jacques Persin, un couple glacial et hargneux (« Tu vas me pourrir la vie jusqu'au bout ? ») et deux mémés aux cheveux violets qui se tenaient par la main en sortant du restaurant – ce n'était sûrement pas un congrès de conducteurs de métro). Le barman – un grand maigre aux gestes mécaniques et au regard vague, comme toujours – m'a appris que nous étions près de Romans, c'est noté, et que beaucoup de personnes dans l'hôtel étaient ici pour le fameux Salon du Luminaire, ah d'accord.

J'avais envie de réfléchir, comme je me l'étais promis, mais les deux jeunes poivrots qui se trouvaient à l'autre bout du comptoir et parlaient fort m'en empêchaient. Ils buvaient de la bière en bouteille, arboraient chacun une immonde chemisette à manches courtes (l'une à carreaux, l'autre jaune pâle), un jean, et ces mocassins marron qui soulèvent le cœur. Ils avaient les cheveux courts. La chemisette a carreaux portait des lunettes carrées. Ils faisaient peine à voir, mais ils connaissaient la vie et enrageaient d'être les seuls. C'était plus comme avant (aucun des deux n'avait plus de trente ans), tout était foutu maintenant à cause de la compétition à tout va, tous ces pauvres moutons ne se rendaient pas compte, c'était pas ça, la vie, où on allait comme ça, si encore les gens voulaient bien ouvrir les yeux, comprendre un peu ce qui se passe et se donner un coup de main, mais non, tu penses. La chemisette à carreaux était la plus furibarde et expliquait les choses avec véhémence à la chemisette jaune pâle :

– Il n'y a plus de savoir-vivre ! C'est fini, ça. Et qu'est-ce que tu veux faire ? Je t'assure, j'essaie de changer la connerie humaine, j'y arrive pas. Ah j'y arrive pas, sans déconner. Ils comprennent pas ce que c'est que le savoir-vivre. Ils sont bouchés. J'ai beau leur taper sur la gueule, à ces connards, ils comprennent rien.

Derrière moi, aux tables, il restait un jeune couple phosphorescent qui sirotait amoureusement des cocktails bleus, et un chauve sombre d'une cinquantaine d'années, dont la coupe de champagne était vide depuis mon entrée dans le bar.

Jacques Persin n'avait pas l'air si malsain que ça, malgré cette fuite soudaine vers le sud. On peut avoir besoin d'air, après tout. Non mais tu crois qu'ils vont se réveiller un jour, ces crétins ? C'est quand même bizarre, il aurait laissé sa petite bleue en carafe ? Ils marchent comme des nazes dans ce système de pourris. Enfin, je vais continuer, maintenant que je suis là. Mais il faut que je me sépare de mon boulet. Tout vient d'en haut, de toute façon, qu'est-ce que tu crois ? Je l'aime bien, mais je n'ai pas envie qu'elle me suive partout. Je suis déjà assez encombré comme ça. Ils nous mani-pulent, ces enculés, faut pas croire… Qu'est-ce qu'elle va devenir sans moi ? Cela dit, elle ne m'a pas attendu, pour qui je me prends ? Il faut les niquer, c'est tout, mais personne veut rien faire, ils sont tous morts de trouille. Elle ne ratera pas grand-chose, ça risque de ne pas être très passionnant, ma filature. À moins que Persin ne soit pas si innocent ? Je t'assure, des fois j'ai envie de tout faire péter ! Cette voiture qui nous a suivis jusqu'à la zone industrielle… Qu'est-ce qu'il attend, ce chauve immobile, devant son verre vide ? J'ai la carabine dans le coffre, hein, c'est pas des conneries. Non, si je commence à voir le mal partout, je n'en sors plus. Ou alors je te jure, je vais me faire péter la cervelle ! Persin se promène, le type de la troisième voiture est allé dormir au Formule 1, ce chauve est triste parce que sa femme est morte, ou parce qu'il est chauve. Mais non mais qu'est-ce que tu veux foutre, on est coincés ! Pourtant j'ai le sentiment, disons instinctif, de ne pas être venu ici pour rien. Au bout du chemin, il devrait se passer quelque chose. Alors faut qu'on continue comme des putains de moutons, c'est ça ? Quand j'ai suivi Gérard Depardieu, tiens… Qu'on se fasse entuber, qu'on dise merci, et qu'on crève bien gentiment ? C'était l'une de mes premières aventures de détective (à titre privé, si on peut dire), j'avais dix-neuf ou vingt ans, j'étais descendu au festival de Cannes. Eh ben moi mon pote, je me ferai pas avoir ! Je n'avais quasiment pas d'argent, quatre ou cinq cents francs pour douze jours, je dormais dans ma R5 sur les hauteurs de la ville, je me lavais dans les toilettes des bars de la Croisette, je mendiais des invitations aux projections devant le Palais (ça marchait bien, je n'ai pas manqué un film) et, comme tous les ratés, j'essayais de m'incruster partout – pour manger et picoler un peu, évidemment, mais surtout, je crois, pour le plaisir de résoudre le problème du rempart, de franchir les barrages et d'entrer où je n'avais pas le droit d'entrer, pour le plaisir de « réussir ». Un soir, en passant par le sous-sol du Palais, où n'importe qui avait assez facilement accès, je suis arrivé à me faufiler comme une ombre dans un ascenseur et à accéder aux coulisses de la grande salle. Ce jour-là, les organisateurs avaient prévu un hommage à François Truffaut, si ma mémoire est bonne. Me retrouver dans l'arrière-boutique était déjà un triomphe (rien ne t'arrête, Jaenada, tu te glisses partout, même dans les plus petits trous, et personne ne peut t'en empêcher, on dirait que tu es enduit d'huile), mais malgré le succès j'ai su rester humble car l'endroit était désert et ne présentait aucun intérêt : un long couloir de béton, avec des portes en métal gris sur le côté droit. Fermées à clé. C'était moche et déprimant, je n'avais rien à faire là, j'aurais tout aussi bien pu aller visiter une cave de commissariat de police. Ou alors je m'étais trompé en dessinant mentalement le plan du Palais avant de m'engouffrer dans l'ascenseur (car je préparais toujours soigneusement mes expéditions, comme un cerveau, je ne partais jamais à la légère (sinon c'est le fiasco), je consultais ma montre avant de lancer l'opération et je disais : « J'ai dix-neuf heures vingt-sept »), j'avais dû mal situer les coulisses dans le schéma d'ensemble, dommage. Parce que je regrette mais ce n'est pas comme ça, les coulisses. Dans les coulisses, on voit des éléments de décor entassés partout, des faux palmiers et des statues grecques en carton pâte, et d'autre part il y a toujours du monde, une petite foule qui s'agite, des techniciens mal habillés qui courent partout, des gens en costumes d'époque, des filles aux seins nus, avec des plumes de-ci de-là, qui passent devant vous comme si elles ne vous voyaient pas, des nains à tête effrayante déguisés en dompteurs – même pour un hommage à Truffaut, j'imagine. Surtout pour un hommage à Truffaut. Mais là, rien, un long couloir gris et vide. Pas une fille, pas un nain. Ah c'est plus ce que c'était, tu parles d'un festival. J'ai risqué gros, moi, pour en arriver là. Et qu'est-ce que je récolte ? Des nèfles – et encore, ce serait toujours ça. Maintenant, pour ressortir, ça va être le parcours de l'ancien combattant. Misère. Mais tout d'un coup, qu'est-ce que je vois ? Une porte métallique s'ouvre à deux mètres devant moi, comme par enchantement, et qui je vois apparaître ? Gérard Depardieu. Seigneur, qu'est-ce qu'il fait là, celui-là ? Dans une cave de commissariat ? Dans ce lieu sordide ? Tout seul, Gérard Depardieu, immense et gros. Et moi, qu'est-ce que je fais là, tout à coup ? Il me jette un coup d'œil furtif, et voilà, catastrophe, je me retrouve dans un long couloir vide avec Gérard Depardieu. Je suis foutu, je ne peux me cacher nulle part, et de toute façon ce serait idiot, il m'a bien vu, il est à deux mètres de moi, j'aurais l'air suspect à courir comme un dératé pour me cacher derrière un pylône. Mais il ne me prête aucune attention, referme la porte derrière lui et s'engage d'un bon pas dans le couloir. Il doit penser que je suis un technicien mal habillé (ou un nain à tête effrayante). Je ne sais pas ce qui m'a pris à ce moment-là, je l'ai suivi. Je n'ai pas réfléchi un quart de seconde. Ce n'est pas que je sois limité en réflexion, au contraire, mais il me semblait que si j'avais réussi à venir jusque-là, ce n'était pas pour rien, que ce que je pouvais espérer de mieux était de tomber sur Gérard Depardieu seul dans un couloir, et que donc il n'y avait pas à hésiter un quart de seconde – un lâche aurait fait demi-tour, mais je suis d'une autre trempe : je suis un furieux, un fanatique de l'action, un teigneux qui ne lâche jamais prise. Un blouson noir. Tandis qu'il avançait devant moi de son grand pas babylonien, et que j'avançais derrière lui de mon petit pas ahuri, je m'interrogeais quand même. Où partions-nous, comme ça ? Et s'il va aux toilettes, je vais entrer derrière lui et attendre qu'il ait fini de pisser ? Et s'il va voir quelqu'un pour discuter avec lui, je vais me poster à côté d'eux, bien droit, les mains dans le dos, pour ne pas perdre une miette de leur conversation ? Mais bien sûr, pendant que je me posais ces questions élémentaires, je lui emboîtais toujours le pas (on ne réfléchit jamais aussi bien que lorsqu'on marche), et au moment où j'allais enfin aboutir à une réponse (« Ça ne peut mener à rien de bon, c'est certain »), il a tourné à gauche et s'est dirigé vers une grande porte, haute et large avec une barre au milieu pour ouvrir, devant laquelle un corpulent vigile montait la garde. Évidemment, il a fallu que j'arrête de méditer, chaque chose en son temps, je devais réagir du tac au tac, dans l'urgence. Comme un Chinois. Je me suis rendu compte que j'accélérais insensiblement, pour me porter presque à la hauteur de Gérard Depardieu. Une seule chose comptait maintenant pour moi : ne pas me faire refouler par le corpulent vigile. Après tous ces efforts, ce serait le comble. La possibilité de m'arrêter là et de repartir d'où je viens n'existe plus. Je suis à présent à moins de cinquante centimètres de l'acteur, qui ne se préoccupe pas plus de moi que d'une mouche et s'approche de la porte. Je me décale légèrement, pour donner l'impression que je marche à côté de lui (de face, l'effet d'optique peut agir en ma faveur – on pense simplement que je suis de petite taille). Quand nous arrivons à trois mètres de lui, le vigile automatique ouvre la porte et nous entrons comme un courant d'air auréolé de gloire. Je suis passé. Tout comme moi, le cerbère n'a eu que très peu de temps pour réfléchir – et l'intuition, ce n'est pas notre truc. Avec les grands acteurs, il faut toujours prendre garde à ne pas faire de boulette, car ça ne pardonne pas. Or, comment cet employé – sûrement modèle, puisqu'il était chargé de surveiller LA porte – aurait-il pu imaginer un seul instant qu'un type qui marche tranquillement à côté de Gérard Depardieu dans un couloir désert, sans lui adresser la parole, est un importun ? Les importuns sont bien moins audacieux, ou bien plus bavards et agaçants, et se font balayer tout de suite. Il a dû balancer une seconde, s'est dit que Depardieu ne laisserait jamais un parasite marcher à côté de lui ici sans essayer de s'en débarrasser, il a compris que s'il m'interceptait il passerait pour un vigile sans cervelle, et allez-y messieurs. Il a refermé derrière nous. Nous nous trouvions désormais dans une pièce très vaste, très haute de plafond et plongée dans la pénombre. Malheur. Ça m'apprendra. On entendait de la musique, forte. Toujours sans se soucier de son parasite, Depardieu s'est dirigé vers un coin de la salle, où je distinguais quelques silhouettes sombres, six ou sept – et moi, brave mule tenace, j'ai continué à le suivre. Qu'on ne vienne pas me dire que je suis intelligent. Tout de même, j'ai consenti à m'arrêter quand j'ai reconnu Catherine Deneuve. Catherine Deneuve ? Mince alors. Et… pan, celui-là c'est Jean-Claude Brialy. Et Brigitte Fossey, là ! C'est la fin des haricots. Où suis-je ? Il y avait encore deux autres acteurs célèbres, mais depuis le temps, j'ai oublié lesquels (la mémoire brouille toujours les instants qui ont précédé un accident) – Jean-Pierre Léaud, sans doute, mais il est si discret. En tout cas, je me retrouvais seul avec six stars dans une grande pièce obscure. Il n'y avait absolument personne d'autre. Depardieu et ses amis étaient regroupés dans un coin, et moi seul au centre, incroyablement visible – je ne pouvais quand même pas reculer en fredonnant, à la manière du type qui se balade, et aller me terrer dans un autre coin comme un misérable. Mais qu'est-ce qui se passait, ici ? Les stars se réunissent plutôt dans des endroits chics et bien éclairés, ou peut-être avec des lumières tamisées, des endroits où elles peuvent boire et grignoter des trucs, ou discuter avec leurs admirateurs. Pas dans un garage vide sans éclairage. Dans quoi je suis tombé ? Si ça se trouve, c'est une réunion clandestine. Non, c'est idiot, ils auraient fait ça ailleurs, dans une loge ou dans un grand placard. Et je ne pense pas que les stars se réunissent clandestinement. Bon mais alors ? Ils vont participer à l'hommage à Truffaut, bon. Mais alors ? Il n'y a pas un assistant, pas une maquilleuse ? Et pourquoi il fait si noir ? Ils semblent très à l'aise, pourtant. Deneuve, Depardieu, Brialy, décontractés. Ils discutent, ils rigolent, et vas-y que je te tapote l'épaule. Malgré la musique, forte, je les entends très bien. Car je suis tout près. Ils parlent d'Isabelle Adjani. Ils disent qu'elle a un peu perdu la boule, qu'elle ne veut plus voir personne, qu'elle reste enfermée chez elle toute la journée. Non, non, non. Je ne suis pas censé écouter ça. « Il n'aurait jamais dû pénétrer dans cette pièce… » Pour l'instant, de façon surprenante, on dirait qu'ils ne font pas attention à moi. Si seulement ça pouvait durer. Surtout, il faut que j'aie l'air de rien. Mais ce n'est pas évident, debout tout seul au milieu de cette salle, à quatre mètres d'eux, avec mes bras qui pendent. Isabelle Adjani est vraiment sur la mauvaise pente. Tiens, ce que je vais faire, moi, c'est regarder un mur. Celui-là, voilà. Il n'y a rien dessus, mais je vais faire semblant de le regarder, ça éloignera les soupçons. Et je croise les bras, car il est clair que j'attends quelque chose, sinon je ne serais pas là. Je suis impatient, ça se voit. Normal, c'est pas facile d'attendre quelque chose quand on est seul dans une pièce close avec six acteurs célèbres. On se sent diminué. Depardieu tourne la tête vers moi, je le devine sur le côté. L'heure approche où il va falloir que j'explique ma présence. C'est pas gagné. Soudain, une voix tombée de nulle part déclare avec autorité : « On y va ! » Ça y est, ouf, on s'en va. Je l'embrasserais, cette voix. Mais en fait non, pas du tout. Aussi incroyable que ça puisse paraître, les six acteurs célèbres s'alignent comme si un général allait les passer en revue, face à la grande tenture qui recouvre l'un des murs. Brialy à une extrémité de la rangée, Depardieu à l'autre, à côté de moi. Mais qu'est-ce qui leur prend, nom d'un chien ? Ils sont devenus fous, c'était à prévoir. Et d'où sort cette grande tenture ? Il fait très sombre, mais pourquoi je n'ai pas fait gaffe à cette grande tenture ? Et ce brouhaha ? D'où sort ce brouhaha ? Il était là, tout à l'heure, ce brouhaha ?

— T'es qui, toi ?

Je vous salue Marie pleine de grâce, Depardieu me parle. Il m'a interrogé très gentiment, mais Depardieu me parle. En me posant la main sur l'épaule, si je ne rêve pas. Je tourne la tête vers lui comme si j'avais une minerve. Il me sourit. Et Jésus le fruit de vos entrailles est béni.

— Je suis… Je m'appelle Philippe. Mais enfin, je suis personne de particulier.

— Eh ben dis donc, tu manques pas de cran.

Non, c'est vrai, je manque pas de cran, mais parfois, malgré tout, j'ai une petite défaillance. Je lui souris de manière très crispée, et la grande tenture commence à se lever. Il n'y a pas de mur derrière, il ne faut pas chercher plus loin. La grande tenture est ce que les spécialistes appellent un rideau, dans leur jargon. Une salle entière est en train de regarder mes pieds, alignés à côté de douze pieds de stars. En ce moment même, ô ivresse du succès, ô aboutissement d'un long parcours, des milliers de personnes prennent mes pieds pour des pieds de star. Mais je n'ai pas le temps de me réjouir, car ce qui est marquant dans le lever de rideau, c'est le côté inexorable. Dans trois secondes, je vais apparaître sur scène pour rendre hommage à François Truffaut. Ou bien je peux me sauver à toute allure, mais les spectateurs verront des jambes de star qui tout à coup vont se mettre à courir, ce qui la fout mal. Et Depardieu, qu'est-ce qu'il va penser de moi ? Enfin, pour une fois, la décision n'est pas difficile à prendre. Je me rue vers la sortie. Je pourrais toujours dire que, pendant un instant, j'ai eu des pieds de star, ce qui ne vaut pas un corps de star entier mais n'est quand même pas donné à tout le monde (loin de là). J'ouvre la porte en catastrophe et me sauve à toute berzingue dans le couloir, sous les yeux probablement exorbités du corpulent vigile, pendant que le public applaudit bruyamment les six stars restées sur scène. En courant vers l'ascenseur, je me demande si j'ai bien fait de suivre Gérard Depardieu. Je ne sais pas.

– Je vous les note sur quelle chambre, monsieur ?
– Pardon ? Ah, la 212.

J'avais oublié de lui demander s'il avait un truc à manger. Tant pis, je mangerai au petit déjeuner, rien ne pressait.

Les deux chemisettes en colère étaient en train de quitter l'hôtel, le couple nimbé d'amour attendait enlacé devant l'ascenseur, et le chauve pétrifié restait assis devant son verre vide. Sûrement un ami du barman…

Allait-il m'arriver la même chose qu'à Cannes quinze ans plus tôt ? Je m'infiltrais dans un monde qui n'était pas le mien, je suivais comme un mouton, je réagissais au fur et à mesure, je suivais en me croyant malin, et au bout du chemin le rideau se lèverait sur quelque chose qui ne me concernerait pas ? Ou qui s'avérerait si redoutable que j'aurais à peine le temps, avec de la chance, de faire demi-tour et de m'enfuir à toutes jambes ? Non, il ne faut pas généraliser, ça ne doit pas se passer toujours comme ça.

Je n'avais pas encore sommeil, malgré la route et les émotions. Pour m'aérer l'esprit, me dégourdir les jambes et m'envelopper de nuit avant de monter me coucher, j'ai décidé de faire un tour dehors, dans la bruine. J'en profiterais pour jeter un coup d'œil à la Corsa blanche de l'échappé qui dormait.

J'ai vu les deux chemisettes monter dans une voiture (une 206, ou quelque chose de ce genre). Avant de s'asseoir au volant, la chemisette à carreaux a désigné rageusement le ciel étoilé. J'approchais du parking, et lorsqu'ils sont passés près de moi pour repartir probablement vers Romans, ils manifestaient encore leur fureur d'être sur terre. La chemisette jaune pâle hochait la tête avec dépit pendant que la chemisette à carreaux continuait à pester en faisant de grands gestes de la main droite. Il n'avait pas fini de s'énerver.

Je n'ai rien aperçu de passionnant, en regardant par les vitres, dans la Corsa de Persin. C'était un homme propre et rangé, pas le style à laisser traîner un paquet de chips froissé ou une bouteille d'Évian vide sur la banquette arrière – et d'ailleurs, ce n'est pas très passionnant. J'ai tout de même remarqué quelque chose d'assez banal mais qui avait une certaine importance à mes yeux (c'est la différence entre le détective et le quidam inattentif). Sur le siège conducteur, il y avait une carte de France Michelin. Il ne savait pas où il allait ?

Ou bien il savait exactement où il allait, mais il s'y rendait pour la première fois.

Aucune des deux hypothèses ne me plaisait.

J'allais devoir me procurer une carte, moi aussi.

Avant de rentrer, je suis allé faire un tour dans l'espèce de jardin clairsemé qu'on avait casé entre le parking et l'hôtel, et qui se prolongeait sur la droite le long du bâtiment. Il était éclairé par de grosses boules lumineuses qui semblaient posées à même le sol, pareilles à des étoiles tombées du ciel, dirait le poète (qui n'y connaît rien à la science, comme nombre de ses confrères artistes, car les étoiles ont cinq branches). Cependant, ce n'était ni très romantique ni très gai. À distance, la masse compacte du pauvre Formule 1 se découpait sur la toile sépulcrale des ténèbres. Deux carrés de lumière jaune égayaient, si on peut dire, la façade, au deuxième et au troisième étage. J'ai vu une silhouette triste (du moins je pense) traverser l'un d'eux.

J'ai continué sur le chemin qui faisait le tour du Mercure et, une fois sur le côté droit du bâtiment, j'ai levé la tête : plusieurs chambres étaient encore allumées. Je n'avais aucune idée de l'endroit où se trouvait la nôtre – au deuxième étage, c'est tout, éventuellement de l'autre côté. De toute manière, elle était certainement éteinte, mon boulet devait dormir comme un bébé, en rêvant d'une grande fête régence dans une station-service. Derrière l'une ou l'autre des fenêtres éclairées, les deux mémés aux cheveux violets, repues et heureuses, jouaient peut-être aux dominos, la grande brune en minirobe jaune, allongée sur son lit, téléphonait à son amant en suivant attentivement un film américain à la télé, un homme enfilait son pyjama, une femme regardait ses jambes de face dans le miroir, consternée, le mâle du couple phosphorescent mordait avec ferveur les seins de la femelle, et le chauve neurasthénique se brossait les dents.

Je suis passé devant ce qui devait être une sortie des cuisines ou de la lingerie, j'ai allumé une cigarette, la dernière du paquet, puis j'ai quitté le sentier bétonné et je me suis éloigné de l'hôtel pour fumer paisiblement en flânant dans le jardin, comme au bon vieux temps. Une trentaine de mètres plus loin, un grillage séparait le domaine du Mercure du grand terrain vague qui s'étendait au-delà de la zone industrielle. Je me suis arrêté près de la dernière grosse boule d'éclairage. Je regardais les lumières de la ville, au loin, et je me disais : « Des dizaines de milliers de personnes vivent là-bas. » Après cinq minutes de rêverie émue, j'ai décidé que c'était bon et j'ai écrasé ma cigarette – non pas sur l'herbe, car quand je peux, je respecte ce qui a la bonté de m'environner, mais sur une grande plaque de métal qui se trouvait là. C'était une trappe rectangulaire à deux abattants, avec des poignées au milieu. Ça m'a toujours intrigué, ces grandes trappes à deux abattants (enfin, je n'en ai pas vu des centaines, non plus) : à mon avis, il n'y a rien de moins pratique au monde, car on ne peut pas ouvrir les deux volets en même temps. Il faut en ouvrir un, puis faire le tour (et on ouvre rarement ce genre de trappe pour se distraire : on est pressé, on a autre chose à faire que le tour). À moins d'être un géant et de se mettre au-dessus en écartant les jambes d'environ trois mètres. Ou alors d'avoir des jambes et un tronc de taille normale mais des bras immenses : on peut alors rester au bord, bien droit, tendre ses bras démesurés pour attraper les poignées et ouvrir les deux abattants d'un geste ample et gracieux. Mais pour un être classique qui n'a pas envie de perdre son temps à faire le tour, la seule solution est d'avancer sur la plaque, d'installer solidement ses pieds de part et d'autre des poignées, de se baisser et de tirer de toutes ses forces. On se rend rapidement compte que ça va être dur. J'ai essayé encore une fois ce soir-là (non pas de me mettre sur la plaque, car je suis détective, mais de rester au bord et de me pencher) : rien à faire, je basculais et je tombais le nez sur le métal froid. En me tortillant un peu, je parvenais à peine à soulever l'un des abattants (par l'entrebâillement, j'ai vu qu'il y avait en dessous, à moins d'un mètre, des tuyaux blancs, des canalisations et de gros robinets de différentes couleurs : ce devait être l'arrivée d'eau pour tout l'hôtel ; j'ai vu qu'il y avait également une main). (Oui, malheureusement, il y avait une main, grande ouverte, qu'on devinait prolongée par un bras et tout le toutim.) (Misère.) Secoué par une explosion nucléaire, j'ai volé en éclats, puis je me suis reconstitué dans le désordre et j'ai ouvert en grand, mitraillé de l'intérieur par mon cœur, l'abattant que je venais de laisser tomber. J'ai vu qu'il y avait toujours une main. J'ai pris le temps de faire le tour (comme quoi, quand on a une bonne raison…), sans toutefois traîner en route, et j'ai soulevé l'autre côté en vibrant des pieds à la tête. Dans le prolongement de la main, j'ai vu qu'il y avait une dame.

Épouvanté, j'ai failli sortir mon Beretta par réflexe et vider le chargeur en hurlant sur ce corps qui me sautait aux yeux.

Elle était toute tordue, disloquée sur les tuyaux, elle avait manifestement été jetée dans la fosse à la va-comme-je-te-pousse. Elle portait un chemisier vieux rose, un jean de mauvaise qualité et des tennis de solderie. Je n'ai deviné que c'était une dame qu'à ses gros seins, car elle avait un drap enroulé autour de la tête. Il regorgeait de sang. Contre tout bon sens (mais j'étais vraiment retourné), je me suis agenouillé au bord du trou, j'ai saisi le drap entre le pouce et l'index et j'ai tiré dessus le plus fort possible, pour qu'il se déroule comme un turban. Mon métier m'entraînait au-delà de mes limites. Pour rien. Parce que question visage, il aurait pu tout aussi bien s'agir d'un danseur étoile ou d'un koala : on ne reconnaissait plus grand-chose. Toute la partie gauche était en purée de chair, avec des tas de grumeaux blancs, jaunes et roses, parmi lesquels surnageait un œil bleuté (qui n'était pas à sa place), et la partie droite avait fâcheusement subi l'onde de choc : la peau semblait retroussée jusqu'à la joue, puis froncée en vaguelettes molles jusqu'à l'oreille. On aurait dit qu'on avait essayé de l'enfoncer de profil dans un hachoir à viande trop étroit. Au cuir chevelu à demi arraché s'accrochaient encore quelques touffes de cheveux blonds décolorés puis ensanglantés..

J'ai vite rejeté le drap sur le carnage.

Malgré ma profession prestigieuse, je n'avais encore jamais vu de cadavre. Mais il est des circonstances où l'on s'improvise facilement médecin légiste. D'une part, j'ai rapidement déduit de mes observations que la dame était morte. J'étais formel. D'autre part, il me paraissait clair que les lésions n'avaient pas été causées par un couteau, un rasoir, une massue ou une cordelette. Encore moins à mains nues, du moins je l'espérais. Non, on lui avait tiré dans la tête, à cette dame. Et pour le profane que j'étais alors, il ne pouvait s'agir que d'un coup de bazooka à bout portant. Mais je n'y croyais qu'à moitié, quand j'essayais de me représenter la scène. J'en ai donc conclu qu'on inventait de ces flingues, de nos jours… (Je ne connaissais rien aux armes à feu, et je m'en moquais, puisqu'on ne m'en avait encore jamais mis une sur la gorge, à l'époque.) Quand à l'heure du décès, elle se situait vraisemblablement entre dix-huit heures trente et dix-neuf heures. (Je ne me suis dit ça que pour terminer convenablement mon rapport, car en réalité, je n'en avais pas la moindre idée. Ça m'a fait du bien, d'ailleurs. Je ne sais plus qui disait : « Le rire est le meilleur des remèdes. »)

D'après ses mains, et la forme de son corps, la malchanceuse était âgée d'une cinquantaine d'années. Elle ne portait aucun bijou, et pas de vernis à ongles (pour le maquillage, c'était plus flou). Répondant docilement à mon instinct de détective, j'ai de nouveau écarté le drap de son visage, j'ai sorti mon Pentax de mon sac et j'ai pris le cadavre en photo avec le flash – c'est comme ça, l'instinct, il ne faut pas chercher à savoir (ce n'est qu'après coup qu'on se fait remarquer qu'elle n'avait quasiment plus de tête). Puis je me suis permis de fouiller dans les poches de son jean, pour ne pas faire le travail à moitié. Je n'ai rien trouvé de révélateur. Dans la poche avant gauche, deux pièces de monnaie : une de cinquante centimes, et une de vingt. Dans la poche arrière gauche, une feuille pliée en quatre, sur laquelle une main féminine (et probablement froide à présent) avait établi la liste suivante :

« Acheter chaussettes
Eau précieuse
Carte Simone
Demander escabeau Martins
Tél Maillard
Papiers Sécu »

La Sécurité sociale ne pouvait plus rien pour elle – dommage, ça aurait fait un paquet de remboursements. J'ai replacé la liste dans sa poche, pour qu'elle l'emporte au paradis, et je me suis remis sur pied. J'en avais assez fait comme ça.

J'étais dans de beaux draps, moi aussi. Qu'est-ce qui m'avait pris d'ouvrir cette trappe ? J'ai refermé les deux volets en espérant que cette parenthèse sanglante et macabre s'effacerait instantanément de ma mémoire, et je suis retourné comme un zombie vers l'hôtel. La bruine est fourbe, j'étais trempé.

Curiosity kill the cat, paraît-il. Mais premièrement je ne suis pas un chat, loin s'en faut, et deuxièmement, il y a beaucoup plus mort que moi, pour l'instant. Quant à la curiosité, je n'y peux rien, c'est dans ma nature de détective – même si je commence à m'apercevoir que je n'ai pas l'étoffe d'un vrai détective, au sens détective du terme. Je trouve un cadavre de femme avec la tête explosée, et tout ce que je suis capable d'en déduire, c'est qu'elle est morte et qu'on lui a tiré dans la tête. À la rigueur, je peux tenter une supposition audacieuse : elle est gauchère. Car elle n'utilise que ses poches de gauche. Mais à quoi ça nous avance, de savoir qu'elle est gauchère ? Non, un gars plus sagace que moi, lui, il aurait découvert des tas d'indices, il l'aurait observée sous toutes les coutures, en silence, sans se laisser troubler par ses émotions, et au bout d'un long moment, il aurait annoncé qu'elle a passé la plus grande partie de sa vie dans une ancienne région minière, vraisemblablement le nord de la France, qu'elle a été mariée mais ne l'est plus depuis quatre ou cinq ans, qu'elle travaillait dans la restauration, qu'elle souffrait d'insomnie, qu'elle traînait dans les bars et qu'elle connaissait son assassin, un certain Jo Lamberti, dit le moine, recherché pour vols à main armée, trafic de stupéfiants et homicides innombrables. Moi, rien. Ne serait-il pas plus raisonnable de changer de voie ?

Dans une telle situation, par exemple, n'importe quel détective fiable, pas plus troublé que ça, serait allé avertir la direction du Mercure qu'un cadavre avait été caché dans son jardin. Ensuite, pour peu qu'on lui ait glissé quelques billets dans la poche, il se serait lancé en parfait limier sur la piste du ou des coupables, Jo Lamberti, son cousin ou ses neveux. Moi, ça ne m'intéressait pas. Ce que j'aime bien, ce sont les vivants, ceux après qui je peux courir pour tout savoir d'eux – et pas les meurtriers, si possible. De toute manière, j'avais déjà un homme à suivre, c'était mon boulot, je ne pouvais pas le lâcher pour une malheureuse affaire d'assassinat qui ne me concernait en rien. De plus, j'avais peur.

Je n'allais même pas faire part de ma trouvaille aux responsables de l'hôtel. Ah oui, c'est comme ça. On peut penser que je suis le dernier des derniers, tant pis, j'ai mes raisons : il est évident qu'on ne me laissera pas repartir dans l'heure suivante, la police viendra m'interroger (ce dont j'ai horreur), on cherchera ce qu'un détective venait faire pile dans cet hôtel, on voudra inévitablement savoir si par hasard ce n'est pas moi qui ai liquidé la dame, hein, ou si du moins je connais le coupable, va falloir nous aider mon bonhomme, on se demandera comment diable j'ai eu l'idée d'aller dénicher son corps au fond du jardin sous une plaque métallique, tu nous prends pour des zozos ou quoi, et si par chance on accepte de me relâcher quelques jours plus tard, exsangue et couvert d'ecchymoses, mon conducteur de métro aura pris la poudre d'escampette depuis perpette, le gros Gilles et la mère Persin me feront ma fête, et les flics seront toujours au point de départ de leur enquête. Alors à quoi bon ? C'est triste, mais qu'est-ce que je peux faire ? Déposer un mot dans la boîte à suggestions qui doit se trouver dans le hall ? (« Je vous suggère de vérifier qu'il n'y a pas de cadavre dans la trappe du jardin. Votre établissement est remarquable, mais je serai plus tranquille. ») Pour que tous les clients soient bloqués ici le lendemain ? Non, je plaignais beaucoup cette personne, mais le temps n'avait plus grande importance pour elle : elle changerait de trou un peu plus tard, c'est tout. Je ne sais plus qui disait : « Dans la vie, il faut se fixer des priorités. »

Avant de pénétrer dans la chambre 212, j'ai tenté en vain de frapper deux coups longs, puis j'ai enchaîné avec une facilité dérisoire sur deux courts. N'obtenant pas de réponse, j'ai répété la manœuvre (Fabienne était capable d'attendre le vrai signal), mais c'était stupide. (J'avais été capable de recommencer, pourtant.)

Tiens, elle n'avait pas fermé la porte à clé. Ce n'était pas très prudent de sa part – je voyais l'hôtel d'un autre œil, depuis quelques minutes. Elle semblait sur ses gardes à mon départ, prête à toute éventualité dans le monde du crime où elle venait de pénétrer grâce à moi, mais après tout elle n'avait pas pour particularité de suivre toujours des raisonnements d'une logique implacable.

J'ai tâtonné dans l'obscurité jusqu'au lit, puis jusqu'à une lampe de chevet. Pour ne pas la réveiller brusquement, j'ai essayé d'allumer doucement, mais ce n'est pas possible.

Elle dormait profondément, la bouche ouverte, sur le côté gauche du lit (normalement c'est mon côté, mais on n'a pas toujours ce qu'on veut). Elle était couchée sur le dos, une main sous la tête, l'autre le long du corps, et une mèche de cheveux roux lui couvrait les yeux. Elle était apparemment toute nue. L'une de ses énormes mamelles émergeait des draps, somptueuse. Si

Anne-Catherine pouvait expertiser mon émotion purement esthétique à ce moment-là, elle rayerait bien des doutes de sa liste.

Pour redonner le goût de la vie à mon Pentax, j'ai pris une photo de mon beau boulet, sans flash.

En me déshabillant silencieusement, j'ai senti toute la pression, les contraintes et la nervosité de la journée me glisser dans les chaussettes et s'entasser avec mes vêtements sur la chaise. En échange, une tonne de fatigue pâteuse m'est tombée sur les épaules et s'est vite répandue dans tout mon corps.

Je venais de trouver un cadavre de femme salement mutilé, mais l'épuisement m'ôtait toute notion de tristesse, d'effroi ou de répugnance.

J'ai composé 0600 sur le cadran du téléphone pour informer le service du réveil que, malgré mon état, je n'avais pas l'intention de dormir longtemps (je suis un professionnel), et je me suis couché à côté de mon boulet, dont l'anatomie généreuse chauffait tout le lit. J'avais gardé mon caleçon, pour éviter toute ambiguïté quant à mes intentions réelles – elle n'avait pas eu la même retenue diplomatique.

Quand on est vraiment, vraiment fatigué, on a l'impression qu'être allongé ne suffit pas. Debout ou assis on ne souhaite qu'une chose, s'allonger, on sait qu'il n'existe pas de position plus reposante, et cependant, dès qu'on est allongé, on comprend que, non, ce n'est pas une position assez reposante. On a mal partout, on aurait besoin d'être plus allongé qu'allongé. De se fondre dans le matelas, de disparaître.

Tandis que j'essayais de m'allonger plus qu'allongé, Fabienne endormie a grommelé :

– Dors, mon grand, dors.

Ce n'est qu'au moment où je fermais les yeux, où j'allais me résigner à ne disparaître que dans le sommeil, que j'ai réalisé qu'un criminel barbare dormait certainement à quelques dizaines de mètres de moi. En effet, quelle que soit l'heure du décès de la dame gauchère, ça ne remontait pas à bien loin. Elle était encore relativement molle. De plus, je n'imaginais pas le ou les meurtriers la transporter jusqu'à la trappe en plein jour. Et s'ils avaient pris soin de la cacher de façon tout de même assez astucieuse, car on ne règle pas l'arrivée d'eau de tout un hôtel chaque matin, c'est qu'ils ne s'étaient pas enfuis sur-le-champ (des types capables d'une telle sauvagerie se foutent complètement qu'on trouve leurs victimes derrière eux). Étant donné qu'ils ne pouvaient pas habiter dans les parages de l'hôtel, puisqu'il n'y avait que des magasins, comme parages, ils passaient forcément la nuit ici. C'était ennuyeux. S'ils apprenaient que j'étais détective, ils me descendraient sans doute – machinalement. Je n'aime pas ça. Il faudra que je fasse très attention, demain matin dans les couloirs et dans le hall, à ne pas trop avoir l'air d'un détective. Ça devrait aller.

Ce qui est gênant, aussi, c'est de penser que si j'avais informé la direction de ma découverte improbable, on aurait peut-être pu les arrêter. Mais c'est trop tard, maintenant, je suis très fatigué. Demain, avant de partir, je laisserai une lettre anonyme quelque part. Il sera sans doute trop tard, encore une fois. C'est mauvais, ça. Je ferais bien d'apprendre à réfléchir plus finement, et plus vite. Tout doit être une question d'entraînement et de méthode. Pourquoi ne ferais-je pas des listes, comme la défunte ? En hommage à son sens de l'organisation.

Laisser lettre anonyme
Tél gros Gilles

Abandonner boulet
Acheter vêtements rechange
Acheter clopes
Acheter *Turf*
Pas louper Persin
Vérifier essence
Comprendre enquête
Devenir malin
Prendre bonnes décisions
Cherch…

La journée avait été longue, éreintante. Je n'en pouvais plus. Cette nuit-là, j'ai fait pour la première fois un rêve très court qui reviendrait souvent par la suite : j'ai vu un avion qui tombait dans la mer. Le rêve commençait quand l'avion se mettait à perdre de l'altitude, et s'arrêtait avant qu'il ait totalement coulé. Un gros avion blanc chargé de passagers, incliné à quarante-cinq degrés, dont le nez plongeait dans l'eau bleue et calme. Je me suis réveillé angoissé, et me suis vite rendormi.

9

Adieu mon boulet

Fabienne engloutissait son deuxième croissant face à moi, dans la salle de restaurant du Mercure. Froissé et nauséeux, à cause du manque de sommeil, je n'avais pas le même appétit. Je n'avais pourtant rien avalé depuis environ trente-cinq heures – le mardi soir, j'avais dîné à la Gioconda avec Anne-Catherine, en terrasse face au square des Batignolles, une salade paradiso et une pizza gioconda pour elle, une paradiso et une calabrese pour moi, du chianti classico, il faisait bon, c'était bien. On parlait de sa mère et de son frère en Alsace, de notre dernier séjour à New York, d'un livre qui lui avait plu, *Gatsby le magnifique*. C'était facile, heureux et confortable, et je ne m'en rendais pas compte.

Je me suis forcé à manger une tartine beurrée avec de la confiture d'abricot, pour ne pas faiblir dans la journée sur les traces de l'échappé.

J'étais descendu à six heures trente, après une douche qui avait réveillé Fabienne (« J'ai dormi comme une outre ! »), j'avais vérifié que les clés de la 326 n'avaient pas été remises dans leur casier, fait un tour rapide et discret dehors, rien de spécial autour de la trappe, puis je m'étais installé dans l'un des fauteuils du bar, encore fermé, et j'avais sorti un livre de mon sac matelot – *Mort aux rats*, de Virginie Despentes. Mon Beretta attendait toujours entre mon portefeuille et mon appareil photo.

Pouvait-il y avoir un lien entre Persin et le cadavre du jardin ? À mon avis, non. Il n'était pas sorti de sa chambre depuis notre arrivée et n'avait adressé la parole à personne, à ma connaissance. Bien sûr il avait pu téléphoner, mais… Non. Je file un conducteur de métro sagement volage, il me fait traverser la moitié de la France et je découvre qu'il est à la tête d'un gang de tueurs : ça me plairait (si je restais à l'écart de l'affaire, bien entendu), mais on trouve ça dans les polars, pas dans la vie (on ne trouve pas souvent de femme à la tête explosée dans la vie, c'est vrai, mais parfois quand même). Il fallait admettre ce qui semblait paradoxalement le plus logique : c'était un hasard. Et pas un hasard destiné à me faire embrayer sur une enquête criminelle dangereuse et captivante, ça aussi c'est dans les polars (mon destin qui m'a mené jusqu'ici pour que je joue enfin mon rôle), mais un hasard tout court. Un hasard. Je devais oublier la gauchère assassinée.

J'avais peut-être même intérêt à ne pas m'occuper du tout de cette histoire. Je me posais des questions à propos de la lettre anonyme : ça paraissait sans risque, mais faut se méfier. Je l'ai dit, je me trompe régulièrement dans mes choix (des trucs qui m'ont paru sans risque, garantis, et qui m'ont causé des soucis à n'en plus finir, je pourrais en citer des dizaines, si on me demandait). Surtout quand il faut se décider entre une solution honnête et une solution malhonnête. Ça m'a toujours posé problème, ça. Je crois qu'au fond je suis honnête. Mais en surface, j'aime bien mentir. Le hic, c'est que j'ai souvent peur, à juste titre, de me tromper d'attitude (entre le fond et la surface, allez choisir). J'aime bien mentir mais je me dis que l'impunité n'existe pas, si ça se trouve, sauf pour les salauds, et que, c'est couru, ça va me retomber dessus – or je n'aime pas ça : ça complique tout, quand on a des ennuis. Et si je dis la vérité (ce qui me plairait, dans l'absolu), ça peut aussi se retourner contre moi (c'est très fréquent, lorsqu'on est sincère, tout le monde le sait). Ce qui serait vraiment pas de bol, pour quelqu'un qui aime bien mentir.

Il y a environ un an, avant d'acheter ma vieille Ford, j'ai loué une voiture pour aller passer un week-end avec Anne-Catherine chez sa mère, à Wimmenau, en Alsace. La fille de l'agence, très gentille, m'en a donné une grande belle au prix d'une petite moche, car des petites moches, il ne lui en restait plus. Le dimanche soir, en rentrant, j'ai rangé notre superbe auto devant chez nous, rue Gauthey, et le lundi midi, au moment d'aller la rendre, j'ai trouvé la portière droite rayée sur trente centimètres – sûrement un enculé de sa mère qui avait la haine et pouvait pas saquer les bourges, qui ignorait cependant qu'il s'agissait là d'une automobile de location, et me l'avait niquée avec sa clé en passant.

J'ai garé la voiture à une cinquantaine de mètres de l'agence, car il n'y avait pas de place ailleurs. Ce n'était pas la première fois que j'en louais une chez eux, je savais qu'ils n'étaient pas trop pointilleux : quand on en rapportait une, ils y jetaient juste un coup d'œil rapide, pour vérifier la jauge d'essence, parfois même pas du tout s'ils avaient du monde, et on repartait tranquille. Mais je me suis dit qu'il suffirait que cette fois le coup d'œil tombe pile sur la rayure (j'avais pris soin de me garer sur le côté gauche de la rue, depuis le trottoir on ne remarquait donc rien de louche, mais il existe toujours des valeureux pour faire le tour), et je passerais illico pour un sale menteur qui cherche à rouler des gens pourtant si sympathiques. Et de toute façon, un coup de pistolet à peinture ferait l'affaire et la franchise couvrirait les frais (je ne savais pas exactement ce que c'était, la franchise). De temps en temps, on n'a rien à perdre à être honnête. J'avais bien pesé le pour et le contre.

Quand j'ai informé la fille de ce dommage insigni-fiant, avec une sincérité qui m'honorait grandement, elle m'a appris que si je voulais bénéficier de la franchise, il fallait que j'aille faire une déclaration de dégradation de véhicule au commissariat. Ça m'arrangeait pas du tout, car je voulais être à la maison à quatorze heures pour jouer Dealer du Vivier dans la première – un coup sûr à la gagne. J'ai brièvement pensé que si je m'étais tu, et si elle n'avait rien vu (trois chances sur quatre, disons), tout se serait mieux passé pour moi (s'ils avaient découvert la rayure deux heures plus tard, en descendant la voiture au garage, ils n'auraient pas pu prouver qu'elle ne venait pas d'être faite), mais quelques minutes face à un flic n'allaient pas me tuer, normalement. Et la vérité méritait bien ce léger désagrément.

Juste avant d'entrer au poste de police le plus proche, j'ai de nouveau réfléchi (pour mon malheur) : si je disais que la voiture avait été endommagée presque à l'autre bout de Paris, dans la rue Gauthey, ils risquaient de m'envoyer dans le commissariat dont elle dépendait – et là, non vraiment, j'avais autre chose à faire que de prendre le métro jusque là-bas et revenir. Comme je venais de payer mon tribut à l'honnêteté, et que ça n'avait pas payé, il me semblait logique d'essayer le mensonge – dans la vie, chaque expérience doit servir de leçon (je ne sais plus qui disait ça). Après plus d'un quart d'heure d'attente sur une chaise en fer, j'ai donc déclaré à la femme flic qui prenait ma déposition (et à qui je me suis bien gardé d'annoncer que j'étais agent de recherches, pour éviter toute familiarité utile mais désagréable) que j'avais garé le véhicule la veille au soir dans une rue voisine – dont j'avais lu le nom sur mon plan en cherchant le chemin pour venir à pied de l'agence jusqu'ici. (J'avais la conscience tranquille, c'était un bobard des plus inoffensifs. Qu'est-ce que ça changerait, pour eux, pour l'agence, pour moi ? Je savais qu'ils ne décideraient pas de lancer une vaste enquête dans tout le quartier afin de retrouver l'odieux vandale et de le mettre dix ans à l'ombre pour l'empêcher de nuire à nouveau.) À quel niveau de la rue ? Oh, vers le numéro 34, ou 36, je ne sais plus. C'est passé comme une lettre à la poste. Voilà, il avait suffi d'un brin de jugeote, d'une once d'audace, d'un zeste de duperie, et je m'en sortais bien.

Mais en relisant la feuille que venait de cracher l'imprimante de son ordinateur, elle a froncé les sourcils. Elle m'a demandé de répéter le nom de la rue, ce que j'ai fait du tac au tac (elle me prend pour un bleu ?), puis elle est partie dans un bureau voisin. Allons bon.

Elle est revenue cinq minutes plus tard avec un collègue, qui m'a sournoisement demandé si j'avais déniché une place facilement, dans cette fameuse rue voisine. J'ai senti qu'il fallait répondre non. Holà, j'ai tourné pendant plus d'une heure. Épaté, il m'a appris que j'avais vraiment eu du bol de trouver, même au bout d'une heure, parce qu'à l'endroit que j'avais indiqué, et sur au moins deux cents mètres de chaque côté, le stationnement était rigoureusement interdit. Ils faisaient même des rondes fréquentes – de nuit aussi, oui – pour envoyer les insoumis à la fourrière. Flûte. Mon flair m'a prévenu que je devais éviter de m'enfoncer davantage, et j'ai voulu tout leur expliquer. Mais ils n'avaient pas aimé du tout que j'essaie de les rouler (eux qui sont si sympathiques), de plus tout ça n'était pas clair, le plus idiot des idiots sachant qu'on peut déclarer ce genre de broutille dans n'importe quel commissariat parisien, de nos jours, alors qu'est-ce que je voulais cacher, qu'est-ce que j'avais fabriqué avec cette voiture la veille au soir, qu'est-ce que c'était que cette entourloupe ? Bref, je suis resté trois heures au poste, et j'ai écopé très sévèrement d'une amende de six cents francs pour avoir voulu mentir aux forces de l'ordre (je ne sais plus exactement comment était formulée l'accusation, « déclaration erronée » ou quelque chose de ce genre) – j'ai même dû repasser deux fois les voir dans les jours qui ont suivi, et ça a chauffé pour mon matricule.

Je suis ressorti complètement déboussolé, avec le sentiment que je n'oserais plus jamais prendre la moindre décision, choisir entre vérité et mensonge, car on est sûr de perdre à tous les coups, et je suis revenu à la maison vers seize heures, de l'air dans la tête. Anne-Catherine m'attendait nerveuse et très inquiète, vibrante comme une bombe. Naturellement, Dealer du Vivier avait gagné sans opposition dans la première, à la manière des forts, et à 7,5 contre 1. Et deux semaines plus tard, l'agence de location m'a fait parvenir le devis du garagiste. Le coup de clé de l'autre bâtard avait déformé la tôle, le montant des réparations était donc supérieur à celui de la franchise, si j'ai bien compris : on ne me rendrait pas les mille cinq cents francs que j'avais laissés en caution. Dans l'ensemble, le bilan était plutôt négatif.

Alors cette lettre anonyme, je me demandais. Même si je n'en suis toujours pas un, chat échaudé etc. Au moins, si je quittais l'hôtel comme un client normal, laissant la vie et la justice suivre leur cours sans moi, c'est-à-dire normalement, il ne pouvait rien m'arriver. Sauf, bien sûr, si quelqu'un m'avait vu ouvrir la trappe.

Là, c'était le désastre. Ou même si le barman se souvenait que j'étais sorti au lieu de remonter directement dans ma chambre. Ah non, je suis désolé, c'est trop difficile. J'arrête. J'en ai ma claque de passer mon temps à réfléchir pour rien.

J'avais fourré tout ça dans mon sac matelot et entamé la lecture de *Mort aux rats*. Une pauvre fille se faisait truffer de rats vivants. C'était de la balle.

Après avoir profité de la chambre, mon boulet m'avait rejoint vers huit heures trente, dans sa belle robe vert pomme, et nous étions passés immédiatement à table. À présent, elle entamait la dernière tartine et je finissais mon café. Persin ne s'était pas encore montré (je tournais les yeux toutes les dix secondes vers les ascenseurs et la réception). Une quinzaine de personnes commençaient déjà leur journée autour de nous. J'ai reconnu les deux mémés violettes, qui rongeaient leurs croissants comme des hamsters ravis de l'aubaine, et le chauve de la nuit, seul devant une tasse de café, qui regardait dans le vide. Parmi tous ces gens se trouvait peut-être l'infâme assassin de la dame gauchère, en train de savourer impunément une brioche. Salaud. Ce gros blond, là-bas, avec ses petits yeux bleus de cochon tueur ? Ce couple trop propre sur lui qui manigance à voix basse au-dessus des tartines ? Cette probable bouchère aux larges épaules, qui tient sa tasse à deux mains, comme un crâne rempli de sang frais ? À première vue, soyons lucide et détective, le chauve est un coupable tout indiqué. Jacques Persin fait figure de poussin à côté de lui, question air louche. Mais il ne faut jamais se fier à ce qui est tout indiqué, c'est le meilleur moyen de se retrouver sur une fausse piste (on ne se méfie pas assez des panneaux, quels qu'ils soient, on y va comme si ça venait du ciel). Pourquoi un criminel sanguinaire aurait-il une tête de criminel sanguinaire ? Comme ce chauve. Et surtout, je refuse de me mêler de cette affaire de crime sanguinaire. J'ai le droit, il me semble.

– Tu t'es mis au lit fort tard, cette nuit ? m'a demandé Fabienne.

– Assez, oui. À la fermeture du bar.

– Eh ben mon ami, t'as pas dû dormir des masses.

– Non, comme tu dis, je suis crevé.

– Qu'est-ce qui t'a pris ?

– De… ?

– De ne pas dormir des masses.

– Oh, rien… J'avais besoin de réfléchir à tout ça au calme, de me détendre après la route, de boire un peu de whisky.

– Il ne faut pas boire d'alcool, figure-toi. Ça fait perdre la tête et ça rend le corps tout mou. Ce qui n'est jamais bon.

– Non, je sais. Mais parfois j'ai la tête qui travaille trop, qui domine tout le reste. Et le corps très crispé, à cause de la tension nerveuse. Alors dans ces cas-là, tu comprends…

– Tu n'es plus qu'une grosse tête sur un bout de bois, j'imagine.

– Voilà.

– Mais tu as bu pendant tout ce temps-là, tout seul, comme un trou ?

– Euh… oui. Qu'est-ce que tu voulais que je fasse d'autre ?

Que j'aille faire une promenade dans le jardin, voir si je ne trouvais pas un cadavre ? Je me suis levé avant qu'elle n'enchaîne sur les bienfaits du sommeil, et je suis allé régler en vitesse la chambre, les whiskies du bar et les petits-déjeuners, car je savais que trente secondes de retard par rapport à Persin pouvaient m'être fatales ; puis je suis revenu m'asseoir en face de Fabienne, à qui je devais maintenant annoncer que nos routes se séparaient là, et je me suis tordu les doigts par avance. Non, elle le prendrait bien, sans doute quelque chose du style : « C'est entendu, mon petit, à la prochaine, et sans rancune. » Il fallait aussi que je pense à appeler le gros Gilles : une pensée venait de me traverser l'esprit comme un obus traverse une citrouille. Comment n'avais-je pas encore envisagé la réaction de l'impitoyable mère Persin ? C'était de la plus haute importance, pourtant – moi qui réfléchis tout le temps, j'aurais bien pu trouver une minute. Et si elle n'en avait pas eu, tout bêtement ? Je suis un âne. Si le gros Gilles lui téléphonait et apprenait que son petit mari était simplement parti rendre visite à sa maman malade dans le Luberon ? Je ne savais plus si ce serait une délivrance ou une affligeante déconvenue. Le boss n'arrivait jamais au bureau avant neuf heures quinze, il me restait un quart d'heure pour décider. Et pour annoncer à Fabienne que, quoi qu'il arrive, j'allais continuer ma vie sans elle.

C'est au moment où je m'éclaircissais la gorge pour réciter la première réplique de mon texte (« Fabienne, il faut qu'on parle… ») que le conducteur de métro est sorti de l'ascenseur. J'ai failli bondir sur mes pieds, me suis ravisé avant que toute la salle ne tourne la tête vers moi, et m'en suis tenu à un tic nerveux de la jambe, irrépressible. Il ne s'est pas dirigé tout de suite vers la réception, s'asseyant d'abord à une table pour prendre son petit-déjeuner comme monsieur Tout-le-Monde. Avec l'appétit dont il avait fait preuve à la station Shell, j'avais encore un moment devant moi.

Mais depuis qu'il avait réapparu, aussi présent pour moi qu'un puissant aimant pour une aiguille, je prenais

99

de nouveau conscience, avec encore plus d'acuité, que je dépendais entièrement de lui. Je ne pouvais pas appeler le gros Gilles, acheter un caleçon, prendre le temps de me défaire de mon boulet ou même aller pisser s'il n'avait pas envie de rester un moment sur place pour m'attendre. Il faisait de moi ce qu'il voulait.

Donc, je devais justement profiter de cette pause matinale pour régler le maximum de trucs avant d'être entraîné derrière lui. Une serveuse venait de lui apporter son plateau. Remettant à plus tard mon explication avec Fabienne, j'ai laissé un dernier morceau de tartine en plan et me suis dirigé vers la minigalerie marchande du Mercure.

– Sois bien prudent, m'a chuchoté ma secrétaire.

En fait de minigalerie marchande, il y avait un tabac et un marchand de journaux. C'était toujours ça. J'ai acheté deux paquets de Camel et le *Paris-Turf* de la veille, dans lequel figurait le programme de la réunion de l'après-midi à Auteuil. Pour les caleçons et les chaussettes, je trouverais sûrement ça dans une station-service, si le conducteur avait la gentillesse de reprendre l'autoroute (un caleçon avec des lapins dessus, et des chaussettes à fleurs). Peut-être qu'ils vendaient même des brosses à dents fluo, et des tee-shirts avec des dauphins ou des paysages de Provence – j'allais me faire le total look A6, la classe. Je suis revenu m'asseoir et, plutôt que de me lancer dans un lâchage de boulet qui serait probablement interrompu, donc bâclé, donc méchant, j'ai ouvert le *Turf* pour y jeter un premier coup d'œil avant la route. Je ne voyais rien de bon dans le quinté, mais a priori, Silver Break semblait intéressant dans la sixième. Je l'avais vu courir deux semaines plus tôt à Auteuil (nous allions souvent sur les hippodromes, avec Anne-Catherine – juste en lisant les noms, elle trouvait des chevaux placés à 40 ou 50 contre 1, cette sorcière) : il avait terminé cinquième plein de ressources et était rentré aux balances comme après un canter, sans souffler (il n'aurait pas éteint une bougie, comme on dit). Cette fois, il allait sûrement montrer un tout autre visage.

– Je n'y comprends rien au tiercé, a déclaré tristement Fabienne. Mais je ne comprends pas trop non plus la vie en général, tu sais.

C'était la première fois qu'elle dévoilait autre chose que de l'enthousiasme ou de la candeur. J'ai voulu lui sourire, mais j'ai eu l'impression d'avoir la bouche anesthésiée, comme en sortant de chez le dentiste. De toute façon, c'est bien beau, les courses et la vie, mais Persin avait terminé ses viennoiseries et attaquait déjà ses tartines. Je me suis dépêché d'aller téléphoner au gros Gilles.

– Agence Déclic.

– C'est Philippe, Claudine, tu peux me…

– Mais dis-moi, t'es matinal, mon gros !

– Je… Oui, je suis sur un truc, là. Le boss est là ?

– Depuis dix minutes, oui. Et plutôt remonté, je vais te dire. À mon avis, tu ferais mieux de…

– Je suis pressé, Claudine.

– Bon, bon. Quittez pas, m'sieur Marlowe.

L'échappé levait le bras pour appeler la serveuse.

– Jaenada ?

– Oui chef, je suis à…

– Vous êtes toujours au cul de Persin, j'espère ?

– Bien sûr, oui, je suis dans un hôtel, près de Romans.

– Je viens d'avoir sa bergère à l'instant. Et elle a laissé trois messages cette nuit, mon vieux, elle sait plus où elle habite. Je l'ai rassurée, si on peut dire.

– Donc c'est bien une sorte de fugue ?

– Je suis pas mécontent de vous avoir engagé, Jaenada, vous êtes finaud. Bon, c'est pas l'ennemi public numéro un, notre bonhomme, mais on s'en tape. Ça lui donne des émotions, à la bourgeoise, on va lui tendre le bassinet. Apparemment elle y tient, à son teckel.

Le teckel en question avait fait venir la serveuse pour qu'elle lui resserve du café. Il semblait insouciant, peinard. Parfait.

– Alors je continue ? j'ai demandé.

– Non, vous allez vous entraîner au patinage artis-tique. Bien sûr, vous continuez. Je vais mettre le petit Taouf entre les pattes de la pharmacienne en rut, ça lui fera voir du pays.

– Je voulais vous dire, Gilles, j'ai… Vous n'allez pas me croire, mais j'ai trouvé un cadavre.

– Ben voyons. Et à part ça ?

– Non, sérieusement, j'ai trouvé une femme dans le jardin de l'hôtel, on lui a tiré dans la tête.

– Arrêtez vos conneries.

Toujours assise à notre table, Fabienne me regardait les yeux écarquillés, en dodelinant nerveusement de la tête d'un air de conspiratrice, comme si elle avait quelque chose d'urgent à me dire.

– Je n'ai pas vraiment le temps, là, chef. Ne me croyez pas, mais il y a vraiment un cadavre dans le jardin.

– Et merde… Vous pensez que ça a un rapport avec notre homme ?

– Non, je ne crois pas, non.

– Bien. Est-ce que quelqu'un vous a donné de l'oseille pour enquêter sur ce cadavre, Jaenada ?

– Quoi ? Non, évidemment.

– Très bien. Dites-moi où est le problème. Pour être franc, je crois que vous avez forcé sur le vermouth. Mais supposons. Écoutez : Persin n'a sûrement pas d'autre intention que d'aller se dégourdir les jambes et la queue au soleil, c'est plus banal qu'un macchabée qui tombe du ciel, mais au moins on nous paie pour lui courir après et prendre des photos de son cul. Qu'est-ce qu'il vous faut de plus ?

– Oui, je comptais continuer à le suivre, de toute manière.

– Encore heureux. Vous savez s'il va retrouver sa poule ? Qu'est-ce qu'elle devient, elle ?

– Alors ça, aucune idée.

– Vous avez appelé chez elle, quand même ?

– Non… Honnêtement, je n'y ai pas pensé, non.

– Le jour où les cons vaudront de l'or, Jaenada, passez boire un petit verre à la maison. Allez, bonjour.

– Bonjour.

Le jour où les cons vaudront de l'or, pauvre cloche, l'or ne vaudra plus grand-chose, ce sera devenu monnaie courante. Avec ton profil de babouin sur les pièces.

Constatant que Persin traînait sur son yaourt, et malgré les éclairs en rafales que me lançait Fabienne, j'ai composé rapidement le numéro de la petite dame en bleu. Je suis tombé sur un répondeur anodin : « Vous êtes bien chez Muriel Sanchez, je suis absente pour le moment, etc. » Ça ne veut rien dire.

Quand je suis revenu vers la table, en me demandant ce que Fabienne voulait m'annoncer de sensationnel, elle a levé les yeux au plafond, comme pour remercier le Seigneur tout-puissant de m'avoir ramené à elle. En penchant la tête vers moi au-dessus des tasses vides et des miettes, elle a murmuré :

– Je dois aller faire pipi dans les toilettes !

– Je m'en doute, oui, pas dans l'ascenseur. Mais pourquoi tu m'as attendu ?

– Et s'il en avait profité pour se carapater ? Hein ! Au moins je pouvais l'intercepter par ma présence, pendant que tu téléphonais.

– C'est vrai. Alors vas-y vite, maintenant.

– Oui, mais et s'il se carapate ? Tu vas pas pouvoir m'attendre, du coup.

– Mais si. Et puis tu sais, je voulais te dire… Bon, vas-y, ne t'inquiète pas.

– Je me grouille à toute vitesse.

Elle s'est levée brusquement et j'ai eu l'impression que toute l'abondance de son corps prenait un temps de retard sur son squelette – ses seins, son ventre et ses hanches élastiques ont été propulsés vers le haut en vague crémeuse et ne se sont stabilisés sur elle qu'au bout d'une bonne seconde. Avant de s'éloigner, elle a ajouté :

– Si ça bouge, ne m'oublie pas, hein.

J'ai fait non de la tête et je l'ai regardée s'éloigner vers les toilettes, au fond de la salle. Dans sa robe vert pomme, avec son gros cul qui se balançait gracieusement, elle passait entre les tables comme une belle hippopotame rousse dans son royaume, au milieu des hyènes et des singes décharnés. En ouvrant la porte, elle s'est retournée vers moi, l'air grave, et m'a fait un geste vif, le poing fermé (à peu près le même mouvement que lorsqu'on frotte une table avec un chiffon), pour m'indiquer qu'elle allait se grouiller à toute vitesse.

Même si ça m'épargnait une discussion pénible, je n'avais pas envie que l'échappé reprenne sa fuite à ce moment-là. Avant de me lancer comme un lièvre à ses trousses, ou plutôt comme un chien de chasse, je voulais au moins dire adieu à mon boulet. Persin paraissait rêvasser, ça devrait aller. Je me suis remis à lire le *Turf*, car je pressentais que je ne trouverais pas beaucoup de temps pour faire le papier avant le début de la réunion, à quatorze heures.

J'aime les courses de chevaux plus que ma propre mère – je veux dire, bien sûr, plus que ma propre mère ne les aime, ce qui ne signifie pas grand-chose étant donné qu'elle est passionnée de jeux d'argent comme moi de tir à l'arc, mais je prends cette référence car c'est elle qui nous a emmenés pour la première fois sur un champ de courses, ma sœur et moi, quand on était petits, à Évry (donc ma mère est un peu aux courses de chevaux ce que Freud est à la psychanalyse ou Marie Harel au camembert, dans mon monde). C'était à cinq ou six kilomètres de la maison, et ça nous faisait voir de la verdure, des animaux impressionnants et des jockeys de toutes les couleurs. Depuis que j'ai découvert des centaines de types, dans cet espace vaste mais clos, se pencher comme des savants consciencieux sur des journaux sans images, tourner fébrilement les pages, noter dessus des numéros et des symboles étranges, se gratter la tête, observer d'un œil attentif et rusé les chevaux qui passent, comme s'ils guettaient un signe minuscule sur leurs pattes ou sur leur croupe, soudain repérer quelque chose et s'échanger des informations à voix basse, pour que surtout personne n'entende leurs secrets, lever la tête avec angoisse ou perplexité vers des écrans qui n'affichaient que des chiffres, puis tout à coup se précipiter vers des guichets où ils chuchotent des mots incompréhensibles en jetant des coups d'œil méfiants sur les côtés pour être sûrs qu'on ne les espionne pas, se diriger vers la piste du pas solennel de celui qui remet maintenant sa vie entre les mains de Dieu, regarder la course en fronçant les sourcils et en serrant les poings, en sautant sur place, en criant des choses comme « Va au bout, mon petit ! » ou « Envoie, maintenant ! »,

ou pire, « Va me chercher ça ! » ou « Sors de là ! »,
ou carrément illogique, « Il est mort, je te dis ! » ou
« Mais putain, c'est une chèvre ! », et enfin se mettre
à bondir de joie parce que leurs calculs étaient justes
ou à grogner en secouant la tête (« Tous les jours, il
aurait dû gagner », ou « Je l'avais dit, nom de Dieu,
c'était sûr… ») parce qu'ils se sont trompés quelque part
dans leur analyse compliquée, depuis que j'ai découvert
cet univers de chercheurs exaltés, je me suis promis
d'apprendre les règles et d'essayer moi aussi de trouver
la solution – sept ou huit fois par jour, sept jours sur
sept. Aujourd'hui, je suis fier de pouvoir le dire, je suis
le meilleur turfiste de ma rue (avec mon pote Thierry,
qui se débrouille). En théorie, du moins. Le meilleur
du monde, même, en théorie. Pour chaque course, on
doit prendre des tas de paramètres en compte. La forme
récente du cheval, ses performances passées, ses ori-
gines, son âge, sa tactique préférée, le talent du jockey,
l'habileté de l'entraîneur, la chance du propriétaire, le
poids, la distance, l'état du terrain, la place à la corde
ou derrière l'autostart, la configuration de la piste, la
cote, le pronostic du *Turf*, etc. Il faut mélanger tout
ça dans un mixer mental (en appliquant pour chaque
paramètre une sorte de coefficient, comme au bac) et
en extraire presque instinctivement une idée à peu près
précise des chances de tel ou tel concurrent. Ce qui est
fascinant, c'est d'avoir une liste de seulement dix ou
quinze chevaux sous les yeux, de savoir que l'un d'eux
va gagner la course (c'est sûr), et de savoir également
qu'on dispose de toutes les données qui permettent de
deviner lequel. Ou presque. On se dit qu'on a tout en
main, il suffit alors de chercher. C'est pour cette raison
que j'aimais bien les maths, à l'école, les équations : ça
paraît complètement obscur, mais on sait qu'il suffit de

chercher posément, logiquement, pour trouver. Le truc, avec les chevaux, c'est que tout est beaucoup moins net, l'équation baigne dans une sorte de flou romantique parsemé de quelques zones d'ombre (les projets de l'entraîneur, qui peut vouloir ménager son cheval pour une course future, le déroulement de la course, qu'on ne peut prévoir que grossièrement, ou ce truc atroce qu'est la malchance). C'est d'ailleurs une bonne chose, la glorieuse incertitude du sport, c'est ce qui fait que les courses sont plus belles que les maths et autres devinettes. Plus émouvantes. Mais par conséquent, il arrive assez souvent qu'on se trompe – que malgré tous les éléments qu'on nous fournit, malgré des calculs minutieux, malgré une longue et intense réflexion, ça ne se passe pas comme prévu.

Fabienne mettait du temps à revenir des toilettes. Et au moment où je tournais la tête vers Persin, je l'ai vu se lever. Voilà, la vie se chargeait de me séparer de mon boulet. J'espérais qu'elle comprendrait.

Je me suis levé aussi, l'air de rien (c'est facile). Mais au lieu de marcher vers la réception, comme je m'y attendais, mon conducteur a tourné à droite, vers le kiosque à journaux. Je ne savais plus trop quoi faire, debout. Il a acheté un magazine, et c'est seulement à ce moment-là que je me suis aperçu qu'il n'avait pas sa valise – s'il existait un permis à points pour les détectives, je serais à la rue depuis belle lurette. À ma décharge, il faut se souvenir que ce matin-là je n'étais vraiment pas frais. Il a appelé l'ascenseur pour regagner sa chambre et je me suis rassis, rassis.

Il pouvait redescendre d'une minute à l'autre, mais Fabienne avait largement le temps de tirer la chasse et de remonter sa culotte d'ici là. Je me suis replongé dans le *Turf*. Finalement, Silver Break n'était pas aussi évident dans la sixième. C'était un bon cheval mais il n'avait couru qu'une fois sur une aussi courte distance, un an auparavant, et le commentaire du *Turf* pour cette course disait : « Débordé pendant le parcours, s'empare de la quatrième place aux abords du poteau. » C'était un diesel, Silver Break, il lui fallait des parcours longs et difficiles pour donner sa pleine mesure. On ne me la fait pas. En revanche, Le Mage me plaisait dans la septième. La petite Nadège Ouakli le connaissait bien et le montait toujours judicieusement. Il avait sa distance et son terrain, et venait de gagner de six longueurs à Enghien contre des adversaires de même valeur. Ça roule. Ce qui m'inquiète, d'un autre côté, c'est Fabienne. Voilà près d'un quart d'heure qu'elle est en train de pisser (je sais qu'elle ne se serait pas gênée pour me dire s'il s'agissait d'autre chose). Or il me semble que même quand on est très gros, un quart d'heure c'est largement suffisant. On a même le temps de pisser deux fois et de se refaire une beauté devant la glace, si on a du maquillage. De plus, elle sait très bien que l'échappé ne l'attendra pas. Moi non plus. Qu'est-ce qu'elle fabrique ?

Sachant que, même si Persin était déjà en train d'entrer dans l'ascenseur pour redescendre, il faudrait encore qu'il règle sa chambre, j'ai décidé d'aller la chercher aux toilettes. Après la porte qui communiquait avec la grande salle, il y en avait deux autres, bleu clair : les femmes à gauche, les hommes à droite. Je suis entré chez les femmes : trois cabines sur la gauche, un lavabo et un miroir sur la droite. Les portes des trois cabines étaient ouvertes. Je suis ressorti sans m'alarmer, et je suis entré chez les hommes. Deux cabines sur la droite, trois urinoirs en face, un lavabo et un miroir sur la gauche. Les portes des deux cabines étaient ouvertes, un gamin sur la pointe des pieds faisait fièrement ses grands débuts d'homme dans l'urinoir du milieu. J'ai attendu qu'il referme sa braguette sur son honneur nouveau. En se retournant, ne m'ayant sans doute pas entendu entrer, il a failli tomber à la renverse et se fracasser le crâne sur la faïence. Ça m'aurait considérablement embêté.

– Dis-moi, tu n'as pas vu une grosse dame en vert ?

Il m'a dévisagé d'un air ahuri et angoissé, voyant probablement se concrétiser devant lui, à deux mètres à peine, toutes les bizarreries et les dangers du monde adulte, dont on lui parle depuis qu'il est tout petit. Il a secoué lentement la tête.

– Non. Non. J'ai rien vu.

Je suis allé une nouvelle fois chez les femmes, pour une ultime et stupide vérification. C'est bien ce que je pensais, elle n'est pas là. Ces toilettes sont désertes, n'importe qui aboutirait à la même conclusion.

Elle s'est sauvée par les chiottes ou le lavabo ? Par les canalisations ?

Je suis ressorti sans paniquer et suis revenu dans la salle de restaurant, avec l'espoir on ne peut plus absurde de trouver mon boulet assis à notre table. Il était impossible qu'elle ait quitté plus tôt les toilettes et qu'elle soit repassée entre les tables sans que je l'aie vue. À tout hasard, et même si ça ne m'intéressait qu'à moitié pour l'instant, je suis allé prendre un prospectus à la réception pour m'assurer que le casier de la chambre 326 était toujours vide. Oui. Je suis retourné m'asseoir, seul.

Elle s'était levée avec l'intention de revenir vite, avait ouvert la porte qu'on voit là-bas, en me faisant un signe, puis s'était évaporée dans les toilettes. Oui, Fabienne du Val d'Orvault avait disparu.

J'ai vu des choses très étranges, dans ma vie. J'ai vu mon chat, assis devant son assiette, sauter soudain à la verticale, à quarante ou cinquante centimètres de haut, tendre une patte avant vers le plafond, puis retomber, abattre violemment la patte sur son assiette, à la manière d'un grand maître de karaté, et la briser en deux (en fait, c'était pour attraper une mouche, mais je ne m'en suis rendu compte que plus tard). J'ai vu Anne-Catherine se déshabiller en pleine rue. J'ai vu une pute qui habitait provisoirement chez moi planter une quinzaine de fines aiguilles dans la bite d'un client maso, sur un quai de Paris, puis le pousser dans la Seine en rigolant. J'ai vu Depardieu me poser la main sur l'épaule. Dans un bar de l'avenue de Clichy, j'ai vu un type remplacer l'eau par du vin blanc dans ses pastis. J'ai vu un gamin de six ans battre à plate couture le meilleur joueur d'échecs que je connaissais. J'ai vu trois longues griffures appa-raître sur le bras droit d'Anne-Catherine sans que rien ni personne l'ait griffée. Dans un restaurant italien près de Vavin, j'ai vu Marguerite Duras engloutir des spaghettis comme les enfants, en les aspirant joyeusement un à un. J'ai même vu un immense ovni rectangulaire dans le ciel de Paris, un soir, il y a une dizaine d'années. Mais une personne qui entre dans un endroit sans fenêtre, qui n'en ressort pas et qui n'y est plus quand on va y jeter un coup d'œil, non, je n'ai jamais vu ça.

J'avais devant moi les restes énigmatiques de nos petits-déjeuners, je tenais à la main un dépliant sem-blable à celui que Fabienne avait fait mine de consulter passionnément la veille, je fixais la porte des toilettes au fond de la salle, je pensais à Persin qui refermait sa valise, au cadavre à la tête en bouillie dans le jardin, à la station Shell, à la voiture qui nous avait suivis jusqu'à la zone industrielle, au chauve étrange, à Fabienne, au gros Gilles, à Anne-Catherine. Je me sentais seul au centre d'un genre de champ de bataille très complexe, pris de court et paralysé par des forces contraires. Il fallait que je suive un bonhomme qui s'apprêtait à partir, que je me désintéresse d'une femme à qui on avait tiré dans la tête, et que je retrouve une grosse fille fantasque qui s'était volatilisée. Ce que le destin ne semblait pas comprendre, c'est que je n'étais pas de taille.

Jacques Persin est sorti de l'ascenseur, avec sa valise.

Il portait un costume de toile anthracite. Quelques minutes plus tôt, il était encore en pantalon de velours et blouson bleu marine. Il s'est dirigé vers la réception, a déposé les clés de sa chambre devant l'employée, qui a tapoté sur le clavier de son ordinateur puis lui a tendu une fiche, il a plongé la main dans la poche intérieure de sa veste, je me suis levé de ma chaise, il a posé quelques billets de cent francs sur le comptoir. Le destin ne veut rien entendre, ça m'énerve. J'ai fait un pas vers la sortie, Persin a récupéré sa monnaie, repris sa valise en main, et j'ai tourné la tête vers la porte des toilettes, qui m'attirait comme si elle appelait au secours en tordant douloureusement sa poignée, de désespoir. Persin a salué la réceptionniste d'un hochement de tête de gentleman et a pris résolument la direction de la sortie. Le chauve suspect est passé près de moi, quittant la salle de restaurant, et s'est avancé vers les ascenseurs. Le destin joue avec moi ou quoi ? Je ne vais pas me laisser faire. Au moment où mon conducteur franchissait les portes de verre coulissantes, j'ai pris la décision d'oublier Fabienne et de lui emboîter le pas, mais il a pivoté brusquement avant qu'elles ne se referment et nous nous sommes croisés. J'ai déjà eu l'air bête, dans ma vie, c'est pas grave.

Planté comme un petit arbre incongru en plein milieu du hall, je ne souhaitais plus rien d'autre que de me réveiller dans les bras d'Anne-Catherine – elle caresse mes cheveux et mon front moite, m'embrasse sur la bouche avec sa bouche unique au monde, et me demande ce qui se passe, pourquoi je gémis comme ça. Mais non. Je suis debout, raide, et j'ai des vertiges parce que je ne sais plus quelle attitude adopter et parce que tout ça me dépasse.

Quand les portes se sont ouvertes devant Persin, une petite lampe s'est allumée quelque part au fond de ma mémoire brumeuse, puis s'est vite éteinte – dès qu'il a fait demi-tour sur lui-même et m'a ainsi tétanisé l'esprit. Je me suis rappelé un truc, mais je ne sais plus quoi. Ça a un rapport avec Fabienne. Avec les toilettes. Mon conducteur, lui, n'a pas oublié ce dont il s'est souvenu au moment de sortir : il s'est approché de la cabine téléphonique du hall et compose un numéro. J'ai une ou deux minutes devant moi. Bon, le destin est sport.

Je me suis précipité au ralenti vers les toilettes, car j'en avais la certitude nébuleuse : il y avait quelque chose aux toilettes. Dès la porte franchie, j'ai compris. Si ça ne m'avait pas sauté aux yeux la première fois, c'est que je n'étais pas encore tout à fait conscient de l'aspect magique et inconcevable de la disparition de Fabienne – je m'étonnais, simplement. D'autre part, cette sorte de chose est si fréquente dans les toilettes de bars ou de restaurants que je n'y avais prêté aucune attention. Mais je l'avais vue, cependant, et elle s'était inscrite dans ma mémoire.

Sur la gauche, quand on se trouvait face aux portes bleu clair illustrées par la petite dame en jupe et le petit monsieur bien droit, s'en trouvait une troisième, blanche, sur laquelle était inscrit : « SANS ISSUE ». (Je sais, un bon détective n'aurait remarqué qu'elle, ça va, mais je n'avais alors aucune raison de mettre en branle mes puissantes facultés de détective à propos de mon boulet.) Évidemment, cette troisième porte était fermée à clé, comme la plupart de ses semblables. Fabienne n'avait donc pas pu sortir par là.

Voilà, c'était très simple. Une seule conclusion s'imposait, effroyable : on était venu l'attraper par là.

Persin toujours au téléphone dans un coin de ma tête, je suis entré pour la troisième fois en dix minutes chez les femmes, à la recherche de n'importe quoi d'insolite : du sang sur le lavabo, une touffe de cheveux sur le carrelage, une douille, des traces de griffes sur la porte d'une cabine. Je n'ai rien découvert de ce genre. Comme par hasard. En revanche, tout au fond dans le coin, par terre près de la porte de la dernière cabine, j'ai trouvé Georges Pompidou. C'est-à-dire Ernest du Val d'Orvault sur sa médaille d'or, avec sa chaînette brisée. Le ou les ravisseurs n'avaient pas dû avoir le temps de vérifier qu'ils ne laissaient rien derrière eux, n'ayant peut-être pas envie d'être surpris en train d'enlever une grosse femme terrifiée dans les toilettes pour dames.

Maintenant, au moins, la situation était claire. Enfin, si on veut. On a quand même kidnappé Donald.

Dans le hall, Jacques Persin n'avait pas bougé de la cabine téléphonique, sa valise à ses pieds. Il souriait en parlant, remuait gaiement la tête et faisait de grands gestes avec sa main libre. Il a même désigné quelque chose du doigt, apparemment le parking où était garée sa voiture, pour montrer à son interlocutrice (je suppose) qu'il en avait bel et bien loué une. Ça m'a toujours amusé, ça. Ce jour-là, moins, car j'avais des soucis. Je savais que j'allais devoir prendre une décision importante dans une poignée de secondes.

Mais en même temps, je prenais confusément conscience du côté « très relatif » de l'importance de cette décision. J'avais le sentiment de me trouver à un tournant de mon existence – du moins, incontestablement, face à un dilemme des plus difficiles. J'avais le choix entre continuer à suivre un type que je ne connaissais pas et retrouver une femme que je connaissais à peine. Ma vie n'est pas très intéressante.

Aucune de ces deux voies ne me transportait d'enthousiasme (par manque d'intérêt d'un côté, et de l'autre par peur de la mort), mais l'hésitation me faisait tourner la tête et me rendait fou. Aussi, quand Persin a raccroché le combiné et s'est mis en marche vers la sortie, pour de bon cette fois, j'ai tranché – je ne pouvais pas faire autrement, mais je suis fier tout de même. Je n'ai pas bougé d'un centimètre. Après tout, ce n'était qu'un boulot. Ça se laisse tomber, c'est fréquent. Et comme disait le gros Gilles, monsieur Jacques n'aspirait certainement qu'à quelques jours de liberté licencieuse dans le Sud avec son innocente maîtresse (et même s'il avait décidé de fuir définitivement le joug étouffant de sa contremaîtresse (sur un coup de tête libérateur, comme ça se voit parfois (« Mais c'était le plus paisible, le plus docile des maris ! »)), il avait ma bénédiction et mes encouragements). La seule chose qui me contrariait réellement, c'était de l'avoir suivi jusqu'ici pour rien (façon de parler). Je déteste abandonner ce que j'ai commencé, surtout si cela m'a demandé des efforts et pris du temps, et plus encore s'il s'agissait d'une démarche « gratuite » et irrationnelle – ça vexe. Mais je ne suis pas le seul, ça arrive à tout le monde, et personne n'aime ça. En outre, dans ce cas-là, j'avais une excellente raison de renoncer : une femme était en danger.

Je ne pouvais pas laisser Fabienne du Val d'Orvault à son triste et mystérieux sort. Je ne savais quasiment rien d'elle, mais je la trouvais sympathique. Et puis une telle indifférence au malheur d'autrui ne serait pas humaine. Bon, je ne m'étais pas gêné pour balayer d'un revers de main le triste et mystérieux sort de la femme du jardin, que je ne connaissais pas beaucoup moins que Fabienne et qui, dans le domaine du malheur, aurait eu son mot à dire, mais la première avait à mes yeux une qualité qui manquait cruellement à la seconde : elle était vivante. Pour l'instant.

Je devais la retrouver, coûte que coûte. J'avais enfin un but valable. Pour devenir vraiment détective, il a fallu que j'abandonne mon boulot de détective.

Je serrais Georges Pompidou au creux de ma main en regardant Jacques Persin franchir à nouveau les portes de verre. Il est parti vers sa belle Corsa de location, vêtu de ce costume anthracite qui lui donnait une allure nouvelle, une silhouette plus impénétrable encore. Emportant sa grosse valise et sa petite énigme, il s'échappait.

10

Même pas peur

Resté seul dans le hall entre la porte et la réception, je n'en menais soudain pas large. Mon conducteur m'avait abandonné, mon boulet aussi.

J'ai appelé à la maison, mais Anne-Catherine devait dormir encore : comme nous le faisions toujours avant de nous coucher, elle avait certainement coupé la sonnerie du téléphone et baissé le volume du répondeur. Ça me laissait perdu dans l'hôtel, mais j'aurais au moins le temps de réfléchir à la manière de lui raconter ce qui m'arrivait tout en lui expliquant que j'avais oublié, la veille au soir, de lui parler de cette auto-stoppeuse qui allait passer la nuit dans mon lit. Elle comprendrait, allez.

En réalité, personne ne m'avait abandonné, j'avais fait le travail tout seul. Je m'étais fixé un conducteur, puis je m'étais attaché à un boulet, et je me retrouvais à présent dans une situation extrêmement ridicule et aberrante : j'avais laissé filer mon conducteur pour me mettre à courir après mon boulet. D'autre part, quelques secondes à peine après le départ de Persin, une fois que les dés étaient jetés, je m'étais soudain rendu compte qu'il convenait désormais d'avoir peur. Je m'étais laissé entraîner par un brusque élan d'humanité

116

et d'abnégation, inconsciemment stimulé par le noble visage d'Ernest Pompidou, et maintenant que le pas était sauté, je réalisais (mais trop tard) que c'était plus de la blague. J'étais dans l'hôtel et, dans l'hôtel, ça sentait le drame.

En effet, essayons d'analyser calmement la chose. Des malfaiteurs ont kidnappé une innocente dans les toilettes, comme des sauvages, et moi je suis censé retrouver au plus vite ces malfaiteurs sauvages et les terrasser. Ou leur faire entendre raison par la menace. Suis-je bien le candidat idéal pour ce rôle ? D'autant que l'enlèvement de la pauvre Fabienne a presque obligatoirement un rapport avec l'assassinat de la pauvre gauchère. Pourquoi ? C'est la logique même. Qu'est-ce qu'une coïncidence ? Disons que c'est schématiquement, dans le sens le plus commun et le plus rassurant du terme, la conjonction de deux faits qui n'ont rien à voir l'un avec l'autre. Comme l'escale de Persin dans cet hôtel et le meurtre de la femme. Ou bien la disparition de Fabienne dans l'hôtel où m'a conduit Persin. Mais, ici, nous sommes en présence de *trois* faits : l'escale de Persin à l'hôtel, le meurtre de la femme et la disparition de Fabienne. Ce n'est plus une simple coïncidence. Il y a donc de fortes probabilités pour que deux de ces faits soient liés par autre chose que le hasard. Étant donné que Persin ne connaît assurément pas Fabienne, et qu'il n'y est vraisemblablement pour rien dans le meurtre de la femme, les deux faits suspects sont le meurtre et l'enlèvement (c'était facile). En résumé, mon rôle n'est pas exactement de terrasser des kidnappeurs, mais de terrasser des assassins. Je ne promets rien.

Deuxième question : en voulaient-ils personnellement à Fabienne ou auraient-ils enlevé n'importe quelle femme qui passait dans les toilettes à ce moment-là ?

Ils auraient enlevé n'importe quelle femme qui passait dans les toilettes à ce moment-là. On pourrait penser qu'ils travaillent pour la famille du Val d'Orvault, mais non. Car ils ne pouvaient pas savoir qu'elle viendrait dans cet hôtel aujourd'hui (sinon, cela sous-entend à la fois qu'ils sont de mèche avec Persin, qu'ils savaient que Fabienne serait à la station Shell, et qu'ils se doutaient qu'elle me choisirait comme convoyeur, moi – je sais bien que la méfiance est toujours de rigueur dans les affaires de ce genre, je ne suis pas idiot, mais il ne faut pas exagérer). Je ne l'ai pas quittée depuis notre arrivée ici (et je sais qu'elle s'est couchée dès que je suis sorti de la chambre, hier soir – si, je le sais), donc c'est clair : ces types abominables n'avaient rien de particulier à lui reprocher quand elle est entrée dans les toilettes. Mais alors, se sont-ils emparés d'elle parce qu'elle a vu quelque chose de compromettant à l'intérieur ou simplement parce qu'ils avaient besoin d'une femme pour je ne sais quoi ? Je l'ignore, je ne dois pas espérer tout résoudre avant même d'avoir commencé l'enquête. Tout ce qu'on peut affirmer à ce stade, c'est que Fabienne s'est trouvée au mauvais endroit au mauvais moment. Et moi aussi.

J'ai fourré Pompidou dans la poche de ma veste. Je pouvais encore reculer, sortir en douce de ce mauvais pas (pour refermer cette fois définitivement la parenthèse et reprendre ma vie normale, mine de rien, salut les gars, quoi de neuf ?), mais j'ai senti qu'il était grand temps de se montrer courageux. Ma passivité et ma lâcheté, il ne faut pas se voiler la face, avaient déjà eu des conséquences déplorables : si, la nuit précédente, j'avais averti le directeur de l'hôtel de ma découverte macabre, les coupables auraient été arrêtés, ou en tout cas se seraient faits tout petits, et Fabienne serait encore parmi nous, plutôt qu'avec eux. Mais surtout j'en avais marre, mais marre, de laisser le monde s'agiter autour de moi sans jamais agir. À part mon histoire avec Anne-Catherine (où ça bouge quotidiennement, ce n'est rien de le dire – mais face à elle, je suis moins dans l'action que dans la réaction), je passais grosso modo mon temps à regarder et à écouter, un sourire niais déformant parfois mon visage. Ça ne datait pas de la veille : enfant, j'ai été traumatisé.

Le jour de ma première communion, le curé a eu l'idée de nous faire jouer une scène de la Bible – je ne sais plus laquelle, ça ne m'intéressait pas trop : je n'aimais pas le catéchisme, on nous posait sans arrêt des questions sur Jésus, est-ce qu'il était gentil d'après vous, combien il avait d'apôtres, pourquoi tout à coup il a fait apparaître des tonnes de poissons et de petits pains, et quand Ponce Pilate lui a dit qu'il allait se faire crucifier, qu'est-ce qu'il a répondu ? L'histoire paraissait bien (ce Jésus était incontestablement un phénomène, qui reléguait Zorro et l'Araignée au rang de crasses), mais quand on me racontait une histoire, ça m'énervait qu'on me surveille en permanence pour voir si j'avais bien compris tout comme il fallait. C'était la même chose qu'à l'école en pire, parce qu'on avait l'impression que si on répondait mal, on ne risquait pas juste une mauvaise note et la désapprobation des parents, mais la colère et le mépris de Dieu, qui n'aime pas qu'on le néglige et n'allait pas nous rater. (« Toi, tu n'as pas bien écouté, grogne-t-il, alors tu dégages. Allez, ouste, sors de mon monde ! » – je n'avais pas envie de ça.) Évidemment, je ne disais à personne que je n'aimais pas le catéchisme, et j'essayais de ne pas le montrer. (Je pensais que je n'étais pas normal, ça me foutait la trouille.)

Nous étions six ou sept prétendants à la glorieuse eucharistie. Le curé avait dû rêver d'une carrière au théâtre, car il tenait particulièrement à sa scène. Un mois à l'avance, il était excité comme une puce, ça se voyait. Moi, ça m'arrangeait plutôt : tout à son effervescence créatrice, il en oubliait les leçons et les contrôles. À partir du moment où, sublime de fausse humilité, il nous a présentés les trois ou quatres pages de dialogue qu'il avait librement adaptées de la Bible (*À Monsieur le curé play, based on a novel by Luc*), il n'a plus pensé qu'à la réussite, au triomphe de son projet. Cependant, pour que nous ne nous en tirions pas comme ça, il nous a fait apprendre tous les rôles par cœur (primo on était là pour bosser, secundo c'est pas parce que c'était lui qui l'avait écrit qu'il fallait croire que Dieu n'avait rien à voir là-dedans, au contraire (quoi qu'en disent les mauvaises langues, Dieu aime bien les artistes : c'est lui qui les inspire)). Ce n'est qu'une semaine avant le jour fatidique qu'il a daigné nous faire part du casting.

Nous étions réunis devant lui, tremblants. Même moi, qui n'étais pourtant pas là de gaieté de cœur et redoutais affreusement de me produire sur scène, face à une centaine d'yeux braqués sur moi, j'attendais de connaître mon personnage avec une certaine fébrilité (j'avais appris tous les rôles sur le bout des doigts – à défaut d'enthousiasme, j'avais de la mémoire). Je me laissais prendre au jeu. Le curé faisait durer le suspense, il était aux anges. Il avait tout le pouvoir, il savait notre sort entre ses mains : indéniablement, dans le script, il jouait Dieu.

Attention, c'est parti, il distribue les rôles.

– Bien, mes enfants… Voyons voir. Toi, Fabrice, tu incarneras Jésus. Je pense que tout le monde sera d'accord avec moi.

Hein ? Mais non. Pas d'accord du tout. Qu'est-ce que ça a de si évident ? Il lui ressemble physiquement ou quoi ?

– Toi, ma petite Sophie, tu vas jouer… Attends. Tu seras notre Marie-Madeleine, tiens.

– Ouah, merci m'sieur !

Bon, ça c'est comme il veut. C'était pas dans mes ambitions.

– Pour le mendiant qui est assis au pied de l'olivier, j'ai pensé à…

Oh ! non, non, curé, s'il te plaît, me regarde pas comme ça. Je suis nul, en mendiant, je t'assure. Allez, sois sympa. Je ferai tout ce que tu voudras.

– … Laurent !

Bien joué.

– Non, m'sieur, pas le mendiant, c'est pourri…

– Dis donc, Laurent ! Sais-tu que Jésus considérait les pauvres comme les plus respectables des créatures de Dieu ? Tu ne vas pas te plaindre, tout de même. De toute façon, c'est comme ça, point. Isabelle, voyons, Isabelle, tu vas jouer la femme qui s'en prend injustement à Jésus.

Ah ! la malheureuse. Alors elle, tous les spectateurs vont la haïr. C'est la vie, pas de bol. Bon, qu'est-ce qu'il reste ?

– Il nous faut encore placer Christophe et Philippe. Ce n'est pas bien compliqué. Christophe, tu nous feras un excellent Pierre.

N'importe quoi ! Il zozote, Christophe, ça va être ridicule. Et moi, je ferai pas un excellent Pierre, peut-être ? Je suis sûr que je casserai la baraque, en Pierre. Enfin, après tout, c'est lui qui voit. Ça ou autre chose. Mais attends. Jésus, le mendiant, Pierre…

– Et toi, Philippe, tu joueras l'olivier.

Pardon ?

Et voilà comment, le jour unique et merveilleux de ma première communion, devant mes parents, ma sœur, les parents des autres enfants et un tas de spectateurs anonymes et attentifs, j'ai joué un arbre.

Le curé a prétendu que c'était pour mon bien, parce qu'il avait remarqué que j'étais timide et ne parlais pas beaucoup, qu'il ne voulait pas m'imposer une épreuve pénible, et que de toute façon il fallait un olivier et on n'allait pas s'amuser à en construire un en carton, ça ferait mesquin. Je n'ai pas osé protester, ni même alerter mes parents avant la représentation (ils auraient eu honte de moi), mais alors que je connaissais toutes les répliques par cœur, j'ai dû rester immobile et muet du début à la fin de la pièce, devant tout le monde. Tandis que Jésus répandait majestueusement la bonne parole, qu'une femme aigrie le critiquait injustement sans qu'il s'énerve pour autant, que Marie-Madeleine lui faisait des yeux de velours et que Pierre excellait en fan zozotant, je me tenais tout droit au centre de la scène, le visage vide de toute expression, les bras mollement levés et ornés de bandes de papier crépon vert, un mendiant râleur appuyé contre ma jambe.

Si Dieu m'avait puni parce que je n'aimais pas le catéchisme, je trouvais ça sévère. Quoi qu'il en soit, je n'ai plus jamais été le même après ce jour maudit. J'ai immédiatement cessé de croire en Dieu – s'il existe, il a toutes les qualités, c'est le curé qui le dit, donc il ne peut pas être méchant au point de permettre à un enfant de jouer un arbre, donc s'il est méchant à ce point-là, c'est qu'il n'existe pas. CQFD. Et depuis, malgré la révolte légitime qui grondait en moi (« Je ne suis pas un arbre ! »), je me suis inconsciemment cantonné à mon rôle végétal. C'est comme ça, les enfants traumatisés : l'indignation et la colère restent souvent tapies au fond de nous, on ne s'en sort pas, on reste ce que les bourreaux ont voulu qu'on soit (et bien sûr, on n'en devient que plus amer et honteux). Je suis un arbre, je suis le premier à le regretter, mais je ne suis qu'un arbre. Si je pouvais, curé, je te tuerais.

Deux ou trois ans plus tard, à l'époque où l'on se met à penser à l'avenir et où j'hésitais encore entre une carrière de détective, de serial killer ou d'écrivain, j'ai opté passagèrement pour la deuxième voie. Je m'imaginais à dix-huit ans, enfin libre et musclé, retrouvant d'abord le curé et lui démolissant le crâne à coups de branche. Ah ah. Ensuite, après de longues recherches, j'éliminerais un à un tous les acteurs de la pièce, Jésus, saint Pierre, Marie-Madeleine, je les saignerais comme des cochons pour avoir bougé et parlé avec tant de désinvolture autour de moi pendant que la sève me montait à la tête. Je réserverais un traitement particulier au mendiant à qui j'avais servi de support, je le traînerais jusqu'à la scierie la plus proche, en voiture, et je m'amuserais à le passer dans toutes les machines. Ça fait drôle, hein, Laurent ! Ah ah. Je serais devenu comme fou. Sur tous les cadavres ou ce qu'il en resterait, je laisserais quelques feuilles d'olivier en guise de signature. Personne ne comprendrait rien, les meilleurs enquêteurs de France se ruineraient la santé à essayer de trouver le lien entre ces morts bizarres. Et si quelqu'un écrivait un jour mon histoire (moi, si par malheur un limier hors pair me capturait), ça s'appellerait « La vengeance de l'olivier », par exemple. Mais je ne l'ai jamais fait, car, en tant qu'arbre, j'étais assez réservé.

Maintenant, c'est fini. Rester toujours planté comme un petit arbre incongru, merci, j'en ai soupé. Il aura fallu un crime et un enlèvement sous mes yeux, ou presque, pour que je me débarrasse de mon écorce et que je secoue mes branches comme au sortir d'un long sommeil, mais il n'est jamais trop tard pour bien faire, comme disait je ne sais plus qui. Malgré la frousse, je vais me mettre en marche, en piétinant mes feuilles mortes. Je vais enfin agir. Je vais courir après les ravisseurs de Fabienne du Val d'Orvault.

Pour commencer, j'ai eu une bonne idée. Je suis retourné dans les toilettes et j'ai glissé une pièce de dix francs sous la porte « SANS ISSUE ». Puis je suis allé gémir auprès de la réceptionniste (j'ai joué le gars pauvre et très maladroit, avec une aisance remarquable), j'ai prié pour qu'elle ne me donne pas une autre pièce (mais elle n'en a pas eu l'idée, ni l'inconvenance de me faire remarquer que ce n'était pas dramatique, dix balles) et trois minutes plus tard, un employé m'accompagnait pour ouvrir la fameuse porte. Tout avait fonctionné comme sur des roulettes, je ne perdais pas de temps pour faire parler la poudre.

Pendant que le brave homme ramassait ma pièce, j'ai pu jeter un œil à l'intérieur (sans grande discrétion, je le reconnais (je l'ai même un peu poussé), mais il ne pouvait évidemment se douter de rien – il s'est simplement dit que j'étais débile ou empoté, ce qui ne m'ennuie pas). Il s'agissait d'un vaste local où l'on rangeait des produits et des ustensiles de ménage, du PQ, des machins comme ça. À première vue, il n'y avait qu'une seule issue, à droite : une porte qui donnait sur l'extérieur, si mon plan mental de l'hôtel était correct, peut-être celle que j'avais aperçue la veille avant d'aller ouvrir la trappe que je n'aurais jamais dû ouvrir (cela dit, que je l'ouvre ou non n'aurait rien changé pour Fabienne, et au moins, maintenant, je savais parfaitement à qui j'avais affaire (c'est dingue, parfois, ces coups de chance)). Tout ça ne m'avançait pas beaucoup. Ils avaient kidnappé Fabienne, bon, je le savais. Était-elle déjà allongée près de la gauchère, la tête en Whiskas ? Mais quoi, le hobby de ces malades était d'attraper des femmes au hasard dans les toilettes, de leur pulvériser la cervelle sur-le-champ et de les transporter en plein jour jusqu'à une trappe facile d'accès ?

Ma bonne idée m'avait fait perdre un temps précieux. S'ils ne l'avaient pas encore tuée, ils risquaient de quitter l'hôtel d'un moment à l'autre avec elle. Vite, que faire ? Je n'arrive pas à me remuer, mes jambes se figent, mes branches repoussent, je suis perdu. Vite. Je peux utiliser mon statut de détective pour demander à consulter la liste de tous les clients du Mercure, mais ça ne servirait à rien (je ne pense pas que j'y trouverais un Pierrot la Castagne ou un Le Hachoir Maurice). Interroger les employés pour savoir s'ils n'ont pas croisé des malabars avec des têtes d'assassins, les mains tachées de sang ? J'aurais bien demandé un coup de main de collègue, motus et bouche cousue, au détective de l'hôtel, mais je crois que c'est une profession qui a beaucoup souffert de la crise. Non, pour l'instant, aller faire un tour dehors, du côté de la trappe, ça m'évitera de prendre racine dans les toilettes.

Toutes les personnes que j'ai croisées dans le hall m'ont paru douteuses. Chacun avait un petit quelque chose de louche, un détail qui laissait soupçonner des pensées criminelles et une évidente disposition à passer à l'acte si l'occasion se présentait : un tic nerveux dans la main droite, des yeux inquiets, un sourire mauvais, une démarche peu naturelle ou des gouttes de sueur sur le front. Les deux hommes qui discutaient près de la porte, en particulier, ne m'inspiraient aucune confiance. Ils parlaient à voix basse mais avaient manifestement envie de crier, ils se foudroyaient du regard comme deux béliers qui vont s'affronter et lançaient de temps en temps des coups d'œil vigilants sur le côté. Une petite valise noire était posée entre eux. Ils portaient tous les deux des costumes remarquablement coupés, l'un gris, l'autre bleu marine. Si ce n'étaient pas de beaux spécimens de suspects, ça, je voulais bien être pendu. Mais pouvais-je raisonnablement sortir mon Beretta et les obliger à se coucher par terre, à plat ventre et mains sur la tête ? Après tout, des béliers sournois, on en trouve plein le métro et personne ne les arrête.

En passant près d'eux pour sortir, j'ai entendu le plus grand dire au plus nerveux :

– … lampe péruvienne, avec un abat-jour en vessie de porc.

Dehors, il pleuvait encore. J'ai essayé de m'approcher le plus négligemment possible de la trappe, mais c'était dur car il n'y avait rien d'autre à admirer par là-bas que l'immense terrain vague boueux. J'ai fait semblant de chercher un truc dans l'herbe : c'est une technique qui en vaut une autre, mais si quelqu'un m'a vu, nul doute qu'un flic va rapidement venir m'interroger (ou qu'un salaud va venir me descendre). Ça n'a servi à rien, de toute manière, car je n'ai pas osé soulever l'un des abattants, et rien n'indiquait que la trappe avait été ouverte depuis la veille. Comment n'avais-je pas pensé à poser quelques brins d'herbe ou un mégot dessus, pour savoir, comme le font les malins ? Je me giflerais, des fois. Un ami me dirait que je ne pouvais pas prévoir, mais comme on ne peut jamais prévoir, ce n'est pas une excuse.

Si je m'intéressais plutôt à la porte extérieure du local, abruti ? C'est la seule de ce côté-ci du bâtiment, il suffit d'avancer sur le chemin de béton pour suivre les traces de Fabienne et de ses ravisseurs (car ils n'ont pas pu l'emmener vers le parking, à cette heure-là : soit ils l'ont assommée, et transporter un corps inanimé de ce volume, en plein jour, ne peut pas se faire en catimini ; soit ils ne l'ont pas assommée, et même avec un flingue énorme entre les omoplates, elle aurait poussé des hurlements à faire tomber le Formule 1 en poussière (sachant, avec cette lucidité qui curieusement la caractérise, qu'ils n'allaient pas l'abattre devant tout le monde)). Je suis un engourdi du cerveau. D'un hochement de tête imperceptible vers le sol, j'ai rendu un dernier hommage à la défunte gauchère, et je suis passé du côté de l'hôtel opposé à la façade.

J'ai découvert un autre parking, beaucoup plus petit que l'autre, sur lequel stationnaient seulement cinq ou six voitures. Et voilà. C'est certainement là qu'était garée celle qui avait emmené ma secrétaire. Tout était fini, je ne la reverrais jamais plus. Quoique… L'enlèvement avait eu lieu une demi-heure plus tôt au maximum, il restait peut-être un espoir – mais mince. Je me suis approché pour lire les plaques d'immatriculation, en bon artisan détective, mais j'ai décidé aussitôt que c'était secondaire : dans une grosse Mercedes noire, j'ai aperçu deux personnes sur la banquette arrière. Deux femmes (je me trouvais derrière la voiture mais une femme est une femme, sous tous les angles), une brune, anodine vue de dos, et une rousse vert pomme, de considérable corpulence, qui me rappelait quelqu'un. Mais qui, qui ?

Je cours vers la voiture comme je sais si bien le faire, je sors mon Beretta de mon sac matelot, j'ouvre la portière du côté de la brune anodine, je braque mon arme sur elle en faisant une tête sinistre, je la tire par le bras, je la jette sur le bitume, elle s'écorche partout, je crie à Fabienne de sortir, c'est déjà fait bon très bien, nous faisons le tour du bâtiment en courant, de temps en temps je jette des coups d'œil derrière pour faire feu si besoin est, nous pénétrons dans le hall, je brandis haut mon flingue pour montrer que j'en ai un aux éventuels complices qui seront bien obligés de se tenir tranquilles, nous marchons jusqu'à la réception dans un silence de mort imminente, avec tout de même quelques hurlements de femmes émotives, j'articule à voix haute et claire : « Ne vous affolez pas, tout va bien maintenant, appelez la police », puis les forces de l'ordre arrivent et font ce qu'elles veulent, nous répondons à toutes leurs questions, les méchants sont mis aux fers et le lendemain nous repartons vers Paris, en route je dépose Fabienne dans une station Esso puis je fonce vers la capitale, périphérique, attention les radars, porte de Clichy, rue Gauthey, je monte, Anne-Catherine est plus belle que jamais, je la serre longuement contre mon torse essoufflé, elle me caresse les cheveux, je soulève sa jupe, elle a mis la culotte que j'aime. Excellent plan. J'y vais.

J'ai sorti mon Beretta de mon sac avant de courir, car j'avais peur de m'emmêler les pinceaux près de la portière, puis je me suis élancé vers la Mercedes, félin, ruisselant, mort de trouille, mais je n'ai fait que trois ou quatre belles foulées avant de piler net, parce qu'un grand bonhomme venait d'apparaître à l'autre coin du bâtiment. Pouvais-je déjà laisser tomber un plan si minutieusement établi ? Eh oui, bien sûr, car sinon il allait me tirer dessus. J'ai plongé derrière une R5, félin, et je n'ai plus bougé un cil. Il m'avait semblé reconnaître le type en costume qui parlait de vessie de porc dans le hall.

Quand j'ai entendu une portière claquer (cette percussion feutrée caractéristique de la Mercedes), j'ai relevé

la tête, en restant sur mes gardes à cause du rétroviseur
– les grands truands regardent sans cesse derrière eux,
par habitude. 4726 BBK 75, surtout ne pas oublier ça.
Il a démarré calmement, première, seconde, quelle noble
souplesse, ces bagnoles, et a quitté le parking du côté
opposé à celui où je me trouvais, pour rejoindre le parking principal, la sortie, adieu.

Je me suis mis à courir sur le chemin par où j'étais
venu, mon Beretta à la main, exactement comme je
l'avais prévu dans mon plan, mais sans Fabienne. Et je
ne me suis pas retourné pour faire feu si besoin était.
Avant de déboucher devant l'hôtel, j'ai remis mon
flingue dans mon sac en catastrophe, pour n'effrayer
personne, et le temps que je tourne au coin en ralentissant pour ne pas être projeté à plusieurs mètres par
la force centrifuge, la Mercedes avait disparu. Elle ne
pouvait pas être très loin, si je me ruais sur ma voiture je la rattraperais en trois minutes, s'ils roulaient
doucement, mais à la sortie de la zone industrielle ils
pouvaient prendre à droite ou à gauche, je ne les aurais
peut-être pas encore en point de mire, il me resterait
toujours la solution de tenter le coup à l'instinct mais
c'était risqué, voire raté d'avance, à cause du problème
que j'ai avec les choix.

Trop tard, voilà. J'avais laissé filer Fabienne vers
le néant mortel.

Il faut que je m'achète une carte de France.

Heureusement, hormis cette question des choix, je
suis un des types les plus vernis du monde : en tournant
la tête vers l'entrée de l'hôtel, paniqué par l'indécision,
j'ai aperçu dans le hall le petit nerveux en costume bleu
marine qui discutait quelques instants plus tôt avec le
conducteur de la Mercedes. La valise noire posée entre

les jambes, il parlait dans son portable, visiblement tendu. Il ne tarderait pas à partir à son tour. Je ne pouvais me raccrocher qu'à lui.

Une nouvelle fois, mon cerveau tournait à plein régime, dans tous les sens. Ce type doit savoir que j'étais avec Fabienne. Il nous a vus ensemble, sûrement. Si je fais celui qui se balade, il saura que c'est une ruse. Mais si je vais lui parler d'homme à homme, clairement, ou si je lui saute dessus, si j'exige qu'on l'arrête, Fabienne est foutue, couic. Et si je le file, si j'essaie de jouer au plus fin avec lui et qu'il gagne, c'est moi couic. Aïe. Oui, mais si je gagne, pour une fois ? Bon, on ne sait pas. Une chose est sûre, il ne faut pas qu'il me voie.

Je suis allé m'adosser à la façade, hors du champ de vision de mon ennemi, j'ai sorti mon bloc de mon sac matelot et j'ai écrit très vite :

« Allez voir dans le jardin, à droite de l'hôtel, la trappe avec les canalisations etc. Il y a un cadavre dedans, c'est très sérieux. Les tueurs ont une Mercedes noire immatriculée 46… »

Non, 4726. Ou 4627 ? 75, ça c'est sûr, et BBK c'est facile, ça fait penser à bébé Cadum, mais 4627 ou 4726 ? 2746 ? (Ah si seulement j'étais dans un livre, c'est tellement plus facile dans les livres, je tournerais la page et hop.) Tant pis :

« … 27 ou 4726 ou 2746 ou 2647 BBK 75. Croyez-moi, je vous en prie. »

J'ai glissé la feuille dans une enveloppe. Sur ces quatre immatriculations, il ne devait pas y avoir trente-sept Mercedes noires. Il est probable que ce soit une voiture volée, ou louée, mais je fais ce que je peux. Maintenant, où déposer ce mot ? Si j'entre dans l'hôtel pour le mettre dans la boîte à idées, le petit nerveux me repère et couic. Si je le laisse n'importe où sur le parking, on le lira quand les poules sauront se brosser les dents toutes seules. Pourtant, il faut absolument que je prévienne la police, je n'ai pas la carrure pour continuer seul, je suis petit et faible. Je leur téléphonerai dès que j'en aurai l'occasion, mais ce ne sera sans doute pas tout de suite et il faut qu'ils se grouillent de m'aider. Alors pour l'instant :

– Monsieur, s'il vous plaît… Monsieur. Monsieur ?

– Oui ?

– Excusez-moi. Je peux vous demander un service bizarre ?

– Comment ?

– Je peux vous demander un service ?

– Bizarre, vous avez dit ?

– Euh… Un petit peu, vous allez voir. Vous êtes client de l'hôtel ?

– Oui, je participe au Salon de…

– Pouvez-vous déposer cette enveloppe à la réception dans, disons un quart d'heure ?

– Quoi ?

Je suis tombé sur un demeuré, jusque-là tout est normal.

– Dans un quart d'heure, est-ce que vous pourrez donner cette enveloppe à la réceptionniste, s'il vous plaît ?

– C'est pour un jeu ?

Oui. Candidat suivant.

– Non, pas un jeu… Enfin, si on veut.

– Ah ! mais que je suis bête ! C'est bon, allez, j'ai compris. On est un peu timide, c'est ça ? On a le béguin mais on ne sait pas comment le dire à la demoiselle ?

– Voilà, oui. Et je ne voudrais pas être là quand… Je préfère lui laisser le temps de réfléchir, quoi.

– Mais bien sûr ! Vous venez la voir tous les jours, je parie. Avant d'aller travailler, non ?

– Eh oui, voilà.

– Vous savez, faut pas avoir honte, hein. On a tous connu ça. Tiens, ça date pas d'hier, mais le jour où j'ai…

– Ce serait vraiment gentil de votre part.

– T'inquiète pas, mon petit gars. Et puis entre hommes, on se comprend. Elle est croustillante comme tout, ta réceptionniste.

– Oui, hein ? Bon, merci beaucoup. Il faut que je me sauve.

– Compte sur moi, l'ami ! Ah ! ces jeunes…

Je suis parti vers ma Ford en coulant un regard furtif vers le hall, où le petit nerveux téléphonait toujours, nerveusement. Je me suis installé au volant, il ne me restait plus qu'à surveiller l'entrée de l'hôtel et à attendre que mon nouveau gibier se décide à déguerpir. À partir de là, la partie serait serrée. Car il ne faisait aucun doute que ce lièvre-là serait plus rusé et plus vigilant que le brave Persin.

Avec l'air soucieux et irrité que ces deux types inter-lopes qui discutaient près de l'entrée cachaient mal, comment n'ai-je pas trouvé étrange qu'ils échangent bien gentiment des avis de connaisseurs sur les lampes à abat-jour en vessie de porc ? C'était aussi crédible que si on sous-titrait un discours d'Hitler devant des milliers de nazis avec des phrases du genre : « Pour s'attirer les grâces de la femelle, le mandrill se livre alors à une parade amoureuse des plus originales. » Ils savaient qui j'étais, très probablement. Et ils seraient assez distraits pour continuer leur conversation crapu-leuse en me voyant approcher ? (« … grosse est dans la bagnole, je l'emmène à Grenoble pour… » ?) Ah, je ne suis pas très éveillé. Sans compter que ça existe, les lampes péruviennes ? Avec des abat-jour en vessie de porc péruvien ? Au Salon du luminaire de Romans ? Ils voulaient me faire croire ça ? Ah, ah.

Ce qui m'étonnait, c'est qu'ils ne paraissaient pas se soucier beaucoup de moi. Ils enlevaient une femme que son mari, croyaient-ils, ne voyait pas revenir des toilettes, et ils papotaient sans crainte dans le hall, me voyaient passer près d'eux et ne semblaient pas trouver anormal que je ne m'affole pas plus que ça. Le grand, la femme anodine et leur butin vert pomme sont partis rapidement, certes, mais leur complice reste là à traîner dans le hall. N'importe quel mari ordinaire aurait déclenché l'alerte depuis longtemps. Alors soit ils sont idiots, soit c'est moi qu'ils prennent pour un idiot (celui qui se dit : « Flûte, ma femme s'est volatilisée dans les toilettes – mais qu'est-ce qui m'a pris d'épouser une farfelue pareille ? »), car j'ai peut-être un visage moins intelligent que je ne le souhaiterais, soit enfin ils ne savent même pas que j'accompagnais Fabienne. Ça m'arrangerait, ça. Les terrasser deviendrait alors presque trop facile.

J'espérais que le gros benêt à qui j'avais confié ma lettre ne la remettrait pas trop vite à ma croustillante promise. Sinon, c'était le branle-bas de combat immédiat, mon petit nerveux se tenait à carreaux, se fondait dans la masse et ne bougeait plus une oreille, et même si je le dénonçais, les flics auraient peu de chances de retrouver Fabienne vivante. Non, le benêt allait se prendre sérieusement au jeu et chronométrer un quart d'heure pile. Si mon gibier n'avait pas encore détalé à ce moment-là, il serait toujours temps d'intercepter la bombe à la réception.

Le chauve solitaire a franchi d'un pas lourd les portes vitrées de l'hôtel. Il ne manquait plus que ça.

Il s'est avancé dans le parking et a ouvert la portière d'une DS grise, à quelques mètres de moi. Je devais malheureusement le laisser filer. Je n'avais contre lui qu'une impression. Je ne pouvais pas prendre le risque d'abandonner le petit nerveux pour m'occuper de lui et découvrir une demi-heure plus tard qu'il tenait un stand de lustres en faux cristal au Salon du luminaire, d'où son air sombre et renfrogné. Non, je ne pouvais pas prendre un tel risque.

Je n'ai toujours pas retrouvé le nom du type qui disait : « Dans la vie, il faut se fixer des priorités. »

Cinq minutes plus tard, alors que je n'allais pas tarder à me préparer à m'apprêter à courir bientôt vers la réception pour empêcher mon complice compréhensif et benêt de déclarer ma flamme à la réceptionniste, le petit nerveux est enfin sorti. J'ai plongé sur le siège passager, car il est très difficile de se faire tout petit derrière un volant, et j'ai tenté de ne laisser dépasser qu'un œil à la vitre, ce qui n'est pas commode non plus, à cause du front et tout ça. Il ne regardait pas dans ma direction. Il est monté dans une Renault vert sombre, je ne sais pas exactement quel modèle, et a démarré sans tarder. Voyons. En supposant que je sois toujours déterminé à mettre ma vie en péril pour une jeune femme qui ne m'est rien, je n'ai plus vraiment le choix.

11

Le chemin de la mort

Filer quelqu'un en voiture, surtout sur une route peu fréquentée, c'est plus compliqué qu'à pied. On ne peut pas faire celui qui regarde ailleurs, par exemple. Ni s'arrêter pour contempler une vitrine. Mais là encore, je n'avais pas le choix. La seule méthode possible consistait à me tenir à trois ou quatre cents mètres de la Renault du petit nerveux, en priant de toute mon âme (un Dieu imaginaire) pour qu'il ne soit pas sur ses gardes. Son attitude en quittant le Mercure me donnait de l'espoir. Apparemment, il ne s'attendait pas le moins du monde à être suivi. De toute façon, s'il se retournait contre moi ou s'il arrivait quoi que ce soit, j'avais bien noté son numéro d'immatriculation, cette fois. 7779 RTS 75.

En sortant de la zone industrielle, il a tourné à droite sur la départementale, vers Romans. (J'avais eu du nez de ne pas tenter de rattraper la Mercedes noire : à ce carrefour, j'aurais certainement pris à gauche, vers l'autoroute.) Moins d'un kilomètre plus loin, il a tourné à gauche (bon, au prochain arrêt je m'achète une carte de France), sur une route beaucoup plus étroite qui menait, selon les panneaux, à deux villages aux noms cocasses, mais qui semblait plutôt conduire, à travers champs, à une petite forêt qu'on aurait dit avoir été posée là par quelqu'un qui ne savait pas où la mettre. À la vue de ce chemin goudronné, il était évident que nous approchions du but de notre court voyage. Dans quelques minutes, si je tournais avec lui, j'allais me garer devant une vieille maison bourrée de gangsters aux dents jaunes qui poseraient leurs bouteilles de gin et casseraient les vitres avec les canons de leurs mitraillettes pour me cribler de balles. Ou bien le petit nerveux était un campagnard, il rentrerait tout bonnement chez lui et je ne saurais plus quoi faire de mes dix doigts et de mon Beretta. Après tout, que ça arrive maintenant ou dans six heures… Mais c'est toujours pareil : on se lance frénétiquement dans des poursuites en oubliant que le but finira par arriver à un moment ou à un autre et qu'on ne saura plus quoi faire.

L'autre inconvénient, mis à part les gangsters qui vont me cribler de balles, c'est que ce chemin goudronné qui coupe les champs en direction d'une petite forêt est encore moins propice à la filature que tout ce qu'on a connu jusqu'alors. Si je quitte maintenant la départementale pour le suivre, il ne peut manquer de me repérer. Mais si je reste sur la départementale, ce n'est pas très bon pour mon enquête. Allez, je vais le suivre, et si jamais misère il me repère, je continue tout droit comme un bon pépère, je traverse la petite forêt et les villages cocasses, puis je trouve une ville normale avec un commissariat et je déballe tout. Ensuite, je joue Le Mage dans la septième. Et il gagne.

Nous roulions dans l'ombre oppressante de la forêt depuis deux minutes quand la Renault s'est arrêtée sur le bas-côté, sans raison apparente (il n'y avait rien à droite, rien à gauche, que des arbres). Je crois que je ne vais pas m'arrêter aussi. Même à trois cents mètres derrière, ça ne tromperait personne. Il m'a eu. Je ne peux que continuer tout droit, comme un pépère, et l'attendre au prochain village cocasse – en espérant qu'il n'y ait pas de bifurcation d'ici là. Il a peut-être simplement envie de pisser. On se raccroche à des trucs insensés quand la peur, la vraie, s'empare de nous. Il est tête en l'air, il aurait dû y penser avant de partir de l'hôtel, mais ce doit être la nervosité, ça le déboussole.

J'étais obligé, je suis passé devant la Renault menaçante en fixant la route droit devant moi, comme si on m'avait hypnotisé (« Je vais compter jusqu'à trois puis tu vas prendre ta voiture et traverser cette forêt ! »), mais de côté je n'ai eu aucun mal à m'apercevoir que le petit nerveux n'avait pas bougé de sa place. Il est timide, il attend que je sois hors de vue pour sortir pisser.

Je n'avais pas fait vingt mètres quand la Renault du petit timide a bondi comme un tigre, m'a doublé en un dixième de seconde en rugissant méchamment, s'est rabattue devant moi d'un brusque coup de volant et a pilé net. Moi aussi. Ce gangster est vraiment très, très nerveux.

Mais habile, cependant : il a fait de moi ce qu'il voulait (pourquoi n'était-il pas parti avec les autres, d'après moi ?). Il a voulu que je quitte le Mercure avec lui, pas de problème, il a voulu que je m'engage sur un chemin où personne ne m'entendrait crier, volontiers, il a voulu que je passe devant pour être plus sûr, si ce n'est que ça, enfin il a voulu que je m'arrête, d'ac. Et maintenant je suis foutu. Entendu.

Avant que j'aie eu le temps de poser la main sur le levier de vitesses pour sauver ma peau en bondissant comme un tigre en arrière, il est sorti avec souplesse de sa Renault, dans son costume bleu marine impeccable, un gros flingue noir à la main, braqué sur mon pare-brise (ou peut-être sur moi). Je n'ai pas envisagé plus d'un héroïque instant de plonger dans mon sac matelot, posé sur le siège passager, pour m'emparer de mon Beretta et tenter le coup du duel à la loyale. Sûr et certain, je serais mort la main dans le sac.

Il s'approchait à petits pas lents sous la pluie, malgré l'extrême tension qui électrisait tout son corps, convaincu que je n'avais pas l'intention de faire le mariole. En effet. Il avait le temps. Je sentais mes muscles fondus dégouliner le long de mon tronc et de mes jambes, et au fond de mon ventre d'honnête homme, mes entrailles se dissoudre comme du sucre dans l'eau. Il n'avait pas une tête patibulaire – ce mot m'avait toujours inquiété, et depuis l'enfance je redoutais de rencontrer un jour un bonhomme avec une tête patibulaire. Lui, ça allait. Il paraissait très agité, sans grande confiance en lui malgré l'allure de tueur qu'il essayait de se donner (ce n'était pourtant pas compliqué), et plutôt hargneux que patibulaire. Je ne sais pas pourquoi, j'avais l'impression qu'il débutait dans le métier. En attendant, il allait quand même me tirer une balle dans la tête. Pour se faire la main.

Soit c'est lui qui avançait vraiment lentement, soit c'est moi qui percevais tout au ralenti (et ça, c'est mauvais signe : ça laisse le temps de voir défiler sa vie à toute vitesse, ce qui n'augure jamais rien de bon). Je ne voyais rien défiler du tout, pas le moindre souvenir pour venir jouer les majorettes (si, tiens : je me revois un soir d'automne dans un restaurant d'Étretat avec Anne-Catherine, elle mange de la bouillabaisse avec un bavoir autour du cou, on devine la mer noire par de grandes baies vitrées – et la fois où je me suis retrouvé saoul dans une barque au large de Cannes, en pleine nuit, sans pouvoir revenir vers la côte ? – non, penser à autre chose, du balai les majorettes, penser vite à autre chose), je cherchais un moyen de rester en vie quelques minutes de plus (après je repenserai à toute ma vie, c'est promis, j'examinerai soigneusement tous ces souvenirs extraordinaires, je prendrai conscience de tout ce que j'ai vécu de beau ou de triste, d'unique, et je me dirai : « La vie, c'est vraiment fantastique », promis). Avec un peu de chance, il voudrait discuter un moment avant de me buter. C'est ce que font les durs dans les films ou les livres, pour savourer cet instant délectable (comme lorsqu'on monte l'escalier derrière une dame, avant la pénétration), et on se dit : « Mais qu'est-ce qu'il est con, c'est pas possible », car on sait que depuis toujours, l'autre (moi, ici) en profite pour retourner la situation et le tuer. (Généralement, en plus, le tueur tué a avoué tous ses péchés car cet imbécile était persuadé que l'autre emporterait tout ça dans sa tombe. Parfait, je vais enfin comprendre le meurtre de la gauchère et l'enlèvement de ma secrétaire.)

Au bout de quatre heures de marche environ, le petit nerveux s'est arrêté près de ma vitre. J'ai compris que je n'allais pas avoir d'autre solution que de la baisser, comme avec Fabienne à la station Shell – mais en plus grave. Quand est-ce que je réussirai à ignorer quelqu'un qui vient se placer près de ma vitre ? Pas maintenant. Il a tapé trois petits coups avec le canon de son revolver, presque poliment, tic tic tic, comme s'il craignait que je ne l'aie pas vu arriver. En baissant la vitre, j'ai failli articuler un « Oui ? » distrait, mais mon sens de l'humour agonisait quelque part dans mes intestins. Dès qu'il en a eu la possibilité, il a plongé brutalement son bras vers moi et m'a planté son flingue dans le cou – genre : « Ah ah, tu ne t'y attendais pas ! Il ne fallait pas ouvrir, je t'ai eu ! » C'était bien un novice. Je me pissais dessus, mentalement.

– Salut mon gros, a-t-il dit.

J'aurais aimé répondre, mais je n'avais encore jamais essayé de parler avec un revolver appuyé sur la gorge. C'était impossible (tout mon être était concentré sur trois centimètres carrés, ceux qu'enfonçait le canon – autour, ce n'était plus que de la vapeur froide). Pour dire quelque chose, j'aurais été plus à l'aise avec un œuf dans la bouche.

– Je pourrais te liquider tout de suite, mais je veux faire les choses bien. Je vais pas salir ton tas de boue, il est déjà assez cradingue comme ça. On m'appelle Monsieur Propre, dans le milieu. Allez, sors de là.

Formidable. Tout marche à merveille, il veut faire durer le plaisir, comme dans l'escalier avec une dame. Mais tout à ma joie, je ne sais plus comment font les gars, dans les films, pour retourner la situation et le tuer.

– Remue ton cul, j'ai pas que ça à faire. Je dois p… p… je dois p… planquer ta bagnole.

Monsieur Propre bégaie. Il est mort de trac, je suis son premier client. Les chefs l'ont laissé en arrière pour faire le sale boulot, ils veulent d'abord le tester sur un exercice pas trop difficile en rase campagne : descendre un gêneur inoffensif et stupide.

Je suis sorti lentement de ma Ford, crocheté par le revolver, et je me suis dressé devant lui. Je dis ça parce que je le dépassais d'une vingtaine de centimètres, mais il ne faut pas y déceler une quelconque notion de domination arrogante. Cependant, si on mettait de côté son gros flingue (il l'a d'ailleurs ôté de ma gorge, car il devait se sentir bête avec le bras en l'air, et a reculé de deux pas en le pointant sur mon cœur fragile), il n'était pas très impressionnant : une quarantaine d'années, visiblement d'extraction modeste, un crâne déjà dégarni par les soucis, un corps frêle et bancal, une chemise blanc sale sans doute achetée en soldes qui ridiculisait le beau costume, une cravate bordeaux, de petits yeux humides où se battaient piteusement la peur et la détermination, et des narines immenses, démesurées, abyssales, qui avaient dû faire de sa jeunesse un enfer devant le miroir. Mais, malgré tous mes efforts d'imagination, je n'arrivais pas à mettre de côté son gros flingue. J'ai honte de le dire, il me terrorisait. Je me sentais exactement comme la petite dame qui monte timidement l'escalier avec Monsieur Propre dans le dos.

— Je suis pas méchant, tu sais. Je suis comme tout le monde, j'aime les histoires d'amour et les petits oiseaux. Malheureusement on m'a demandé de te b… b… buter. Et moi, quand on me demande quelque chose…

Je devrais lui demander de me donner son arme, mais je n'arrive pas à ouvrir en moi le tiroir où se trouve cette ironie du désespoir, ce génie de la plaisanterie jusqu'au bout dont usent les vrais seigneurs quand leur dernière minute a sonné. Pourtant, je sens bien que ce serait la seule façon de survivre — et de pouvoir jouer Le Mage dans la septième, de pouvoir toucher de nouveau les seins d'Anne-Catherine. Monsieur Propre paraît si instable qu'un rien suffirait à le déséquilibrer. Et comme je ne me vois pas pousser un hurlement thaïlandais et lui envoyer ma Kickers droite en pleine tête, car je suis la petite dame, je ne peux espérer le déstabiliser qu'en appuyant adroitement sur son point faible, le manque d'assurance. Mais je ne trouve pas mes mots.

— Tu sais ce que je vais faire, mon gros ?

— …

— Je vais t'amener dans la forêt, là, pas trop loin, t'en fais pas, et je vais te tirer un p… pruneau dans la tronche. Ensuite je vais te soulager de tes papiers, je vais p… poser ton cadavre au pied d'un arbre, pour qu'on te voie pas de la route, et je vais aller garer ta caisse au bout du petit chemin qui part là-bas, dans un hangar abandonné. On retrouvera rien avant demain ou après-demain.

Ce n'était même pas machiavélique, nom d'un chien, il ne se donnait aucun mal pour maquiller le crime, ni pour dissimuler efficacement ma voiture et mon corps. De toute évidence, ce n'était pas le genre de détails qui les tracassait beaucoup. Une demi-journée leur suffisait sans doute pour disparaître et se fondre parmi les humains qui peuplent la terre, en laissant derrière eux la mort – et moi dedans.

– Je suis venu repérer les lieux tôt ce matin, au cas où. J'étais pas sûr d'en avoir besoin, mais on n'est jamais trop prudent, dans mon b… b… boulot. Je t'ai vu, tiens, en sortant de l'hôtel. Tu lisais un bouquin. Tu te doutais que ce serait le dernier, mon pote ? Remarque, moi non plus, je savais pas que c'est toi que je devrais flinguer et p… planquer derrière un arbre. Le hasard, hein, c'est dingue. Qu'est-ce que tu faisais debout à cette heure, au fait ? T'as des problèmes d'insomnie ? T'inquiète pas, tu viens de trouver ton marchand de sable.

C'est quand même rageant. Je suis face à un crétin de première, costaud comme une grand-mère et vert de peur, je pourrais le mettre en fuite d'un seul geste, l'embrouiller d'un seul mot, et pourtant c'est lui qui va me tuer. Le nabot timoré va tuer le puissant géant (moi). C'est rageant. Il va me tuer, ce crétin. Anne-Catherine, je vais mourir, je n'existerai plus. Anne-Catherine, Le Mage, Tchiky, le Saxo Bar, Chester Himes, Anne-Catherine. Perdre tout ça pour quoi ? La disparition de Fabienne du Val d'Orvault. Qu'est-ce que c'est que cette histoire ? Qu'est-ce que je fais là ? Elle était gentille et singulière, Fabienne, mais de là à mourir pour elle, il y a de la Terre à la Lune. Mourir pour avoir essayé de rattraper son boulet…

Cependant, Monsieur Propre hésite, ça se sent bien (je crois savoir que ce sont les patibulaires qui font durer le plaisir, normalement, les minables comme lui tirent tout de suite, trois ou quatre balles pour être sûrs), il est si paniqué à l'idée d'appuyer sur la détente pour faire un trou dans la tête d'un homme qu'il est prêt à tout pour retarder l'échéance. Il doit quand même bien se dire qu'une voiture risque de passer, non ? Ou plusieurs ? (La peur lui ôte la raison, il prend le risque de me menacer devant des tas de gens – éventuels, d'accord, mais quand même.)

Moi aussi, je suis prêt à tout pour retarder le moment où un homme appuiera sur la détente pour me faire un trou dans la tête. Mais tout se réduit très rapidement à rien, dans ma position. Mon Beretta n'est qu'à deux mètres derrière moi, mais deux mètres, parfois, c'est infranchissable.

– T'es pas bavard, hein ? T'as pas une dernière volonté, un truc comme ça ? De toute façon, t'as raison, je me sens pas très charitable, ces jours-ci. Mais me dis pas que ça te fait rien, de te faire nettoyer par Monsieur P… P… Prp… Pr… Propre.

Effectivement, je n'avais pas ouvert la bouche depuis que j'avais baissé ma vitre. Rien ne lui prouvait que c'était à cause de l'épouvante que suscite la mort imminente dans l'esprit d'un type normal. Je pouvais tenter de jouer là-dessus (le silence, il paraît que c'est une arme – efficace contre les balles, je demande quand même à voir). Et l'expression de mon visage ? Je réfléchissais tellement que je ne devais pas en avoir du tout. Ça peut inquiéter un petit nerveux… En tout cas, même si je n'avais déjà plus conscience de grand-chose à mon sujet, j'étais certain de ne pas avoir les yeux écarquillés et la bouche entrouverte. Il ne devait percevoir dans mon regard qu'une vague lueur d'angoisse, qu'il pouvait fort bien prendre pour de la démence latente. La petite dame serait-elle une dangereuse malade ?

Effrayé par mon aspect physique, peut-être, Monsieur Propre m'a ordonné d'une voix mal assurée de pénétrer dans la forêt. Il marchait derrière moi, le flingue braqué sur mes reins contractés. Et s'il me tirait dans le dos ? Maintenant, tout de suite, mort. Quand est-ce que je vais essayer de faire quelque chose pour m'en sortir ? Je suis une marionnette ou quoi ?

— Stop ! Retourne-toi. Voilà. On est arrivés sur ta tombe, mon grand… mon gros. C'est là qu'on se q… qu… quiquitte. Ça t'intéresse peut-être de savoir pourquoi on t'a emprunté ta femme, au fait ?

Eh voilà. Mais qu'est-ce qu'il est con, c'est pas possible.

— Je vais t'expliquer en deux mots, avant de te souhaiter bon voyage. On a rien de particulier contre elle, tu sais. Elle nous a rien fait, faut pas lui en vouloir. C'est juste qu'on avait besoin d'une femelle, n'importe laquelle. Mais tu peux pas comprendre et c'est trop long à raconter, ça te ferait chier. Bref, on en avait trouvé une, mais finalement ça collait pas. Alors quand on s'en est rendu compte, on l'a jetée. En lui effaçant un peu la mémoire pour pas qu'elle nous cause d'ennuis après. Tu connais les bonnes femmes… La tienne, apparemment, c'est mieux. Elle est vraiment pas terrible, excuse-moi, mais on s'en fout. C'est la beauté intérieure qui compte.

Il s'est tu un moment, avec un drôle de sourire entre parenthèses (c'est-à-dire un peu ailleurs, rêveur, mais aussi au sens propre, encadré par deux grandes rides en arc de cercle). Durant une seconde, il s'est senti dans le camp des forts, de ceux qui décident de la vie des autres, il s'est senti adopté par ses chefs. Il ne fallait pas que je le laisse s'installer dans ce sentiment stimulant. Je l'avais parfaitement manipulé jusqu'à maintenant, ce serait trop bête.

– J'aime bien parler avec toi, a dit Monsieur Propre d'une voix plus froide, mais on n'a pas toute la vie – enfin, je parle pour moi. Nos deux voitures sur le bord de la route, là, ça fait désordre. Imagine qu'un mec un peu trop curieux passe par là ? Une bagnole dans le coin, ça doit arriver une ou deux fois par mois, mais ça peut tomber aujourd'hui, non ? Comme je dis toujours, le hasard…. Remarque, je sais pas si c'est vraiment ton jour de chance…

Il a avancé d'un pas, a levé le revolver en direction de mon nez et a posé le doigt sur la détente. C'est terminé, il va me faire un trou dans la tête. Je le fixais intensément, en essayant de le bombarder de prières et de menaces télépathiques (« Ne fais pas ça, Monsieur Propre, je t'en supplie, tu ne te le pardonneras jamais, ta vie va devenir un cauchemar, tu te diras qu'est-ce qui m'a pris, il est mort maintenant, et de toute façon fais gaffe, si tu me loupes je te saute dessus et je te coupe les mains et les oreilles, Monsieur Propre ou pas »), en vain. Il n'était pas réceptif du tout, il plissait les yeux pour viser ma tête. Je me suis défendu comme un beau diable, j'ai tout tenté pour sauver ma peau, mais ce petit nerveux est plus fort que moi. Tout s'arrête là, tout va se réduire à rien dans deux secondes. Maman, papa, ma petite sœur avec qui petit j'ai mangé des spaghettis yougoslaves sur une terrasse à Umag, la culotte bleue de ma première amoureuse, Nadège, les sandwiches à Auteuil, le jour où j'ai crié mon nom dans la montagne, le cou d'Anne-Catherine, Anne-Catherine, qu'est-ce qui m'arrive ?

– Salut mon gros, embrasse le bon Dieu de ma part.

– Garde ça pour samedi.

C'est sorti tout seul. Je ne pensais pas le dire, mais je l'ai dit. Garde ça pour samedi. Comme si quelqu'un avait parlé à ma place, le fantôme que j'allais devenir, ou au contraire l'homme que je n'étais déjà plus depuis que Monsieur Propre avait posé le doigt sur la détente. Je me suis entendu parler juste avant de mourir.

C'était la première fois qu'il entendait ma voix. Il m'a semblé le voir rapetisser d'une dizaine de centimètres.

– Hein ? Qu'est-ce qu'il y a ?

– Garde ce que tu viens de dire pour samedi, c'est le jour où on sort les poubelles.

J'avais lu ça dans un vieux polar, je ne sais plus lequel (je l'avais retenu pour le répéter à l'occasion, histoire d'épater la galerie, et ça venait de resurgir par appel d'air, automatiquement, dans une circonstance idéale – pour une occasion, c'en était une, et la dernière). À deux mètres de la mort, et vulnérable comme je suis, je n'ai pas à avoir honte de me faire aider. Il avait les yeux bouche bée.

– Ça va pas, non ? Tu sais pas à qui tu p... parles !

Je venais de refouler Monsieur Propre dans son enveloppe de petit nerveux complexé qui n'aura jamais sa place parmi les grands, mes semblables. Il faut dire qu'un type qui reste impassible et muet pendant cinq minutes sous la menace d'une arme et s'amuse à prononcer ce genre de phrase juste avant d'y passer, ça doit être impressionnant. Mais pas longtemps.

– Tu vois pas que je vais te descendre ?

– Non…

Revenu en vie, je cédais de nouveau à la peur de mourir. Il fallait que je continue mon numéro, que je l'empêche de se ressaisir. Malheureusement, des répliques de ce calibre, je n'en avais plus en réserve. Ou peut-être que si, mais j'étais toujours incapable de la moindre initiative. Même mentale. Qui allait m'aider, maintenant ?

– Arrête de faire le malin. Tu pisses dans ton froc, c… c… connard.

Tiens… Après tout, qu'est-ce que je risque ?

– Non, je ne pisse pas dans mon froc.

– Tu parles.

C'est la réaction la plus débile que j'aie jamais eue de ma vie, mais face à la mort, l'intelligence et la pudeur sont bien peu de chose. J'ai dégrafé ma ceinture, j'ai baissé mon pantalon sur mes chevilles, puis mon caleçon. Je me suis redressé et je me suis remis à le dévisager comme si de rien n'était. Il ne pouvait plus me tuer.

– Tu vois, pas une goutte.

– Non mais t'es b… b… barjot ? Remonte ton p… ton pppanpan… Merde ! Remonte ton froc, putain !

Dans tes rêves, Monsieur Propre. On ne peut pas tirer sur un type qui a le pantalon sur les chevilles. Je viens de découvrir ça, et ça m'arrange. On aurait peut-être l'impression de le tuer parce qu'on ne supporte pas de voir sa bite, ou quelque chose comme ça. Ce serait la honte. Il perdait tous ses moyens, il ne braquait même plus son flingue sur moi, il ne savait plus ce qu'il faisait là, il explosait. (Ma bite est plus forte que son revolver, je suis assez fier.)

Mais le plus dur reste à faire.

– Avant de mourir, je voudrais savoir : pourquoi tes chefs ont besoin d'une femme ?

– Mais qu'est-ce que ça p… p… peut te f… foutre ? Eh merde, tiens, je vais te b… buter comme ça ! Tu crois que je sens pas le piège ?

– Si, avec les narines que t'as…

– Putain, enculé !

Il m'a bondi dessus comme un petit singe. Inconsciemment, il a dû imaginer qu'un homme ne peut pas vraiment se défendre sans pantalon, « les couilles à l'air ». Il a juste voulu me donner une correction de principe avant de me tuer, pour que je ne m'en sorte pas comme ça.

Une boule de nerfs bleu marine m'a percuté le foie et m'a envoyé au sol – les chevilles entravées, je suis tombé comme une quille dans la boue. Rouge de rage, un gamin qui pique une crise, il s'est jeté sur moi en serrant les dents, m'a écrasé les faiblesses avec son genou, s'est installé en force à califourchon et a tenté de m'étrangler à deux mains. Avec son revolver, qu'il n'avait pas voulu lâcher, il avait du mal. Il grognait furieusement, bavait, déchaîné, ses yeux de singe fou dans les miens, ses deux narines béantes à quelques centimètres de mon visage. Il fallait que je le neutralise. Avant que j'aie pu me souvenir de l'endroit où se trouvaient mes bras, il a changé d'idée et s'est mis à me frapper en pleine tête avec la main qui tenait le flingue, l'autre toujours agrippée à mon cou. N'ayant encore jamais combattu contre qui que ce soit, je ne parvenais pas à le frapper ni à le repousser. Je me débattais avec autant de puissance et d'efficacité qu'une purée. En me fiant à mon instinct, je suis tout de même arrivé à lui saisir les cheveux d'une main et une oreille de l'autre avant qu'il ne me défonce tous les os de la tête, et j'ai tiré de toutes mes forces comme une petite dame qui pète soudain les plombs parce qu'on l'a poussée à bout. Il grondait – « Enculé ! Enculé ! » –, ses coups de massue sur mon visage redoublaient de violence (je n'ai pas dû faire ce qu'il fallait), et, au moment où j'allais lui arracher l'oreille, il s'est secoué en tous sens, un vrai démon, et a réussi à se dégager de mon emprise, je ne sais comment.

Il s'est pétrifié un court instant, réalisant peut-être qu'il m'avait déjà suffisamment amoché et qu'il était temps de passer à l'étape suivante (ou réalisant soudain qu'il était assis sur ma bite nue), et j'ai profité de cette demi-seconde de pause pour attraper la main qui tenait le revolver. Clac ! Injectant dans mes dix doigts toute l'énergie que mon corps avait emmagasinée en trente-cinq ans de repos, j'ai détourné le canon de mon nez centimètre par centimètre, à la manière des forts, puis j'ai poussé comme un colosse de foire, en me voyant tout en muscles dans ma tête, tout en muscles et luisant, j'ai poussé, le crâne rasé, poussé, poussé, des tatouages partout, et j'ai pu le déséquilibrer légèrement. À qui le tour ? Affolé, il a tenté de donner un coup de reins pour se rétablir, non, je tenais son poignet à deux mains, il s'est de nouveau secoué en tous sens, un vrai démon, non, non, le flingue entre nous, il a émis un grognement d'ours en me plantant un regard hystérique dans les yeux et s'est tiré dans la gorge.

Je venais de tuer Monsieur Propre.

Jusqu'à ce qu'il s'éteigne pour de bon, soit durant quelques secondes à peine, des flots rouges et poisseux m'avaient aspergé le visage par gros jets successifs, à chacun des derniers battements de son cœur. Ce n'était pas une hémorragie, c'était un torrent de sang chaud qui jaillissait d'une vanne ouverte. Puis, après de pauvres bouillonnements écarlates, il était tombé sur le côté comme un animal abattu, les yeux grands ouverts et tournés vers un arbre proche. Je crois bien que j'avais fait parler la poudre.

Je suis resté un long moment assis près de lui, toute la tête meurtrie, gonflée, fissurée, ruisselante de sang collant, et le pantalon toujours sur les chevilles – je n'aurais pas aimé que ma mère me voie. Couvert de sang, j'avais besoin de faire un petit bilan.

Anne-Catherine, courses de chevaux, bistrots
Filature ordinaire
Autoroute, péage
Grosse fille inattendue
Hôtel, whisky, cadavre inattendu
Disparition de grosse fille, Ernest Pompidou
Petit nerveux, flingue, danger de mort
Bagarre légitime
Crime
Assis à moitié nu dans la forêt sous la pluie, tête ensanglantée

Oui, pourtant, tout semblait normal. Les deux extrémités de la liste n'allaient pas bien ensemble, c'était indéniable, mais dans la continuité, il n'y avait rien à redire, quasiment. J'avais beau chercher une faille dans les vingt-quatre heures qui venaient de s'écouler, rien ne me permettait de conclure que ce que je vivais là n'était pas logique. Je suis assis à moitié nu dans la forêt sous la pluie, la tête ensanglantée, à côté d'un type en costume bleu marine qui a les boucheries Bernard dans le cou : pas de problème, c'est naturel.

J'avais tué un petit nerveux. Je n'avais pas fait exprès, je m'étais contenté de l'aider à se tirer dans la gorge, ce qui me met un peu hors du coup. Si, un peu. En outre, c'était un cas d'école de légitime défense (je ne sais pas ce qu'on entend par là, sinon). Mais ça me bouleversait quand même – de plus, j'avais utilisé une injure bien basse et lamentable, le truc des narines, pour l'énerver (et donc le tuer). Il avait l'air méchant et con, il se prenait pour un caïd parce que des truands lui avaient dédaigneusement confié une mission sans importance (pour eux), il m'appelait « mon gros » et s'apprêtait à appuyer sur la détente pour me faire disparaître, il devait avoir une existence misérable, entre sa chemise sale et ses narines, il n'a pas perdu grand-chose et la planète non plus, mais quand même, le voir mort me gênait. Même quand j'écrase une araignée minuscule, ça me fait de la peine (je ne le fais jamais de mon plein gré, c'est Anne-Catherine qui me demande de les exterminer : en voir une l'épouvante – la simple notion d'araignée lui fait horreur). Je pense à sa vie d'araignée, à sa naissance miraculeuse, à sa première toile, je pense à ses heures d'attente immobile, je l'aime bien même si elle a bouffé pas mal d'insectes, je pense surtout à tout le chemin qu'elle a dû parcourir pour arriver jusqu'au mur de ma cuisine, je ne sais pas d'où elle vient, de loin sûrement, elle a échappé plusieurs fois à la mort, elle a tissé des toiles et des toiles un peu partout, jusqu'à celle de ma cuisine, et moi couic je l'écrase et je mets fin à tout ça, je suis le bout du long chemin, l'inconscient qui annule tout. Après, ça m'attriste. En plus, cette fois, il s'agit d'un homme.

Je ne pouvais pas rester assis dans l'herbe mouillée à m'apitoyer sur ma victime. Je suis navré, petit nerveux, mais va au diable (t'avais qu'à faire gaffe à pas chauffer la petite dame). Ça pourrait très bien commencer à sentir le roussi pour moi, ici. Car, comme tu le disais si justement, la voiture du mois pourrait passer pile maintenant.

Certes c'est mon jour de chance, sur ce point-là tu as manqué de perspicacité, mais un type dont le nom va peut-être me revenir disait toujours : « Ça tourne vite, la chance. »

Je me suis relevé avec l'impression d'avoir sur les épaules une tête de sanglier comme on en voit dans les vitrines de certains bouchers, puis en me penchant avec le plus de lenteur et de précaution possible pour ne pas laisser tomber bêtement une oreille ou un morceau de crâne, j'ai remonté mon caleçon et mon pantalon. Je revenais progressivement dans la norme. J'ai fouillé le petit nerveux mort, j'ai pris son portefeuille dans la poche intérieure de sa magnifique veste bleu marine et, dans la poche droite de son pantalon, les clés de sa Renault et un mouchoir à carreaux dégueulasse dont je me suis servi pour essuyer le revolver tombé près de lui – je pensais n'avoir touché que la main de mon adversaire pendant la lutte, mais je ne serais pas le premier assassin à me faire serrer à cause d'une petite erreur de ce genre.

Après avoir laissé tomber le flingue près de sa main et replacé le mouchoir dans sa poche, j'ai baissé une dernière fois les yeux sur le corps frêle et sans vie de Monsieur Propre, j'ai repensé à lui, vivant, quand il disait : « C'est là qu'on se q... qu... quiquitte », et je me suis dirigé vers les voitures, le visage énorme, garni de plaies et de bleus, gluant d'hémoglobine étrangère, l'esprit en déroute et tout le corps endolori comme si je sortais d'un truc pour essorer la salade. Il fallait passer ce cap difficile et continuer.

Ah, j'oubliais ma promesse. La vie, c'est fantastique.

12

La mauvaise tournure

La petite route de campagne était toujours aussi déserte, mais dans l'état où j'étais, couvert de sang, je préférais ne pas traîner (pourtant, si un automobiliste était passé par hasard, il aurait probablement appuyé de tout son poids sur l'accélérateur pour fuir au plus vite la vision de ce monstre difforme et sanguinolent qui le guettait sur le bord de la route). J'ai tout de même pris le temps d'aller regarder dans sa Renault, ça pouvait servir. Je n'y ai pas trouvé grand-chose, c'était sans doute une voiture de location, encore une fois – apparemment, j'étais devenu le seul être humain à rouler dans mon propre véhicule. Dans la boîte à gants, j'ai pris un portable, une enveloppe adressée à mademoiselle Françoise Croute, un gros agenda et une carte de France (Dieu soit loué, finalement). J'ai ramassé une bouteille de Volvic posée par terre devant le siège passager (quelques gouttes d'eau pourraient me servir), et j'ai fouillé en vitesse dans la petite valise noire posée sur la banquette arrière : elle ne contenait que des chaussettes, quelques slips blancs, un rasoir, une bombe de mousse à raser, une brosse à dents et un tube de dentifrice. Je l'ai refermée et je suis allé voir dans le coffre. Il n'y avait rien. Hormis un grand drap blanc et une pelle. Le petit nerveux n'était finalement pas si bête, il avait envisagé des solutions de rechange au cas où l'exécution ne se déroulerait pas exactement comme prévu.

J'ai fermé la voiture (il me paraissait préférable de garder les clés pour les jeter à quelques kilomètres de là – la Renault abandonnée fermée éveillerait peut-être moins vite les soupçons), je suis allé déposer mon butin dans ma Ford et prendre le Pentax dans mon sac, j'ai couru en boitillant jusqu'au cadavre épouvantable du petit nerveux pour le prendre en photo, sans me demander si ça me servirait un jour, clic et je suis revenu vers la route aussi rapidement que me le permettait mon corps de vieillard pour me glisser dans ma Ford, après avoir étendu le drap blanc sur le siège : je pourrais éventuellement me laver et changer de vêtements, pour ne pas mettre la puce à l'oreille des gens que j'allais croiser, mais si je devais racheter une voiture simplement parce que j'ai tué un, enfin simplement parce que du sang sur un siège ça fait pas honnête… Je me suis regardé dans le rétroviseur : en comparaison, Freddy Krueger et la créature de Frankenstein étaient des angelots efféminés. J'ai mis tout ce que j'avais récolté dans la Renault dans ma propre boîte à gants, on verra ça plus tard, à l'exception de la bouteille de Volvic. J'ai bu une petite gorgée pour me refaire une santé, me suis rendu compte trop tard que je posais ma bouche à l'endroit où mon défunt rival avait posé la sienne, le malheureux, beurk, j'ai fait marche arrière sur trois mètres et suis reparti le plus naturellement possible en direction des villages aux noms cocasses.

Cinq cents mètres plus loin, j'ai décidé de faire demi-tour. Non pas pour aller vérifier un détail du côté du cadavre ou de sa voiture, mais parce que je n'avais rien à faire dans cette direction (même avec ma précieuse carte de France, je ne vois pas pourquoi je me serais mis tout à coup à traverser des villages aux noms cocasses), et surtout parce que dans cet état et cette tenue, je ne pouvais aller nulle part (même si j'entrais à fond dans un café, en baissant la tête et en courant vers les toilettes, on remarquerait qu'il y a anguille sous roche). Or le seul nulle part que je connais, c'est l'autoroute. C'est le seul « endroit » où l'on n'a pas trop besoin de s'arrêter, où en tout cas un passant ne risque pas de jeter un coup d'œil dans la voiture. Et, accessoirement, on trouve des aires de repos souvent désertes, avec des toilettes et de l'eau propre qui coule à flots, mais aussi plus tard des stations-service qui proposent tout ce dont peut avoir besoin l'être humain sans racines et sans repères. De plus, je ne savais pas vers où me diriger si je voulais retrouver Fabienne (je ne savais même pas si je voulais retrouver Fabienne) et, dans ces cas-là, rien de tel que l'autoroute : c'est le même principe que sur un fleuve, on n'a pas le choix, il suffit de se laisser porter sagement, de se laisser conduire entre les rives métalliques. Vers chez soi, si possible. Ce n'est pas plus rationnel ou plus judicieux que dans le sens opposé, mais au moins c'est rassurant.

Je suis repassé devant la Renault vide, je suis un meurtrier, puis j'ai continué à travers champs et, au bout du chemin de la mort, j'ai tourné à droite sur la départementale. Malgré la nécessité de m'éloigner rapidement de la civilisation suspicieuse pour rejoindre la terre promise de l'autoroute, je ne pouvais pas trop accélérer. Si un flic errant là par hasard m'arrêtait, avec la tête laquée rouge que j'avais, mon tee-shirt et ma veste amidonnés au sang et à la boue, je n'aurais pas le temps d'entrouvrir la bouche pour tenter une explication qu'il m'aurait déjà passé les menottes et des chaînes aux pieds. (Je l'imaginais ramener fièrement sa superbe prise au commissariat, encore étonné lui-même.) Bien sûr, si une voiture de patrouille me faisait signe de me ranger sur le côté, je pouvais toujours essayer de me recouvrir la tête du grand drap blanc, mais il faudrait vraiment que je tombe sur un naïf (« Ah, ce n'est qu'un bédouin… »). En me tassant au maximum sur mon siège, j'ai dépassé la zone industrielle au fond de laquelle ma vie avait perdu les pédales (en ce moment ça devait barder, là-bas, ma déclaration d'amour avait dû faire son effet), et plus loin je me suis engagé à droite sur la bretelle qui permettait d'accéder à l'autoroute en direction de Lyon. Par chance, il y avait juste un ticket à prendre – et, par seconde chance, personne pour surveiller. Je vivais dangereusement, mais comment faire autrement ? Il m'avait fallu quitter le lieu du crime comme l'éclair, je n'avais même pas eu le loisir de faire un brin de toilette à la Volvic. Sur la départementale, je m'en étais voulu un instant de ne pas avoir pensé à dépouiller de ses vêtements la dépouille du petit nerveux, mais à la réflexion, j'aurais été plus ridicule avec une chemise et une veste trop petites de plusieurs tailles que couvert de sang séché. Quoi qu'il en soit, il n'y avait personne pour surveiller le péage. Je n'aurais pas aimé me faire intercepter aux portes du paradis de l'autoroute.

Une fois au paradis, je me suis rendu compte que la partie n'était pas gagnée pour autant. Sans me lancer dans des calculs compliqués et déprimants, je sentais qu'il me restait encore un certain nombre de trucs à régler. En premier lieu, j'avais besoin de me débarbouiller un peu – panser mes plaies, ce serait du luxe, mais au moins nettoyer mon visage tuméfié du sang du petit nerveux. D'abord parce que Lyon, son péage et ses employés à l'œil aiguisé ne tarderaient pas à se mettre en travers de ma route, ensuite parce que, dégoulinant des derniers soubresauts de vie de ma victime, j'avais la sensation embarrassante d'être dans la peau d'un coupable. Dès qu'une aire de repos se présenterait, j'essaierais d'effacer tout ça.

Quand une voiture me doublait, je tournais la tête vers la droite, comme si je cherchais quelque chose dans le paysage. Dorénavant, et sans que j'aie rien décidé, je devais me cacher, j'étais suspect aux yeux de tous. J'étais passé dans l'autre camp. Jusqu'au cœur de mes cellules les plus hermétiques, j'éprouvais toute la douleur et l'impression d'impuissance qui se dégage de la phrase : « Les choses prennent une mauvaise tournure. »

Je pouvais faire une croix sur la collaboration avec la maréchaussée que j'avais entamée en laissant un message anonyme au Mercure. Je ne regrettais pas de l'avoir fait, car j'avais bien besoin d'aide, et je pourrais peut-être suivre la progression de l'enquête dans les journaux – locaux, du moins –, mais je devrais désormais rester dans l'ombre. Cette fois, la question ne se posait même plus. J'avais tué un bonhomme : même si c'était un brigand et moi un honnête détective qui n'avait fait que sauver sa vie (et encore, s'ils ne retrouvaient pas les autres, rien ne prouverait que celui-ci était un brigand), mon arrestation entraînerait obligatoirement des complications innombrables – dont un procès, c'est la moindre des choses. Et s'il y a vraiment un truc que je déteste dans la vie, ce sont les ennuis (on sait comment ça se passe : la justice, en tant que concept, ne triomphe pas toujours – en tant qu'institution, si). Je devais déjà batailler contre la pègre, je ne pouvais pas risquer de me mettre aussi la police à dos. Je ne suis pas un arbre, mais je ne suis pas Jésus-Christ, non plus.

Une fois qu'il m'a paru évident que je ne devais pas révéler mon identité aux flics (et qu'il ne serait pas sorcier de rester en dehors de ces affaires de meurtres, en tout cas dans leurs rapports), quelques détails me sont revenus en mémoire. Les uns après les autres. Pas terribles pour ma réputation, mauvais pour mon ego. Enfin, quand ça revient, ça revient : j'avais soigneusement effacé toutes mes éventuelles empreintes du revolver de Monsieur Propre, comme on le fait toujours dans les histoires policières, mais sur la poignée de la portière de sa voiture, sur la boîte à gants, sur la valise noire, j'en avais laissé de quoi donner le mal de mer à un spécialiste ; en gardant les clés de la Renault, que j'avais toujours dans la poche de ma veste, je permettais aux enquêteurs d'écarter en riant l'hypothèse du suicide et, si par grand malheur ils me retrouvaient, de me regarder d'un drôle d'air ; en donnant de la main à la main, au Mercure, ma déclaration d'amour au gros benêt, je leur fournissais l'occasion inespérée de mettre un visage sur le petit malin qui avait découvert le pot aux roses et qui pourrait peut-être nous en dire plus sur le gars qu'on a retrouvé refroidi à trois kilomètres d'ici (mais pour cette bévue-là, j'avais une excuse : même en faisant appel à toutes mes facultés d'anticipation, légendaires, je ne pouvais pas me douter que j'allais faire sauter la pomme d'Adam d'un gars dans une forêt voisine). (Tout de même, après avoir si longtemps hésité, pourquoi avais-je encore une fois opté pour le civisme ?) Enfin, mon nom figurait sur la liste des clients qui avaient quitté l'hôtel ce matin-là (j'aurais bien donné Paul Martin ou Philippe de La Michaudière, comme nom, c'est une astuce courante dans les histoires, mais je n'avais que peu de liquide sur moi et devais tout payer en carte de crédit). Bon. Ma chance, c'est que j'ai un visage et une allure plutôt ordinaires. J'ai des cheveux noirs, un peu frisés, des yeux, un nez et une bouche plus ou moins normaux, je suis assez grand mais sans plus, ni maigre ni gros (non, je suis désolé), et je n'ai pas de tic spectaculaire. Ce qui peut me trahir, ce sont mes épais sourcils. Je les aime bien, pourtant. Ils me donnent un air soucieux et primitif. Un peu comme Georges Pompidou, tiens. Ce qui peut achever de me trahir, c'est le sac matelot que je porte toujours à l'épaule. Ça commence à faire beaucoup :

– C'est un grand brun frisé, avec un sac de piscine à l'épaule, l'air soucieux et primitif.

– Ah oui, je vois très bien.

S'ils font le lien entre mon physique et mon nom, je n'en ai plus pour longtemps à gambader comme un jeune cerf en liberté. Je ne pourrai pas prétendre que oui c'est bien moi qui ai trouvé le corps de la gauchère mais que non je n'ai rien à voir avec Monsieur Propre car je suis rentré direct à Paris (à cause de mes empreintes). Je n'ai plus qu'un seul espoir : que la réceptionniste ne soit pas physionomiste. C'est mince.

Et Fabienne, avec tout ça ? Qu'est-ce qu'ils sont en train de lui faire ? Ça doit être affreux pour elle, mais est-ce que je ne ferais pas mieux de me ranger des voitures pendant qu'il est encore temps ? Est-ce qu'il est encore temps, d'ailleurs ? Je n'en sais rien, moi. Je ne suis pas fait pour ça.

Ça m'a toujours foutu le cafard, ces aires de repos sur l'autoroute, désertes et ternes sans le noyau de lumière et de couleurs de la station-service. J'imagine la famille qui s'arrête là, ravie de trouver une table et des bancs en bois, comme à la campagne, pour déguster les sandwiches au pâté ou au camembert dans l'aluminium, les

159

œufs durs et les tomates dans les tupères. Qui mieux que nous ?

Mais aujourd'hui, pour moi, aucun endroit au monde n'a jamais aussi bien porté son nom que celui-ci : aire de repos. Deux minutes.

Je me suis garé juste à côté des toilettes pour ne pas avoir trop de chemin à parcourir à découvert. J'étais seul sur le parking mais on ne sait jamais, une famille peut surgir.

Après m'être aspergé d'eau froide pendant dix bonnes minutes, en frottant énergiquement malgré mes blessures, j'ai relevé la tête face au miroir. Mis au propre, ce n'était pas si dramatique. J'avais l'œil droit deux fois plus petit que le gauche, un gros hématome sur la pommette, une arcade sourcilière dangereusement gonflée, la lèvre supérieure fendue, une bonne plaie sur le front et le nez défiguré, mais je ressemblais à n'importe quel boxeur qui sort d'un combat équilibré. Disons que ça ne suffirait pas à me faire interpeller injustement par un flic qui traîne, ni à donner à un délateur en manque l'idée de sortir un stylo pour noter ma plaque d'immatriculation. On a encore le droit de se faire tabasser, non ?

Pour le tee-shirt et la veste, je me trouverais plus tard une tenue de remplacement dans une station-service – mais ce ne sera pas facile d'y entrer dans ce costume de tueur (tout devient très risqué, ça m'épuise). Je me suis remis au volant de ma Ford et, avant de redémarrer vers n'importe où, j'ai pris le temps d'examiner le butin que m'avait rapporté mon crime.

Le portable était éteint. Je n'y connais rien aux portables, n'étant pas une vache laitière, mais grâce à la sagacité inhérente à ma profession, j'ai vite compris que j'avais besoin de composer un code pour m'en servir.

Dommage, j'aurais peut-être trouvé quelques numéros intéressants en mémoire.

Le portefeuille ne contenait pas grand-chose. J'ai sorti d'abord la carte d'identité, le passeport (délivré un mois plus tôt, pas encore utilisé) et le permis de conduire de Monsieur Propre, qui s'appelait en réalité Christian Laverne – ça faisait moins peur. Sur les photos, il était jeune, bien coiffé, bien propre. Il était né 41 ans plus tôt, un 12 avril, à Viry-Châtillon. Il mesurait 1,64 mètre et pesait 49 kilos (il aurait dû faire jockey plutôt que gangster, le pauvre (après tout, il avait peut-être essayé, il avait peut-être monté dix ou quinze fois en course, en province, avant de se rendre compte qu'il n'avait pas le don et de se tourner vers une carrière moins noble mais plus à sa portée, pensait-il (s'il vous plaît, mon Dieu qui n'y êtes pour rien dans les rôles d'arbres (j'étais petit, je ne pouvais pas savoir), faites que je n'aie pas tué un ancien jockey))). Il habitait au 33, rue Maurice-Arnoux, à Montrouge. L'employé de mairie avait noté « Signe particulier : Néant », pour ne pas lui faire de peine à propos de ses narines. Dans les autres compartiments du portefeuille, j'ai trouvé deux photos, l'une de lui, récente, en maillot vert sur la plage (debout dos à la mer, il montrait ses biceps en souriant, comme un gamin qui mime un athlète), l'autre d'une vieille femme pitoyablement posée dans un fauteuil, sans doute sa mère ; une carte Bleue du Crédit Mutuel, accompagnée d'une bonne quinzaine de tickets (la plupart pour des petites sommes) ; une carte de visite au nom de René Salordi, 41, boulevard Jeanne-d'Arc, Marseille ; diverses cartes de restaurants parisiens et marseillais ; un vieux ticket d'entrée pour un concert de Johnny Hallyday ; et enfin, sur une feuille perforée et quadrillée, pliée en quatre, des sortes de codes :

8321 C

3197 P

26A13 I

1204 V

Je suis très fort, donc j'ai aussitôt composé le 3197 sur le portable. C'est passé. Le 8321 devait correspondre à sa carte et le 26A13 à son immeuble. Quant au 1204, c'était moins facile. En tout cas, c'est lui qui l'avait choisi, c'était sa date de naissance (il avait cependant pris soin de le noter, deux précautions valant mieux qu'une). Il s'agissait peut-être de son code de retrait pour les cassettes vidéo qu'on trouve un peu partout dans des distributeurs.

Christian Laverne n'avait pas une bonne mémoire.

Après de longues et pataudes manipulations, j'ai réussi à circuler dans les menus du portable. J'ai cru comprendre qu'il n'avait mis aucun numéro en mémoire – étant donné la sienne, c'est qu'il ne devait pas connaître grand monde. J'ai découvert la procédure qui permettait de consulter son répondeur : j'ai pu y entendre deux messages qui n'avaient pas été effacés. Ils dataient de la veille.

Le premier avait été laissé dans la matinée par une certaine Françoise (Croute, je suppose), qui répétait une vingtaine de fois « je t'aime » sur tous les tons, l'appelait « ma petite mule » et lui demandait de faire bien attention à lui. Le message se terminait par : « Je t'aime, ma petite mule, je t'aime ! À dimanche ! »

Le second, déposé en milieu d'après-midi, dégageait moins d'amour. C'était une voix d'homme, posée mais sévère, que j'ai aussitôt associée au grand type qui discutait avec lui dans le hall de l'hôtel et qui avait embarqué Fabienne. (Mais je pouvais me tromper : je n'avais que « lampe péruvienne avec un abat-jour en vessie de porc » pour comparer.) Le message était le suivant : « Qu'est-ce que tu fous, la Poisse ? » (Ça m'étonnait, aussi, qu'on l'appelle Monsieur Propre.) « Tu devrais être là depuis une heure, je te signale. T'as bien noté l'adresse, au moins ? T'es tellement con… Bon, je t'ai dit, on a un gros, gros pépin avec la marchandise, il va peut-être falloir en changer. Enfin c'est pas sûr, et de toute façon c'est pas ton problème, mais je te rappelle qu'on doit être demain soir à Dieppe, impératif. C'est pas moi qui décide. Alors tu ferais bien de rappliquer dare dare, ou on risque de t'envoyer autre chose que des fleurs, là-haut. Et si on t'a filé un portable, c'est pas pour le laisser éteint. Ducon. »

C'est bizarre, d'écouter un petit chef vous parler dans l'oreille. J'ai dû faire un effort de concentration et de détachement simultanés pour me convaincre que ce message ne m'était pas destiné.

Au moins, je savais où ils avaient emmené Fabienne. À Dieppe. Enfin tout s'éclairait, enfin mon enquête devenait simple, enfin j'allais pouvoir mener à bien ma mission de redresseur de torts en deux coups de cuillère à pot. Dieppe. Je n'y étais jamais allé, mais j'avais un pressentiment : c'était la ville la plus vaste et la plus mystérieuse du monde occidental.

J'ai voulu profiter du portable pour téléphoner à Anne-Catherine, lui raconter ce qui m'était arrivé et lui demander son aide, mais je me suis ravisé avant de valider l'appel. On ne sait jamais, avec la technique et le progrès. C'est censé nous aider (« Vous n'avez jamais été aussi libres », dit le fermier à ses vaches), mais ça nous ligote – dans le dos. Les flics pourraient obtenir sans mal les numéros composés depuis le portable de

Laverne avant et après sa mort. J'attendrai une bonne vieille cabine téléphonique (s'il y en avait une sur cette aire de repos, elle était habilement dissimulée).

J'ai ouvert le gros agenda de la Poisse dans l'espoir d'y trouver quelques indices supplémentaires – dans tout travail de recherches, il est toujours bon d'en avoir deux ou trois sous la main, si l'inspiration n'est pas au rendez-vous (ça arrive). Il était comme neuf. Hormis une visite chez le dentiste et un déjeuner chez « maman », mi-avril, Christian Laverne semblait n'avoir pas mis un pied dehors depuis le début de l'année. Il venait sans doute de l'acheter, ce bel agenda. À partir de la fin avril, c'était l'effervescence : le prénom « Max » revenait à trois reprises, accompagné chaque fois d'un nom de café différent. Leur dernière entrevue officielle avait eu lieu le dimanche précédent, chez Félix – place de l'Alma ? Lundi, il avait écrit : « Salordi, 17 heures » (à Paris ou à Marseille ?) ; mardi : « Prévenire Françoise », « Papiers chez Fernandez » et « Max, Véronique, 13 heures Salordi » et « Acord Spengler » ; mercredi : « Max, 9 heures Saint-Charles » et « Dieppe ? » ; jeudi (aujourd'hui) : « Coiffeur IMPÉRATIF » ; vendredi « Départ New-York ? » ; et dimanche : « Françoise » à l'encre noire, suivi d'un point d'interrogation à l'encre bleue.

Tout ça ne m'apprenait pas grand-chose. Max devait bien être le grand type en costume gris, Véronique peut-être la brune anodine qui l'accompagnait dans la Mercedes noire, et Spengler et Salordi les chefs – le second, en tout cas, semblait tenir un rôle important : ils se réunissaient chez lui. Le chauve solitaire était-il l'un des deux ? Une chance sur mille, à peu près (Spengler et Salordi pouvaient aussi bien être les deux mémés à cheveux violets qui se tenaient par la main et grignotaient comme des hamsters.) En réfléchissant à l'emploi du temps de la Poisse, je pouvais reconstituer approximativement ce qui s'était passé ces derniers jours : il avait été recruté deux ou trois semaines plus tôt par Max, à Paris, pour servir d'homme à tout faire, de second couteau en cas d'imprévu. Ils s'étaient tous retrouvés à Marseille chez Salordi, avaient préparé l'enlèvement d'une femme (et demandé à Fernandez de faire des faux papiers pour elle ?), l'avaient peut-être capturée à la gare Saint-Charles, puis s'étaient mis en route pour Dieppe avec elle (si Persin n'avait pas décidé de s'arrêter pour la nuit au Mercure, nous les aurions croisés sur l'autoroute). Il y a avait eu un os pendant le trajet, ils avaient dû se débarrasser de la femme (et sans doute la jeter dans la trappe du jardin de l'hôtel – mais je n'avais eu aucun moyen de savoir si la gauchère était marseillaise (à la mort d'une personne, son accent disparaît)), et remettre leur voyage à Dieppe pour le lendemain, aujourd'hui, le temps de trouver une femme de rechange. Ensuite, ils partiraient peut-être pour New York (si c'était le cas, la Poisse ne semblait pas sûr de faire partie du voyage).

Ce n'était bien sûr qu'une interprétation très libre des quelques notes laissées par ma victime. Ce scénario comportait des tas d'incohérences et de zones d'ombre. Pourquoi toute l'équipe était-elle descendue jusqu'à Marseille pour trouver une femme qu'il fallait remonter à Dieppe ? Il n'y a pas de femmes à Dieppe ? (Je sentais bien que c'était une ville malsaine.) Qu'allaient-ils fabriquer à Dieppe (impératif) avant de partir pour New York ? Qu'avaient-ils découvert qui ne collait pas chez la première femme, après quelques heures de route ? Pourquoi lui avaient-ils massacré ainsi la tête au lieu de se contenter d'un petit trou dans la tempe au revolver normal ? Pourquoi la Poisse était-il resté à la traîne, après leur départ de Marseille ? (C'était du moins ce qu'il m'avait semblé comprendre du message téléphonique de Max.)

Je me suis aperçu que je n'étais sûr que d'une chose : si j'enlevais Fabienne de leurs pattes, ce serait déjà pleinement satisfaisant pour moi. Il faut savoir rester dans sa catégorie. (Je venais d'entrer malgré moi dans la catégorie « Sauveurs », ça me suffisait. Je regrettais ma brève mais irréparable incursion dans la catégorie « Tueurs », et je savais que je serais très mal à l'aise, et vite dominé, dans la catégorie « Héros universels », celle des types qui sauvent et comprennent en même temps.)

J'ai consulté rapidement le répertoire qui accompagnait l'agenda de la Poisse : il ne contenait que très peu d'adresses et de numéros de téléphone (dont ceux de sa mère, de son dentiste et de son coiffeur). Aucune de ses connaissances n'habitait Dieppe ni sa région. En revanche, trois d'entre elles vivaient à Marseille, dont Titi Fernandez (le fabricant de faux papiers, sans doute), René Salordi (ses coordonnées étaient différentes de celles de la carte de visite) et un dénommé Didier Dussol. Il n'y avait trace ni de Max, ni de Véronique, ni de Spengler. Il y avait en revanche trace de Jo Feat, de Bubu Vaissade, de Loïc Guenée (moto), de Chouko, de Lulu Damotta, de Mémé, de Martine Bernhardt, de Blondie Bouder, de Domi Dancel (gymnastique), de Mimiche Salordi (celui-ci habitait à Saint-Germain-en-Laye) et de quelques autres, mais ça ne me concernait pas.

Avant de repartir, j'ai ouvert la lettre que la Poisse avait écrite à Mademoiselle Françoise Croute, 14, rue Baudin, 94200 Ivry-sur-Seine. Toute la vie de Christian Laverne m'appartenait. Je n'en étais pas fier.

« Ma Françoise, ma paquerette,

J'espère que tu va bien. Tu me manque énormement, je pense à toi tout le tant. Excuse-moi pour l'écriture, je ne suis pas trés doué pour écrire, tu le sait bien. Mais je suis doué pour autre chose. Hi hi hi ! Je suis arrivé a marseille hier pour affaires et en ce moment je t'écris dans la chambre d'hotel que m'a réservé mon patron. Ils se sont pas moqué de moi, c'est grand luxe, avec une baignoire ou on pourrait tenir tout les deux. Oh il faut pas que je parle de ça, tu comprend pourquoi ma belle. Tu me manque tellement. Cela dit, je t'écris pour te dire que si tu ressois cette lettre, c'est que je ne pourrai pas être avec toi dimanche à Ivry. Excuse-moi. J'ai du partir pour New-York, toujours a cause de mes affaires. Je ne sais pas encore si le patron va m'emener, mais je crois bien que oui. Ils ont besoin de moi pour beaucoup de chose, je ne peux pas dire non. Ça les metterait dans l'embaras. Excuse-moi pour les fautes, tu sait que je n'écris pas souvent. Tu vois je fais un effort pour toi, parce que je t'aime tellement, tu ne peux pas savoir. Je reviendrai la semaine prochaine et t'inquiette pas, on pourra vivre comme des Pape. Je t'ofrirai tout ce que tu a toujours voulu. Il vont bien me payer. Maintenant je dois te laisser car le devoir m'appèle. Il me tarde de te revoir, ma paquerette. Tu est la première femme que j'aime comme ça. Sérieux. Tu me manque plus que tout. Je revois ton beau sourire et ta poitrine, tu es si belle. N'est pas peur pour moi, je sais me débrouiller dans les affaires. Sur ce je te quitte en te faisant des million de bisous comme tu aime. Embrasse ta mère de ma part. Bonne journée, bon courage, et bon apétit si tu es à table.

Christian, ta petite mule. »

On ne devrait pas tuer les gens. On s'en veut toujours, après. Même si on ne les aimait pas vivants (et dans ce cas-là, c'est peu de le dire), on voudrait souvent

167

pouvoir revenir en arrière, une fois qu'on les a tués. Même si c'est pour les fuir aussitôt, ces enculés, et ne plus jamais entendre parler d'eux. Mais non, on ne peut pas. On est obligé de rester là, avec leur mort derrière, et leur vie encore plus loin derrière, fermée. Enfin, sur le coup on leur en veut tellement que c'est plus fort que tout. Je ne sais plus qui a dit : « Il faut vivre dans l'instant. » Je vais essayer de faire un effort de mémoire, et lui écrire un mot.

– QU'EST-CE QUE JE VIENS DE DIRE, JULIEN ?

J'ai tourné les yeux vers mon rétroviseur. Je n'avais pas entendu arriver la voiture : une famille venait de surgir sur l'aire de repos – comme quoi, on ne se méfie jamais assez. La mère avait ouvert sa portière et, les pieds par terre, déballait les sandwiches sur ses genoux. Il ne pleuvait plus, ils avaient de la chance. (Ils étaient là depuis combien de temps ? Je devais penser à autre chose…) Une petite fille en robe bleue se tenait sagement face à elle, les mains dans le dos, probablement très friande de pâté. Le jeune Julien, en survêtement rouge, se tenait entre leur voiture et la mienne, l'air coupable et secrètement furieux (comme moi). Son père, un grand brun coiffé à la manière d'un footballeur des années soixante-dix et vêtu comme dans un feuilleton brésilien, l'attendait près de sa femme et de sa fille, près du point de ravitaillement, les mains sur les hanches.

– Qu'est-ce que j'ai dit ? Combien de fois je vais te répéter de te tenir tranquille, nom de Dieu ? Tu crois que c'est toi qui commandes, ici ? TU CROIS QUE C'EST TOI QUI FAIS LA LOI ? Viens là ! Ne me fais pas répéter, Julien…

Julien m'a lancé le regard haineux qu'il aurait aimé pouvoir décocher à son père (« Retire ce que tu viens de dire, ordure… ») et a fait demi-tour. Il est retourné tête basse, les bras pendant faiblement le long du corps, vers la cellule familiale.

– Tu me cherches, hein, Julien… Tu crois que je suis pas assez sur les nerfs, avec la route ? Qu'est-ce que t'as dans le crâne, bordel ? Quand on te dit reste ici, tu restes ici, point barre. Il te manque une case ou quoi ? Qu'est-ce que j'ai fait pour avoir un gosse aussi con ?

Sur ces mots, le père s'est dirigé vers les toilettes en secouant la tête, d'un pas de meneur fatigué qui en a marre d'avoir des troupes incapables, mais marre. Lorsqu'il est passé près de moi, j'ai senti l'odeur de sa bêtise. Mes vitres étaient fermées, pourtant.

Sans hésiter, après juste un rapide coup d'œil dans mon rétroviseur, j'ai mis mon Beretta dans ma poche, je suis sorti de ma Ford et je suis entré dans les chiottes derrière lui. Ce que je m'apprêtais à faire n'aurait inspiré aucune admiration à Jules César ou à Leonard de Vinci, mais aller choisir un sweatshirt Mickey dans une station-service avec une veste et une chemise pleines de sang et espérer s'en tirer sans avoir fait tiquer quiconque, ça ne relève pas non plus du coup de génie tel que le définissent les puristes. De deux maux.

Il entrait dans une des cabines. J'ai tapé du pied dans la porte avant qu'il n'ait eu le temps de la refermer et j'ai braqué mon Beretta sur son nombril. C'était la première fois que je braquais mon Beretta sur autre chose que mon reflet dans le miroir de ma chambre. J'étais intimidé. Mais il fallait que je me donne l'air d'un caïd. Il était plus grand et manifestement plus fort que moi, s'il devinait la moindre faiblesse il trouverait sans doute le courage de renverser la situation et de me foutre une raclée. Non. Caïd. Je suis un caïd. Je suis un tueur. Un caïd :

– Salut mon gros.

Il me dévisageait sans bouger, ahuri, comme si j'étais en train de lui braquer un flingue sur le nombril. La stupeur semblait l'emporter largement sur la trouille. Quoique… Un type au visage contusionné, enflé, et aux vêtements maculés de sang, qui entre dans vos chiottes armé d'un revolver, ça remue. Je lui ai fait signe de reculer vers la cuvette et j'ai refermé la porte derrière nous.

– J'aimerais faire connaissance, mais je suis assez pressé. Enlève tes fringues.

– Quoi ?

Là, il a vraiment pris peur. C'est bon.

– Déshabille-toi, allez. Je plaisante pas. Les chaussures, les chaussettes, le costume, tout.

– Mais enfin…

– Qu'est-ce que je viens de dire ? Enlève tout ou je te bute. Je suis pas méchant, tu sais. Je suis comme tout le monde, j'aime les histoires d'amour et les petits oiseaux. Mais…

– Vous êtes fou. Laissez-moi tranquille.

– Tu crois que c'est toi qui commandes, ici ? Assieds-toi sur la cuvette et fous-toi à poil. Grouille !

J'ai levé le canon de mon Beretta au niveau de sa tête. Je crois que je n'étais pas mauvais. Il a délacé ses chaussures – on aurait dit qu'il le faisait moins par crainte de se faire descendre que pour ne pas contrarier un déséquilibré mental. Je prenais les vêtements au fur et à mesure qu'il les enlevait. J'avais en main sa veste marron et son débardeur à losanges roses et verts.

– T'es pas bavard, hein ? ai-je ricané.

– Qu'est-ce que vous voulez que je dise ?

C'est vrai, bon, ça se tient. Rectifions le tir.

– Une dernière volonté, un truc comme ça. Non ?

170

– Vous allez me… ?

– Je sais pas. Je suis assez sur les nerfs, moi aussi, avec la route.

– Pitié, non.

Il m'a tendu son pantalon en tremblant. Il ne pourrait plus me surprendre en le baissant à l'improviste. Quand il m'a tendu son slip en coton rouge, je lui ai ordonné de le jeter dans la cabine voisine, par-dessus la cloison. J'ai accompagné mes paroles d'un mouvement sec du Beretta et il a lancé son slip rouge. C'était beau.

– J'ai pas encore décidé si j'allais te buter ou pas, mais si oui, je m'amuserai pas à t'expliquer pourquoi. Je suis moins con que tu ne crois.

– Non, d'accord, mais ne me tuez pas, je vous en supplie.

– Je voudrais bien, mais c'est le destin qui choisit. Et je me demande si c'est vraiment ton jour de chance… Au fait, je m'appelle Monsieur Propre.

– Ah ? Mais quand même, ne me tuez pas. J'ai une femme et des enfants.

– J'ai vu, oui.

Je devais résister à l'envie de le tuer. Sinon je m'en voudrais, après. Il était complètement nu devant moi (il n'avait gardé que sa montre), assis sur la cuvette. J'ai secoué la veste et le pantalon à l'envers pour laisser tomber ce qui se trouvait à l'intérieur, et j'ai poussé ça d'un coup de pied sous la cloison, dans l'autre cabine, avec ses chaussures et ses chaussettes. Son slip rouge se sentirait moins seul.

Il avait une petite bite rose en forme de champignon – ceux qu'on trouve sur les bûches de Noël. Pauvre homme. Moi, dans cette situation-là, ma bite a été plus forte que le revolver. Il y a les vrais mecs, et les autres.

– Je vais sortir, mon gros. Toi, tu vas t'enfermer ici. Je vais rester un moment devant, le temps de me changer. Si j'entends le moindre bruit de loquet, je tire à travers la porte. D'accord ?

– Oui.

– Et fais gaffe, je prends toujours mon temps, pour me changer. Je suis soigneux. J'aime l'élégance. C'est pour ça que j'ai choisi tes fringues, t'es sapé comme un p… p… prince. Alors compte jusqu'à cent, ce sera plus sûr. D'accord ?

– Oui.

– Oui qui ?

– Oui Monsieur Propre.

– Bien. Et arrête de traiter ton fils de con, sinon je reviens.

Il a ouvert la bouche et n'a rien dit. Je suis sorti lentement, j'ai refermé la porte sur sa bouche grande ouverte, sur son corps pâle assis sur la cuvette, piteux, sur sa petite bite de Noël. J'ai attendu qu'il se lève et verrouille docilement derrière moi. Ma dernière phrase résonnait de manière absurde, mais dans l'ensemble, mon agression s'était déroulée comme dans un rêve. J'ai rangé mon Beretta, laissé son pantalon et son débardeur immonde sur un lavabo, roulé sa veste et sa chemise en boule, et j'ai quitté les toilettes sans un bruit (un bon détective doit toujours porter des chaussures à semelles de crêpe). La femme et la petite fille mangeaient leur sandwich en silence, face à face. À une vingtaine de mètres d'elles, le garçon contemplait les voitures qui passaient à 140 km/h sur l'autoroute. Devant moi, un couple sortait d'une Clio encore fumante. Personne ne me regardait. Le père nu devait compter à voix basse. Je suis monté dans ma Ford et j'ai démarré aussitôt.

Mon cœur battait comme celui d'un mulot. Je n'avais jamais eu aussi peur.

En réintégrant le flot des bolides, je me suis vu tel que j'étais : emporté contre mon gré, et mal barré. Je n'avais pas eu d'autre solution que de voler les vêtements du Piteux, bien sûr, on ne se balade pas plein de sang pendant des heures impunément, mais en ce qui concernait mon image de marque auprès des flics, la balance commençait à pencher en ma défaveur.

13

Les sables mouvants

Malgré quelques tares apparentes, je répète que je ne suis pas idiot. Un exemple : j'ai compris qu'il ne fallait pas que je m'arrête, comme j'en avais l'intention, dans la prochaine station-service (Total, 10 km). En effet, c'était assurément ce que feraient le Piteux et sa petite famille, or une confrontation avec ma victime humiliée, en présence d'une cinquantaine de personnes gorgées d'honnêteté et chauffées à blanc par d'incessantes humiliations, ne pourrait en aucun cas tourner à mon avantage. Je devais donc en laisser passer deux ou trois (le pied au plancher) avant de pouvoir me changer et téléphoner. On peut toujours me coincer aux péages, mais ils n'ont pas pris mon numéro d'immatriculation. Et des bruns frisés innocents qui franchissent les péages de l'A6, ce n'est pas ça qui manque. Une vieille Ford noire, oui, bon, c'est moins fréquent. Conduite par un brun frisé innocent avec de gros sourcils et des plaies partout sur la tête, d'accord. Je vais quitter l'autoroute.

J'ai toujours entendu dire que c'était vraiment dommage de foncer comme des dingues sur ces grands rubans noirs sans âme, quand on a un peu le temps, alors qu'on a de si jolies routes en France. Qui traversent des paysages si variés. Des villages, tout ça. Je n'ai pas le sentiment d'avoir un peu le temps, mais je n'ai pas un peu le choix, non plus. D'autre part, je n'ai jamais mis une roue dans ces régions primitives (j'aime bien l'autoroute et ses éternels anonymes, les stations-service et leur cortège de produits régionaux, le côté toc et rapide de la chose – et j'ai peur de la campagne), mais je viens d'acquérir une carte de France Michelin. Normalement, il ne peut rien m'arriver. J'ai pris la première sortie.

J'ai glissé mon ticket puis ma carte Bleue (pour cinq francs) dans le guichet automatique du péage, en tournant bien la tête afin que la petite dame assise dans la cabine de paiement « manuel », sur ma droite, n'aperçoive pas mes cicatrices repoussantes.

Il s'était remis à pleuvoir. Je me suis arrêté dès que j'ai pu sur le bord de la départementale, après quelques centaines de mètres. J'ai passé la chemise rose et la veste marron du Piteux (avec mon pantalon noir et mes Kickers, noires aussi, ça me donnait belle allure), j'ai jeté les clés de la Renault de la Poisse dans le fossé (je me débarrasserais progressivement du reste au cours du trajet), et j'ai déplié la grande carte sur mes genoux. J'étais fier et grave comme un général qui étudie son plan de bataille. C'était magnifique, cette carte enfin sous mes yeux, mais inquiétant : tout cet espace, ces grandes étendues vertes, ces routes innombrables et ces chemins sinueux, ces localités de toutes tailles, ces dix mille croisements – cette toile d'araignée gigantesque, et moi tout petit dedans. Remonter sans dommages jusqu'à Paris dans ce dédale rural ne serait pas facile. Pour commencer, j'ai choisi de prendre la direction de Saint-Étienne. Il suffisait de passer par Serrières, tout près de l'autoroute, puis de partir vers Annonay, de bifurquer sur la départementale 82 jusqu'à

Bourg-Argental, puis de suivre la nationale 82 (c'est bien pensé) jusqu'à Saint-Étienne.

Attention, maintenant. Je m'étais assez enfoncé comme ça. Si je voulais vivre encore quelques jours, et si possible ailleurs qu'en prison ou ligoté dans le grenier d'un pavillon de banlieue infesté de criminels, je devais me fixer une ligne de conduite dont je ne dévierais sous aucun prétexte. Sa définition me paraissait toute simple : il me suffisait d'éviter de faire des conneries. Dans la vie, si l'on réussit dans chaque circonstance à éviter de faire une connerie, on doit pouvoir s'en tirer correctement. Pour survivre, il n'est pas nécessaire de s'isoler du monde, ni de refuser de prendre le moindre risque, comme un lâche, on peut faire tout un tas de choses, on peut voyager, parler à des inconnus, changer de maison, goûter des nourritures nouvelles, apprendre à faire du bateau, partir à la recherche d'une amie kidnappée, mais il faut avancer à petits pas, sans se déconcentrer – pas de connerie, pas de connerie. Et surtout, à mon avis, ne pas essayer de faire ce qu'on n'a pas envie de faire, ni ce qu'on n'est pas capable de faire : car c'est dans ces cas-là qu'on s'expose à la déconcentration. Avant de replier la carte Michelin, je me suis promis d'adopter cette technique. Désormais, dès qu'une occasion d'agir se présentera, je me poserai la question : « Est-ce que je vais faire une connerie ? » Pour l'instant, je vais passer la première et rouler vers Saint-Étienne. On peut retourner cette décision dans tous les sens, ce n'est pas une connerie. Il est rigoureusement impossible que rouler vers Saint-Étienne soit une connerie. Me voilà de nouveau sur de bonnes bases. Et à partir d'ici : concentré.

D'ailleurs, rien ne m'empêche de penser d'ores et déjà à ce que je ferai ensuite – autant prendre de l'avance sur ma vie. Il ne fait aucun doute que tenter de résoudre cette énigme de femmes enlevées, tenter de mettre des bâtons dans les roues des gangsters, de les piéger et de les faire arrêter, serait une connerie. Je n'ai pas besoin de me concentrer beaucoup pour m'en rendre compte. Car je ne me sens pas capable de m'attaquer à eux (je découvre d'heure en heure que je n'ai rien d'un vrai détective intrépide : mon travail chez Déclic est au métier de vrai détective intrépide ce que l'extraction de points noirs est à la chirurgie). De plus, et c'est ce qui me fait renoncer en priorité à démanteler la bande, je n'en ai pas envie – bon, pas en priorité, mais disons à moins d'une encolure de la première raison, l'histoire d'être capable ou pas, qui ne l'emporte que parce qu'on court en terrain lourd. Je crois que j'ai lu trop de livres. Dès que je me trouve devant une énigme, je veux la résoudre. Si c'est le Prix du Jockey-Club, la disparition du stylo que m'a offert mon père ou les changements d'humeur d'Anne-Catherine, d'accord, mais qu'est-ce que j'en ai à foutre, moi, des criminels organisés, des truands marseillais, des faux papiers, des problèmes avec la marchandise, des meurtres d'inconnues, des planques à Dieppe, des Françaises vendues à l'étranger ou des trafics de morceaux de femmes ? Honnêtement, rien. Ce n'est pas mon truc. Bien sûr je n'aime pas ça, je trouve que c'est mal. Si, c'est vrai. J'estime normal que les flics s'en occupent. Mais voilà. Ça ne m'intéresse pas. Alors bien sûr, j'entends la voix de Fabienne : « Je me grouille à toute vitesse. » Je la vois assise bravement dans la voiture, les mains sur les genoux, elle cligne des yeux. « Tu le poursuis bien. On va l'avoir. » Je la vois discuter avec Persin dans le hall de l'hôtel, en faisant de grands gestes de ramdam. Ça, ça m'intéresse. Puis s'éloigner vers la porte des toilettes. « Si ça bouge, ne m'oublie pas. »

Fabienne, oui, il faudrait que je la retrouve. Mais Salordi, Spengler, Max, Véronique et Fernandez, qu'est-ce que j'ai à voir avec eux ? Qu'ils aillent au diable, je ne leur barrerai pas la route.

Je me sens mieux, avec ma carte Michelin et ma bonne résolution : je délimite le champ de mon enquête. D'ailleurs, prendre une résolution, n'est-ce pas déjà résoudre ? Je n'ai donc plus grand-chose à faire. Mais même si les deux ou trois détails qui me restent à régler relèvent de la routine et de la formalité, une liste à la façon de la brave gauchère ne sera pas superflue. Je prends le stylo de mon père dans mon sac et, sur l'agenda de la Poisse, je note à la date d'aujourd'hui (sous « Coiffeur IMPÉRATIF ») :

  « Tél Anne-Catherine
  Prévenir Gros Gilles
  Jeter traces de crime et vol
  Essence
  Rentrer Paris
  Repos sensationnel
  Réfléchir vite
  Trouver Fabienne Dieppe »

Dommage. Tout allait bien jusqu'à la dernière ligne. Mais après « Réfléchir vite » – ce qui allait, encore –, je ne pouvais plus me faire beaucoup d'illusions. « Trouver Fabienne Dieppe », ça faisait lourd pour une seule ligne. Si rien de particulier ne se produisait entre-temps, il ne serait pas très utile de partir à Dieppe, de me tenir sur la place du centre ville, le museau frémissant, et de humer l'air à la recherche d'une odeur de crime. (Or

que pouvait-il se produire de particulier entre-temps ?)
Le plus alarmant, c'était que sur l'agenda de la Poisse,
à la date du lendemain, je lisais : « New-York ? » Je
n'aurais pas le temps de sillonner Dieppe en examinant
toutes les maisons louches et en posant des questions
dans tous les cafés (« Excusez-moi, connaissez-vous
des truands qui ont kidnappé une grosse femme ? »).
Je n'aurais sûrement d'autre solution, dès mon arrivée
auprès d'Anne-Catherine, que d'envoyer toute ma
documentation à la police sous pli anonyme et discret
– s'ils ne m'avaient pas rattrapé d'ici là. Ce serait le
plus naturel et le plus raisonnable, mais la vie n'est
pas si simple.

À dix-huit ans, il y a bien longtemps, je me promenais
la nuit dans Paris avec mon ami Didier. Dans une rue
presque déserte, une voiture s'est arrêtée à quelques
mètres de nous, comme si le conducteur venait d'être
frappé par une idée. Deux types en sont sortis, nous
ont pointé un couteau chacun sur le ventre et ont pris
tout ce qu'ils ont trouvé dans nos poches, avant de
nous filer deux tartes et de remonter dans leur voiture. Je n'ai jamais compris pourquoi ils avaient fait
ça. C'étaient deux truands de grande envergure, que
la police cherchait à coincer depuis des mois pour
des délits bien plus sérieux (braquages juteux, trafic
de drogue, proxénétisme et je ne sais quoi d'autre), et
ils n'ont récolté sur nous que cent cinquante francs,
un walkman et une demi-barrette de shit. De plus, ils
roulaient dans la propre voiture de l'un d'eux, avec
une plaque d'immatriculation aussi immatriculante que
possible. On fait n'importe quoi, parfois. Et pas seulement lorsqu'on est un truand de grande envergure :
je n'ai jamais compris pourquoi Didier et moi sommes
allés déposer plainte au commissariat le plus proche

– pour cent cinquante francs et un walkman… J'avais eu le réflexe stupide mais conditionné de mémoriser le numéro de la voiture, et en général, quand on vient de se faire braquer et qu'on a été assez malin pour mémoriser le numéro de la voiture, il est naturel et raisonnable d'aller directement déposer plainte, comme un mouton. On voulait se venger, j'imagine. Les flics nous ont retenus pendant plus de douze heures en garde à vue déguisée (ils pouvaient enfin serrer leurs proies insaisissables et ne voulaient sans doute pas nous laisser rentrer chez nous, en banlieue, avant que l'affaire ne soit solidement bouclée). Ils nous ont traités comme des coupables, nous faisant répéter trois fois notre déposition, nous interrogeant séparément pour éviter toute magouille de notre part (?), nous ordonnant de répéter mot pour mot ce que nos agresseurs avaient proféré comme menaces et de nous souvenir de la taille de leurs couteaux au centimètre près – nous avons sans doute exagéré un peu : la peur déforme tout (la peur des méchants, sur le moment, et par la suite la peur des gentils). Un groupe d'élite est parti planquer devant le domicile du propriétaire de la voiture. Ces chasseurs armés jusqu'aux dents sont revenus cinq heures plus tard avec les deux fauves enchaînés. C'est à ce moment qu'on nous a appris tous les délits pour lesquels ils étaient recherchés, et informés mielleusement que, grâce à notre petite mésaventure et à nos bons réflexes, on allait pouvoir les coffrer pour tout le reste. Il a alors fallu procéder à l'identification (apparemment, seul l'un des deux les intéressait réellement : l'autre n'était qu'un misérable sous-fifre). J'ai cru que notre dévouement à la Loi et notre patience allaient être récompensés, car j'aimais bien, dans les films, ces scènes ou le témoin observe, derrière une glace sans tain, cinq types qui tiennent des cartons numérotés – et dont l'un se liquéfie de trouille. Pas du tout. Deux détails ne correspondaient pas à mon attente. Le premier, c'est que le numéro 3 ne se liquéfiait pas du tout de trouille : il paraissait terriblement en colère. Le second, encore plus regrettable, c'est qu'il n'y avait pas du tout de glace sans tain. (Quand je m'en suis étonné (ou, plus exactement, quand j'ai tenté de fuir du poste de police à toutes jambes), on m'a expliqué que je regardais trop la télé et qu'on n'était pas d'humeur à supporter mes caprices.) Ces salauds de flics m'ont fait entrer dans une pièce où se tenaient cinq hommes avec des cartons numérotés, et j'ai dû passer devant chacun, en m'arrêtant quelques secondes à vingt centimètres de son visage pour le regarder droit dans les yeux. Ce n'était pas très utile car j'avais côtoyé quatre d'entre eux depuis cinq heures dans le commissariat – je leur avais même parlé. Quand je me suis trouvé face au numéro 3, j'ai cru que la haine nucléaire concentrée dans son regard allait me projeter sur le mur du fond. S'il avait dit à haute voix « Un mot et je te fais arracher la tête par mes potes », c'était pareil. Mais quand un inspecteur m'a demandé, sans même prendre la peine de me faire sortir de la pièce, si je reconnaissais mon agresseur, je n'ai pas pu faire semblant d'hésiter longtemps – car lui aussi semblait prêt à m'arracher la tête. Après quelques bafouillements, j'ai répondu à voix si basse (« Peut-être le 3... ») qu'il m'a obligé à répéter. Didier a subi le même traitement. Deux ou trois heures plus tard, alors que je me demandais comment j'en étais arrivé à signer si docilement mon arrêt de mort, j'ai carrément donné le permis d'inhumer : on m'a amené dans un bureau de dix mètres carrés où m'attendait mon assassin, afin de procéder à l'indispensable confrontation. J'ai dû redire devant lui tout ce que j'avais déclaré trois fois depuis le début de ce cauchemar, l'enfoncer sous ses yeux (malveillants serait un euphémisme comique), d'une voix qui semblait déjà venir d'outre-tombe (« Un couteau, heu, comme ça, oui, à peu près… » « Ils ont dit qu'ils allaient nous égorger comme des moutons, oui, je crois… ») De son côté, il a prétendu que c'était nous qui les avions attaqués sans raison et qu'ils n'avaient fait que se défendre comme ils pouvaient – ils sont incroyables, ces truands de grande envergure, même dans les situations les plus critiques, ils gardent leur sens de l'humour. Quand j'ai signé ma déposition, après lui, j'ai cru que j'allais éclater en sanglots : le flic avait consigné nos déclarations sur une même page, et elles commençaient chacune par tout ce qu'il était bon de savoir pour nous retrouver facilement : « Jaenada Philippe, demeurant à tel endroit, déclare… » et plus bas, pareil pour lui (je me souviens encore aujourd'hui de son nom et de son adresse, mais je préfère le laisser dans l'anonymat : après dix-sept ans, il a dû sortir de prison et je ne tiens pas à réveiller sa susceptibilité). Il venait d'apposer sa signature, sans se presser, sur une feuille où figuraient les coordonnées précises du cave qui l'envoyait en taule pour plusieurs années. Je n'aime pas dire que les policiers font parfois bizarrement leur travail (j'ai peur qu'ils m'en veuillent, ce qui n'est jamais bon), mais là… Bon, je me fais violence. En guise d'adieu, au moment où j'allais quitter ce bureau minuscule dans lequel je laissais ma vie de garçon serein, le fauve pris au piège m'a sauté dessus et a tenté de m'étrangler malgré les menottes, en hurlant « T'es un homme mort, enculé ! Un homme mort ! » C'était angoissant. Mon ange gardien en uniforme ne s'est pas pressé pour réagir, d'ailleurs mollement, estimant peut-être que le prisonnier avait besoin de se défouler, après ce que je lui avais fait.

Je suis rentré chez mes parents vers quatorze heures, épuisé, sale, livide. J'avais fait mon devoir, si j'ai bien compris. (En fin de compte, j'ai eu de la chance, personne n'est jamais venu me tuer.) Plus tard, j'ai été convoqué pour aller témoigner au tribunal (devant tous ses potes venus incognito). Retrouvant enfin mes esprits, j'ai profité que j'en avais le droit pour refuser. Le flic que j'ai eu au téléphone (un brave homme) m'a dit qu'il me comprenait. Je me suis juré, de manière un peu naïve, de ne plus jamais avoir affaire à la police. C'est-à-dire de ne jamais faire de trucs répréhensibles, et de ne plus jamais me retrouver face à des types qui font des trucs répréhensibles.

Raté.

Cette fois, je risquais en plus d'aller en prison, ayant tué un homme (enfermé à double tour, s'ils m'identifiaient comme étant le détrousseur de l'aire de repos). Et serait-ce vraiment rendre un service à Fabienne que de remettre son sort entre les mains de sauveteurs plus expérimentés et plus stricts que moi ? « Plutôt mourir que de revenir en arrière », disait-elle. Les flics la renverraient sans hésiter dans sa famille (des nobles dégénérés, supposons, moins aimables que l'ancêtre Ernest). En ce moment, au moins, elle voyageait. Cela présentait certains risques, incontestablement, mais je pense comme elle que rien n'est pire que le prestige qui part en eau de boudin. Moi, je ne lui ôterais rien de son prestige. Ce n'est pas mon genre.

Une autre raison m'empêchait de transmettre l'affaire aux flics et de m'éclipser sagement, je le sentais, mais je ne savais pas laquelle.

Quoi qu'il en soit, une liste, ça se respecte. Je pouvais toujours commencer par le haut, avancer à petits pas, concentré, et on verrait bien.

À Saint-Étienne, je me suis garé devant le premier café que j'ai trouvé, le Jean Bart. Malgré mon costume pop et ma tête boursouflée, je n'ai étonné personne en entrant. Deux vieillards gazeux reposaient sur le comptoir – deux enveloppes de peau sèche et flétrie, encore parfaitement hermétiques, remplies de salive et de mauvais vin blanc coloré à la crème de cassis. Ils n'ont pas tourné la tête vers moi, il aurait fallu que je hurle un truc en rapport direct avec le vin blanc ou la crème de cassis. Au fond du café, un couple assis à une table jouait aux dominos. Ils poursuivaient la partie entamée le jour de leur rencontre, quarante ans plus tôt, à la même table. La femme, en robe synthétique à fleurs, frappait rageusement du pied chaque fois que l'homme posait une plaque entre eux. Exposé sur un tabouret derrière le comptoir, un petit gros aux lèvres grasses et aux yeux globuleux regardait une télé fixée en hauteur, l'air mort. C'était le patron. À la télé, la météo annonçait un avis de tempête sur la Bretagne.

J'ai commandé un demi Météor. J'ai demandé si on pouvait téléphoner. Il s'est traîné sur quelques mètres pour poser le verre dégoulinant devant moi et m'a observé un moment avant de répondre, comme si je m'étais renseigné pour acheter quelques grammes de poudre. C'est bon, l'ami, je ne suis pas un poulet.

– Au fond à droite. C'est à pièces.

Pas de pot, Morel. Tu viens de gagner un séjour à l'ombre. Allez, ne fais pas d'histoires. Non, je plaisante, te fais pas de bile. Bois un coup. Moi, je vais appeler le gros Gilles. Je ne sais pas encore ce que je vais lui dire, mais il faut que je le prévienne, c'est sur ma liste. T'as pas de la monnaie ? Non ? Arrête de faire cette tête, quoi, c'était pour blaguer. Bon, je vais te payer le demi tout de suite, alors. C'est combien ? neuf cinquante ? T'as rien trouvé d'autre ? Enfin, tiens, c'est pas grave. Il me reste une pièce de cinq balles, t'as de la chance. Tu bouges pas, je reviens.

Le boss n'était pas là aujourd'hui, il participait au Salon de Genève, qui est pour nous ce que celui de Romans est aux princes du luminaire.

Ça me rappelait un moment important de mon existence – du moins un moment presque important, qui avait failli marquer un tournant décisif dans mon existence, mais en fait non : j'avais oublié, après. Je ne m'y étais rendu qu'une fois, au Salon de Genève, au début d'une carrière qui s'annonçait glorieuse. Le gros Gilles m'avait emmené avec lui, ainsi que trois collègues débutants et pleins d'avenir (l'un, Jacques Colin, est aujourd'hui directeur de *Voici*, l'autre responsable d'un Pizza Hut, le troisième a quitté l'agence l'année suivante, après avoir été jeté dans la Seine par une femme forte, et n'a plus jamais donné de nouvelles). Je devais m'imprégner de l'ambiance, afin de me sentir détective jusqu'à la moelle, recueillir le maximum d'informations sur les nouveaux gadgets et sur nos concurrents, et accessoirement donner une conférence sur le thème pointu de la filature rapprochée dans les lieux publics particulièrement fréquentés : bars, boîtes de nuit, supermarchés, gares, etc. Moi ? Je n'étais pas plus qualifié qu'un autre pour en parler, mais le gros Gilles tenait à mettre de temps en temps l'un de ses jeunes éléments en avant, pour le motiver et lui donner confiance en lui. J'avais préparé mon intervention avec le sérieux d'un homme dont la vie en dépend et rédigé plus de dix pages d'exposé comme à l'école. J'étais transi de peur une semaine à l'avance. C'était la première fois depuis ma naissance que j'allais parler en public. Pour l'instant (je préfère oublier mon rôle d'arbre), seuls mes pieds avaient fait face à une foule de spectateurs attentifs, à côté de ceux de Gérard Depardieu : quand l'heure est venue d'aller transmettre mon savoir aux passionnés de filature du Salon de Genève, mes pieds déjà célèbres étaient parfaitement à l'aise, mais tout le reste de mon corps fondait de trac (« C'est rien, vous allez voir », disaient mes pieds). Mais la salle où devait se tenir ma conférence était quasiment vide. Sur les cinquante ou soixante chaises de plastique qu'avaient installées les organisateurs, seules six étaient occupées. Six personnes à bout de forces, certainement ravies d'avoir trouvé un endroit où s'asseoir dans ce Salon surpeuplé et bruyant (on sait comme c'est fatigant, les Salons), s'étaient échouées là. Une au premier rang, les autres éparpillées dans la grande pièce, comme si on les avait lancées depuis la porte. Certaines n'avaient pas dû avoir le courage de se lever après la conférence précédente. Au lieu d'éprouver un certain soulagement à l'idée d'échapper au supplice du discours en public, j'étais effondré (mes pieds ricanaient). La femme chargée de m'accompagner l'était aussi, mais moins. Ensuite, tout est flou. J'ai lu mes dix pages sans comprendre un mot de ce que j'avais pourtant répété des heures à la maison. J'avais le sentiment de chanter pour la première et dernière fois de ma vie à l'Olympia, mais pendant les travaux. Au premier rang, une femme en jogging rose, que les mystères du métier de détective devaient intéresser autant que moi le lancer de troncs d'arbres, contemplait une affiche punaisée sur ma gauche. Plus loin, un vieillard me fixait d'un regard vide, avec une grimace douloureuse. Sa voisine dormait, le cou flasque et la tête sur l'épaule. Derrière eux, à droite, une dame en robe à carreaux rouges et blancs lisait un prospectus, cherchant sûrement quel serait le sujet de la prochaine conférence. Au fond de la salle, un homme ivre souriait béatement et marmonnait sans cesse, en hochant la tête ou en la secouant pour se répondre oui ou non. Et moi, qui d'ailleurs, à cette époque, n'y connaissais rien à mon sujet, j'expliquais que le meilleur moyen de ne pas perdre de vue quelqu'un dans une boîte de nuit, sans pour autant se faire repérer, c'est de s'installer au bar et de fixer l'entrée (la sortie, donc) en jouant les amoureux oubliés qui noient le lapin dans l'alcool : un petit coup d'œil de temps en temps vers la cible suffisait largement. « Tenter de le suivre partout à l'intérieur de l'établissement serait une grave erreur. » J'aurais pu me mettre à leur parler de lancer de troncs d'arbres, personne n'aurait sourcillé. Sauf une envoyée du ciel : une femme assise au troisième rang, sur ma droite, au bord de l'allée centrale ménagée entre les chaises vides. Elle devait avoir une trentaine d'années, semblait plutôt intelligente, et m'écoutait en ouvrant de grands yeux, visiblement concernée, et passionnée par chacune de mes paroles. Je lui aurais tout donné, à cette femme. Si au moins une personne prenait la peine d'écouter (et qui sait de retenir) l'exposé que j'avais si soigneusement préparé, je n'avais pas travaillé pour rien (c'est ce qu'on dit toujours quand tout le monde se fout de ce qu'on fait, mais sur le moment ça rassure – et ça rend noble). Je ne regardais plus qu'elle, je ne parlais plus que pour elle, les autres n'étaient que des figurants insignifiants (je n'avais pas beaucoup d'efforts d'imagination à faire). Grâce à cette jeune femme, cette envoyée du ciel à Genève, j'ai retrouvé un second souffle, j'ai pu terminer ma conférence sans me démoraliser, sans bafouiller, avec la sensation d'être utile. Je crois même que c'est grâce à elle que je n'ai pas abandonné ma carrière de détective (qu'est-ce que c'est que ce métier dont personne ne veut entendre parler ?), que j'ai trouvé la force de continuer et l'envie de me perfectionner, d'affiner encore ma technique de filature en boîte de nuit. C'est dire si je lui dois beaucoup. Ma conférence terminée, j'ai même réussi à remercier tous les spectateurs présents pour leur attention, en promenant un regard professionnel et doux sur la salle – personne n'a répondu. Je me suis levé et me suis dirigé vers la sortie, empruntant sans mal l'air modeste et néanmoins digne d'un matador qui quitte l'arène avec quand même une oreille. Mais je me devais de réserver un traitement de faveur à ma seule véritable auditrice. En passant près d'elle, j'ai souri avec reconnaissance et sympathie (nous n'étions que deux à nous comprendre, dans ce monde d'ignares avinés que rien n'intéresse), et je lui ai dit au revoir. Elle n'a pas répondu. Elle n'a pas eu la moindre réaction. L'envoyée du ciel regardait toujours dans la même direction, figée comme une statue, les yeux grands ouverts, passionnée par l'endroit où j'étais assis dix secondes plus tôt. Celle que je considérais comme le seul témoin de mon travail, mon auditrice providentielle, n'était qu'une possédée en transe. Pendant ce que je n'ose plus appeler ma conférence, j'avais simplement eu la chance de me trouver dans son champ de vision. Mais quand on a commencé dans le show-business en tant qu'arbre, il ne faut pas s'étonner de ne susciter par la suite que peu d'intérêt auprès du public. Je suis sorti de la salle consterné, abattu, laissant l'illuminée derrière moi : pourquoi avais-je accepté de venir parler ici ? (Au fait ?) Pour faire plaisir au gros Gilles ? Avec le désir sincère d'apprendre aux gens comment filer quelqu'un en boîte de nuit ? L'espoir de voir décoller ma carrière de détective ? Non, bien sûr, aucune de ces raisons idiotes. J'avais accepté parce que c'est ce qu'on fait quand on vous demande de donner une conférence. J'y ai pensé pendant une heure ou deux, puis j'ai oublié.

Au téléphone, j'ai prié Claudine de ne plus m'appeler mon gros, ça me gênait, et de dire à Gilles quand il reviendrait que j'avais perdu Persin de vue. Jusqu'au dernier moment, j'avais hésité à donner ma démission, car j'étais passé depuis peu dans une autre dimension, mais je m'étais demandé in extremis si ce n'était pas une connerie, par hasard, et je m'étais répondu bien sûr que si. Quand on est grillé dans ce boulot, c'est cuit. Et qu'aurais-je pu faire d'autre ? Responsable d'un Pizza Hut ? écrivain ? lanceur de troncs d'arbres ? pilote d'avion ? Je lui ai donc expliqué qu'il avait réussi à me semer pendant que j'étais aux toilettes, et que je n'avais plus d'autre solution que de rentrer. Elle essuierait la colère de Gilles – qui serait de courte durée, c'était une affaire sans importance. Elle m'a gentiment fait remarquer que j'étais un minable et, avant de raccrocher, m'a conseillé d'attendre quelques jours avant de réapparaître devant le boss. D'accord.

Pour calmer le gros Gilles et sa cliente ulcérée, je leur donnerais en rentrant les photos de Persin et de sa petite maîtresse bleue.

Je suis retourné au comptoir : rien n'avait changé dans le bar. Comme le patron aux yeux gras et aux lèvres globuleuses ne serait sans doute pas plus disposé que tout à l'heure à me céder sa précieuse monnaie, et qu'il fallait maintenant que j'appelle Anne-Catherine, j'ai demandé le prix du whisky. Vingt et un francs : c'est parfait. Et pas cher, en plus. Cela dit, le fond de pisse d'âne ivre et malade qu'il m'a servi ne valait pas davantage. Attention, le globuleux, faudrait pas voir à trop me titiller. Depuis mon réveil, j'ai abattu un malfrat de premier ordre et j'ai mis à poil un grand balèze qui parlait mal à son gamin. Tu veux être le troisième sur ma liste ? J'ai bu le whisky jaunâtre d'un trait, j'ai payé tout de suite, et j'ai redemandé un verre pour lui montrer qui était le chef. Avant qu'il me resserve, je suis allé téléphoner à Anne-Catherine.

Elle venait de se réveiller. (Dans ce café lugubre, à Saint-Étienne, perdu dans une aventure dangereuse qui ne me concernait pas, je voyais son visage. Ses cheveux fins, son teint pâle. Ses cernes. Bleus.) Je lui ai tout raconté, rapidement pour ne pas utiliser toutes mes pièces avant qu'elle n'ait pu placer un mot, mais avec le plus de détails possible – pour qu'elle m'aide. Et comme toujours, elle n'a pas réagi comme je l'avais prévu. Je m'attendais à ce qu'elle soit furieuse à propos de l'auto-stoppeuse que je lui avais cachée, elle m'a demandé si je la prenais pour un tyran. Je m'attendais à ce qu'elle panique en apprenant que j'avais tué un bonhomme, elle m'a dit que j'avais bien fait et que j'aurais pu en tuer trois ou quatre de plus si cela avait été nécessaire pour rester vivant. Je m'attendais à ce qu'elle me traite de fou pour l'épisode de l'aire de repos, elle a entièrement approuvé : « Qu'est-ce que ça peut faire ? Tu ne lui as pas fait mal. Surtout si c'était un connard, c'est parfait. » (Anne-Catherine déteste les cons plus que n'importe qui sur terre – c'est-à-dire à la fois plus que n'importe qui les déteste, et plus qu'elle déteste n'importe qui. Quand elle était petite, elle atta-quait physiquement les invités de ses parents qui ne lui plaisaient pas : elle mordait leur pull ou leur pantalon et ne lâchait plus, comme un chien. Plusieurs d'entre eux sont repartis avec des vêtements déchirés.) Je m'atten-dais à ce qu'elle me demande de rentrer au plus vite à la maison, elle m'a proposé de ne revenir que si j'étais sûr de ne plus pouvoir continuer (c'était le cas). Elle a ajouté : « Ne rentre pas juste par principe. » Elle voulait que je me comporte « normalement », comme si elle ne m'attendait pas à Paris. Mais elle a dit que, bien sûr, je n'étais pas non plus un super héros – c'est exact. Je devinais bien, à sa voix, qu'elle aurait au fond préféré que je laisse tomber tout ça et que je retourne près d'elle, mais ses efforts pour ne pas penser à elle et me faire confiance m'encourageaient et me touchaient plus encore que si elle avait été réellement sincère.

Pour l'instant, la police n'avait pas téléphoné – ou peut-être avaient-ils raccroché en tombant sur le répondeur. Après tout, rien ne les laissait supposer que celui qui avait découvert le cadavre était un client de l'hôtel (pourquoi serait-il allé au fond du jardin pour ouvrir une trappe ?). Et le gros benêt m'avait amené par hasard à lui confier que j'habitais la région et venais admirer quotidiennement la belle réceptionniste en cachette. Même si l'un de ces deux éléments s'était révélé indiscutablement faux, je pouvais rester du coin, dans son esprit. J'avais dramatisé : le dénommé Philippe Jaenada, client d'une nuit parmi tant d'autres, ne serait peut-être jamais mêlé à cette affaire (moi oui, mais pas mon état civil). Ça m'a requinqué.

Avant de raccrocher, Anne-Catherine m'a dit : « Il devrait se passer quelque chose, avant que tu rentres. Sinon, c'est la preuve que toute cette histoire ne te concerne pas. »

Cet appel longue distance m'a fait beaucoup de bien. Comme un arrêt café-sandwich dans une station-service. J'ai raccroché plein d'amour, l'air mièvre dans ce bar sordide. Elle avait raison. Malgré ce que je pensais depuis le début, tout prouvait que cette histoire me concernait, jusqu'à maintenant.

Anne-Catherine voit la vie simplement. Enfin, comme pour tout le reste, elle est aussi l'inverse de quelqu'un qui voit la vie simplement. Elle se pose des milliers de questions inutiles, tout l'inquiète, mais en même temps elle semble tout comprendre instantanément, au fur et à mesure, tout régler naturellement, sans se soucier des innombrables parasites qui brouillent en permanence nos réflexions. Bon, c'est dur à expliquer – elle doit penser quelque chose comme : « Tout est difficile, les gens me font peur, qu'ils aillent se faire foutre. » Je ne sais pas. En tout cas, elle me donne envie de moins me préoccuper de tout ce que l'on regroupe sous le terme vague et menaçant de « conséquences ». Elle me donne aussi envie de la voir. Je pense à elle, dans l'appartement. Je pense à l'espèce de robe de toile blanche qu'elle porte le matin, je pense à ses yeux ailleurs, à ses cernes.

Quand le globuleux a versé une nouvelle dose de whisky dans mon verre en grommelant, j'étais dans l'appartement avec Anne-Catherine, je la voyais poser un bol de café sur la table, je sentais son odeur chaude, son corps, ses gestes, ses cheveux blonds, et j'ai dit :

– Merci mon amour.

Il m'a fallu plusieurs secondes, une gorgée de whisky dégueulasse, pour entendre l'écho de ma voix dans l'atmosphère poussiéreuse du bar et comprendre que quelque chose clochait autour de moi. Le globuleux avait toujours sa bouteille à la main et me dévisageait. Même les deux vieux incrustés dans le comptoir avaient réussi à tourner la tête vers moi. Qu'est-ce que je venais de dire ? « Merci mon amour » ? Moi, au globuleux ? Le souvenir était flou, mais il me semblait bien que quelqu'un venait de dire : « Merci mon amour. » Et je ne voyais pas qui, ici, aurait pu prononcer tout à coup un truc pareil.

– Pardon.

Ce n'est pas fameux, comme réplique de rattrapage, mais je ne savais pas comment enchaîner après cette déclaration subite (je ne me voyais pas lui expliquer que je l'avais confondu avec ma fiancée) – et je savais que, si je n'ajoutais pas au moins un mot, je passerais pour un provocateur qui n'a peur de rien. Au fond du bar, les dominos claquaient sur la table.

– Excusez-moi, je suis désolé, j'ai la tête ailleurs.

Je n'éprouvais pas une affection instinctive très vive pour les personnes présentes, mais je ne pouvais par leur en vouloir de me fixer d'un air interdit et légèrement agressif. J'étais un déséquilibré. Après une dizaine de secondes d'un silence de béton, le patron est allé reposer sa bouteille de whisky d'un pas lourd et dégoûté, et les vieux se sont remis lentement dans l'axe de leur kir. Il ne fallait pas que je traîne ici. J'ai mis trente francs sur le comptoir, j'ai descendu mon verre pour me donner le courage de sortir dignement, et le globuleux est venu poser neuf francs devant moi, avec une sorte de prudence, en me regardant intensément dans les yeux pour voir si j'aurais le culot de l'appeler encore « mon amour » ou « mon ange ». Non, cette fois, j'étais bien concentré. Avant de partir, pour faire un break (car j'avais peur de dire « au revoir » tout de suite, ma voix aurait sonné faux – comme s'il manquait un petit mot tendre après), je suis retourné vers le téléphone et j'ai composé le numéro du PMU. J'ai joué Le Mage dans la septième, cinq fois à cheval – cinq fois gagnant et cinq fois placé. Je me suis demandé si ce n'était pas une connerie, comme convenu, mais, dans certains cas (avec les chevaux, par exemple), il est impossible de savoir. Il me restait maintenant six cent douze francs sur mon compte.

Je suis passé devant le comptoir sans lâcher la porte des yeux, droit devant.

– Au revoir.

Personne ne m'a répondu. Je m'en doutais, mais je n'aime pas quitter un endroit sans dire au revoir. Le globuleux à la bouche grasse et les deux vieux en dérive immobile resteraient pour toujours dans ce café sale et sombre, avec mon amour en suspension dans l'air.

J'ai décidé d'aller manger en vitesse dans un restaurant du centre ville, et j'ai profité d'un quart d'heure d'attente entre la salade de tomates et le rôti de porc-purée pour écrire un mot au commissariat de Romans – dont je ne connaissais pas l'adresse, mais la police n'a pas besoin d'adresse, ça arrive toujours : direct. J'ai noté tout ce que je savais en quelques lignes télégraphiques, sans fioritures ni détails compromettants : les adresses de Salordi, Fernandez et Dussol (à tout hasard) à Marseille, les coordonnées de Christian Laveme (discrètement glissées au milieu des autres, comme s'il n'avait rien de particulier, comme si je ne l'avais pas tué), et j'ai ajouté : « Max, Véronique, Spengler. Criminels. Mardi : Marseille. Mercredi : Mercure Romans. Jeudi : départ Dieppe. Samedi : New York. Urgent, grave. Enlèvement de femmes. »

C'était peu, mais c'était tout ce que je savais. L'ensemble avait un aspect assez débile, mais, au moins, je ne me dévoilais pas. (Quoique.) (Non, il y en a plein, des débiles.) La police aurait sans doute quelques raisons de faire le lien avec l'homme qui a découvert le cadavre dans la trappe (grâce à l'écriture, par exemple), mais pas forcément avec celui qui a descendu Christian Laveme (c'était sûrement un règlement de comptes entre gangsters), encore moins avec celui qui a déshabillé un père de famille sur l'A6, et pas avec moi non plus (étant donné que je n'avais aucune raison de quitter l'autoroute en partant du Mercure puisque je n'ai braqué personne sur une aire de repos, pourquoi serais-je allé poster une lettre à Saint-Étienne, au lieu de rentrer directement à Paris, dans le XVIIᵉ arrondissement, rue Gauthey ?). Moi, j'ai passé une nuit au Mercure, c'est tout. Je suis un client d'une nuit.

C'était une bonne idée, cette lettre. Même si je ne voulais pas que les flics me tombent dessus personnellement, je ne pouvais pas non plus me comporter lâchement comme si je ne savais rien et faire prendre un risque considérable à Fabienne en gardant toutes ces informations pour moi, sauveur éventuellement nul. Bien que détective depuis dix ans.

J'ai cherché une boîte jaune avant de remonter dans ma Ford noire. J'en ai trouvé une tout près, mais au moment de glisser l'enveloppe dedans, j'ai interrompu mon geste grâce à ma fameuse technique de la connerie à ne pas faire. Heureusement que j'ai inventé ça, sinon je ne m'en sortirais jamais. Si je poste cette lettre, elle arrivera au mieux demain à Romans, et les flics ne pourront déclencher les recherches et les orienter vers Dieppe qu'une fois que Dieppe sera rayé de la carte mystérieuse du futur et de ses environs, au profit de New York.

Il fallait que je trouve une autre solution, mais on en revient toujours à l'éternelle question : laquelle ? Alors pourquoi ne pas utiliser les bonnes vieilles méthodes, qui ont presque fait leurs preuves, en les perfectionnant astucieusement en fonction de notre expérience ? (Allions tradition et progrès pour gagner le pari de l'avenir.)

À trois cents mètres, j'ai repéré un flic debout près d'un feu rouge. À quelques pas de moi, trois enfants de six ou sept ans jouaient sur le trottoir, malgré le crachin qui arrosait légèrement la ville. J'ai changé d'enveloppe rapidement (dessus, j'ai écrit : « Pour le commissariat de Romans – Urgent – Grave ») et je me suis approché des gamins. Je leur ai demandé s'ils avaient envie de s'acheter pour trente francs de bonbecs, ils ont répondu oh ! ouais m'sieur. Je les avais ferrés en un clin d'œil, ça n'avait pas fait un pli. C'étaient de vrais bleus.

– Alors voilà ce que vous allez faire. Vous voyez le policier, là-bas, près du feu rouge ? C'est le fils de Babar. Si, je vous assure. Moi je suis le frère de Donald (son demi-frère, pour tout vous dire), et je travaille de temps en temps pour Babar, qui est mon pote – c'est lui qui m'a présenté ma fiancée, la petite sirène. Bref. L'histoire, c'est que le fils de Babar a mal tourné. Profitant qu'il est devenu flic, il a capturé un Megazord très important pour nous, l'Astro Megazord, qui devait aider Batman à sauver Barbie des griffes de… Max et Spengler – ceux qui ont déjà kidnappé Donald, l'année dernière. Je ne peux pas vous en dire plus, c'est assez secret. Cette lettre codée, là, c'est pour dire au fils de Babar que s'il ne libère pas le Megazord tout de suite, on lui envoie Lara Croft et ça va chauffer pour lui. Ce n'est pas vrai mais c'est pour lui faire peur. Bon. Je ne peux pas lui donner l'enveloppe moi-même, parce qu'il me ferait arrêter tout de suite, sous la torture je donnerais Babar et Batman, et résultat, Barbie se ferait découper en morceaux par Spengler. Alors c'est vous qui allez le faire, si vous êtes d'accord. Mais il ne faut pas lui dire que vous m'avez vu, moi le frère de Donald, parce qu'il sait que je ne connais pas Lara Croft et il va comprendre que tout ça c'est des bobards pour l'effrayer. S'il vous demande qui vous a confié la lettre, répondez que c'est une grosse dame blonde, plutôt petite, avec des cheveux frisés et plusieurs grains de beauté sur la figure. La mère de Lara Croft est comme ça, il va tomber dans le panneau. N'oubliez pas : une grosse blonde aux cheveux frisés, petite, avec des grains de beauté. Ne me trahissez pas, hein. Sinon, c'est fini pour nous. Vous avez l'occasion d'aider Barbie, ça ce n'est peut-être pas très important pour vous, mais vous allez aussi aider Babar, Batman, l'Astro Megazord et, à travers moi, Donald. Alors soyez sérieux. Tenez, voilà la lettre et dix francs chacun pour vous acheter des bonbons. Vous l'aurez bien mérité. On compte tous sur vous, les mecs !

J'ai préféré les embrouiller plutôt que de me lancer dans une fausse histoire qui se tenait, car je ne connais rien à la vie des Megazord, par exemple : les petits m'auraient vite retourné comme une crêpe. Là au moins, ils pataugent – peut-être pas, d'ailleurs. Quoi qu'il en soit, ils y vont sans poser de questions. Les enfants sont de meilleurs alliés que les gros benêts.

Je suis monté dans ma Ford et j'ai fait demi-tour. Dans mon rétroviseur, je les ai vus avancer (reculer, pour moi) vers le fils de Babar en uniforme, se serrant les coudes et discutant tête baissée comme des conspirateurs (« Il a dit que Babar était le demi-frère de Batman ? »). J'ai pris la nationale 82 en direction de Roanne, en passant par Montrond-les-Bains, Feurs et Balbigny, pour retrouver la 7 et le chemin vers Paris.

On est heureux nationale 7.

Je me sentais étrangement soulagé, même si mon enquête n'avait pas progressé. Je piétinais toujours dans le désert, les lèvres brûlées, les chaussettes pleines de sable, mais sans un sac de cailloux sur les épaules. Je venais de me décharger d'un poids de mystère et de culpabilité qui m'encombrait depuis Romans : à présent que j'avais passé le relais à la police, les tueurs et leurs sales combines ne comptaient plus pour moi, tout ce qu'ils manigançaient entre Marseille et Dieppe ne me regardait plus. Je voyais le champ dégagé autour de la disparition de Fabienne, de l'absence de Fabienne. Je me sentais libre de continuer comme j'en avais envie, d'aller faire un tour à Dieppe ou de rentrer à Paris, de me faire du souci pour Fabienne ou pas. Tout me paraissait plus simple. J'avais le choix.

À Roanne, j'ai attendu d'être seul sur un trottoir pour enfouir le portefeuille de la Poisse dans un grand carton plein d'ordures, devant une pizzeria.

À Moulins, j'ai acheté un tee-shirt noir et une veste gris sombre (impossible de trouver une veste noire et légère, ça ne se porte pas au printemps, inutile d'insister), et j'ai laissé les tristes restes du Piteux sur un banc.

À Nevers, j'ai jeté ma veste et mon tee-shirt ensanglantés dans une poubelle en plastique vert, après avoir retiré tout ce qui se trouvait dans les poches. La médaille représentant Ernest Pompidou du Val d'Orvault est passée dans la poche droite de ma veste gris sombre.

À Pouilly, j'ai lancé dans une bouche d'égout la dernière trace de Christian Laverne, son agenda. J'avais pris soin d'arracher la page sur laquelle j'avais noté ma liste (à la prochaine pompe, je prends de l'essence), et de détacher le répertoire où figuraient les coordonnées de ses rares connaissances – ça pouvait servir. Il ne restait de sa vie, sous les rues de Pouilly, qu'une visite chez le dentiste, un repas chez sa mère et quelques rendez-vous avec Max.

À Montargis, j'ai posté la lettre adressée à Françoise Croute, et j'ai pris de l'essence.

Un peu avant dix-neuf heures, j'ai mis France Info pour écouter le résultat de la septième à Auteuil. Le Mage faisait certainement partie des favoris, mais s'il gagnait, je pourrais tout de même empocher trois ou quatre cents francs, ce qui ne ferait pas de mal à mon compte. J'ai d'abord appris que Silver Break avait gagné la sixième. De toute évidence, il avait fait de gros progrès sur les courtes distances. À noter. Il rapportait sept francs dix pour un franc, ce qui m'aurait permis de ramasser sept cent dix francs si je l'avais joué cent francs gagnant, comme j'avais pensé le faire initialement. À oublier. Dans la septième, Le Mage n'avait pu terminer que deuxième, derrière Midy Mouse. C'était un peu décevant au vu de sa supériorité théorique sur les autres, mais comme j'avais pris soin de le jouer aussi cinq fois placé, je m'en sortais bien. Il payait deux francs à la place, ce qui était correct pour un favori. En clair, j'avais misé cent francs sur un cheval qui avait conclu au deuxième rang de la course (une bonne performance), et je récoltais cent francs. Soit un bénéfice nul. J'aurais mieux fait de le jouer cent francs placé, pour doubler ma mise. Ou même cent francs gagnant, quitte à tout perdre mais au moins, jusqu'à l'arrivée de la course, espérer mieux qu'un pitoyable remboursement. Enfin, mon compte remontait à sept cent douze francs, c'était toujours ça.

À Nemours, j'ai acheté *Paris-Turf* pour le lendemain à Saint-Cloud.

J'approchais de Paris, toujours sur la nationale 7, et ne savais pas encore ce que j'allais décider en pénétrant sur le périphérique : autoroute de l'Ouest ou porte de Clichy ? C'est une excellente chose, d'avoir le choix, on se sent bien, on se sent libre, rien ne m'encombre et personne ne me gêne, rien ne m'inquiète et personne ne m'attaque, j'ai toute la place que je veux, je sifflote, mais où aller ?

Malgré les apparences, c'est encore plus pénible, d'avoir le choix. Depuis que j'avais quitté l'autoroute, après l'aire de repos, je me sentais plus en sûreté, peut-être, plus détendu et plus autonome depuis mon coup de téléphone à Anne-Catherine et ma lettre à la police, oui, mais au fond, depuis que je m'étais coupé de tout en éliminant la Poisse, je me sentais surtout perdu, incertain, pénible et lourd. Lâché. J'avais fait tout ça pour rien ? Suivre Persin, rencontrer Fabienne, perdre Fabienne, perdre Persin, suivre Laveme, le… perdre – et c'est terminé ?

Si je rentre à la maison maintenant, ce ne sera pas exactement une décision, ce ne sera pas seulement pour le plaisir de revoir vite Anne-Catherine et de toucher ses cheveux et son ventre. Ce sera aussi parce qu'aucune force ne m'aura attiré hors du périphérique, vers Dieppe, rien ne m'aura donné l'espoir de pouvoir faire quelque chose pour Fabienne du Val d'Orvault, Dieppe.

En fin de compte, non, tout aurait été plus simple (on ne sait jamais ce qu'on veut). Mais, à Fontainebleau, le portable posé sur le siège passager a émis un drôle de bruit.

Cela devait signifier que la Poisse venait de recevoir un message. Je me suis arrêté dès que j'ai pu pour en prendre connaissance. Je tremblais – réellement. C'était de nouveau la voix de Max (en tout cas, celle de l'homme qui avait laissé le message de la veille). Cette fois, il parlait de manière beaucoup moins naturelle, plus lente, froide et méfiante :

« C'est moi. Qu'est-ce que tu fais ? Tu devais rappeler. Ça s'est bien passé ? Nous, on a un problème. Pas avec la marchandise : ça, c'est bon. Avec la maison. La Bête et le Docteur viennent de nous expliquer que ça ne marchait plus. Alors on fait ce qu'on avait dit. Tout de suite. On quitte la ville, on est sur les roses. Tu as compris ? Bon, de toute façon, si tu ne téléphones pas avant vingt heures, on considère qu'on ne te connaît plus. Et ne fais pas le malin. Salut. »

La Poisse ne risquait pas de rappeler avant vingt heures, et encore moins de faire le malin. Moi, en revanche… S'ils venaient me chercher jusque dans ma voiture, à Fontainebleau, je devais peut-être faire l'effort de leur répondre, de réagir. Ne serait-ce que par politesse. Mais, avant de m'emballer, il fallait que je respire. J'ai réécouté le message d'une oreille concentrée, souple et parfaitement détendue, comme celle d'un sportif de haut niveau.

Ils détenaient toujours Fabienne (renforcés par deux nouveaux comparses, un docteur ou pseudodocteur, et probablement un type qui s'appelait la Bête (ce nom ne me plaisait pas)) mais renonçaient à Dieppe. C'était clair, mais pour aller où ? Parmi les quelques phrases très neutres de Max, une expression détonnait : « On est sur les roses. » Chacune de ses paroles semblait mesurée, retenue (il craignait manifestement qu'il soit arrivé quelque chose à la Poisse et qu'un importun puisse intercepter le message), et celle-ci déplacée, inutile. Il ajoutait : « Tu as compris ? » (même si leur second couteau n'était pas une flèche, il devait pouvoir comprendre sans trop de mal des mots assez simples comme « on quitte la ville »), ce qui laissait supposer que le truc des roses était un code. J'ai sorti la carte routière de la Poisse, ma seule arme contre l'adversité géographique (mon Beretta se chargerait plus tard de l'adversité humaine), et je l'ai pliée sur les environs de

Dieppe. S'ils étaient si pressés de quitter Romans pour la Normandie (« On doit être demain soir à Dieppe, impératif », disait Max sur le premier message), ils ne s'étaient sans doute pas rabattus sur une ville des Landes ou d'Alsace. Ça paraît approximatif, comme raisonnement, mais en m'insufflant un rien d'optimisme, j'avais tout de même une chance sur deux de ne pas me tromper – soit ils sont dans la région de Dieppe, soit ils sont ailleurs. (Aux courses, le cheval Environs de Dieppe ne rapporterait que deux francs gagnant – un coup presque sûr.)

Bien joué. Je n'ai pas cherché plus de trois secondes, un nom m'a sauté aux yeux sans prendre d'élan : Veules-les-Roses. C'est quasiment le premier que j'aie vu sur la carte. Pour garder les pieds sur terre, je l'ai décollé de ma tête et j'ai pris le temps de passer en revue tous les villages des alentours, de Quillebeuf à Picquigny, de Buchy à Cayeux, mais aucun n'arrivait à la cheville de Veules-les-Roses, question rapport avec les roses. Ça se trouvait à un peu plus de vingt kilomètres au sud-ouest de Dieppe, au bord de la Manche.

Évidemment, en m'insufflant un rien de réalisme, j'avais une chance sur mille, au moins, que les gangsters aient bien emmené Fabienne à Veules-les-Roses. « On est sur les roses » pouvait évoquer une de leurs amies, Rose (un nom parfait pour une amie de gangsters), qui habitait à Rouen, à Fécamp ou à Quillebeuf. Il pouvait aussi s'agir d'une maison peinte en rose, ou dont le jardin regorgeait de roses, qu'ils avaient pris soin de louer dans la région en cas de pépin, ou bien du repaire d'un complice socialiste. Une chance sur mille, ce n'est pas le Pérou (c'est plutôt ses abat-jour en vessie de porc), le cheval Veules-les-Roses n'attirerait que les amateurs de tocards, mais d'une part il faut jouer avec ses émotions, c'est le PMU qui le dit, d'autre part je n'avais rien d'autre. Que Veules-les-Roses. Et que mes émotions.

Je fonce à Veules-les-Roses et j'extermine les truands.

Bon, je me donne jusqu'au périphérique pour réfléchir.

Il y a plus d'une quinzaine d'années, après le bac, j'ai voulu faire du cinéma. Je n'osais pas encore envisager sérieusement la noble et glorieuse carrière de détective, et j'avais déjà compris que je n'avais ni la méchanceté ni l'inconscience requises pour devenir un bon serial killer. Alors pourquoi ne pas passer par le cinéma (qui sert à s'évader, si l'on en croit les sondages) pour fuir mon enveloppe corporelle de jeune homme ni assez noble ni assez méchant et vivre mes rêves (comme tout le monde) en créant moi-même des détectives et des serial killers ? Et puis ça m'arrangeait, ça ressemblait un peu à écrivain, en plus jeune.

Mes parents ont su faire preuve d'une vraie gentillesse et d'un grand renoncement pour accepter ce coup de tête (« Un gosse qui avait tout pour devenir détective... ») et m'inscrire dans une école privée – qui formait à « l'audiovisuel ». Sur les trois ans prévus jusqu'au « diplôme », je n'en effectuerais qu'un – je m'ennuyais profondément, n'éprouvant de plaisir et d'intérêt qu'au contact de quatre ou cinq autres élèves qui ne ressemblaient en rien aux gens que j'avais fréquentés jusqu'alors, et le monde de l'audiovisuel, que je distinguais aux frontières de l'école, me provoquait de violentes nausées.

Ce qu'on nous enseignait n'avait pas grand-chose à voir avec le cinéma – lors de son discours de bienvenue, le directeur nous avait dit : « Je vais être franc avec vous, pour que les trois années que nous allons passer ensemble commencent sur de bonnes bases, je n'y connais rien à l'audiovisuel. Ce qui s'appelle rien. J'avais créé une école d'informatique, qui marchait très bien d'ailleurs, mais j'ai senti que c'était en perte de vitesse depuis quelque temps. Alors j'ai changé mon fusil d'épaule. L'avenir, c'est l'audiovisuel. Et moi, tout ce que je demande, c'est de faire de l'argent. Vous voyez, je ne cherche pas à tricher avec vous. Nous allons profiter de cette vague ensemble. »

Avant la fin de la première année, il nous a demandé très officiellement de réaliser des spots publicitaires en vidéo : plusieurs marques avaient proposé ce grand concours à quelques établissements semblables au nôtre, et des récompenses seraient distribuées deux mois plus tard lors d'une soirée de gala à la salle Wagram. J'ai choisi de mettre en scène le spot pour Yop, les yaourts à boire – sur ceux que réalisaient mes petits camarades, j'étais cadreur (rasoirs Gillette), scripte (Tahiti douche), assistant, monteur, preneur de son, etc. Eux, bien sûr, occupaient ces postes sur le mien. J'ai fait de mon mieux, essayant de retrouver un peu de volonté malgré ma lassitude croissante et cherchant à me montrer le plus original possible – ce qui n'est d'ailleurs pas forcément le mieux à faire, mais j'étais petit. J'ai abouti à un spot Yop d'une trentaine de secondes je crois, très coloré, remuant et syncopé, qui faisait impression à l'époque mais serait aujourd'hui complètement ringard.

Le soir de la remise des prix, je me suis laissé prendre dans l'ambiance. Nous avions tous beaucoup travaillé, l'honneur et l'éventuel talent de chacun était en jeu, notre carrière dépendait peut-être du verdict des juges : nous étions tous surexcités. C'étaient nos petits Césars.

La salle Wagram était comble, les grandes marques avaient bien fait les choses, invité quelques personnalités de l'audiovisuel (de la pub, surtout) et chargé l'atmosphère de lumières multicolores, de musique dansante et forte, de trucs à boire et de machins à grignoter. Je me suis surpris à haïr les élèves d'écoles plus reconnues que la nôtre, qui rafleraient sans doute les prix les plus importants. Il y avait des tas de choses merveilleuses à gagner, comme des stages en entreprise.

Après deux heures de réjouissances contractées, la musique s'est tue, des projecteurs ont balayé la salle en tous sens, le maître de cérémonie est monté sur scène, a obtenu l'attention générale en battant une fois des paupières et a commencé à distribuer les lauriers. Les premiers prix remis concernaient des catégories pour lesquelles personne n'avait envie de se voir récompenser (la musique, la lumière, le scénario, la direction d'acteurs, la créativité, etc.), tout le monde visant plus haut. Chaque lauréat montait rejoindre le maître sous les applaudissements de la foule (de plus en plus tièdes et aigris au fur et à mesure que les catégories devenaient importantes), accompagné par une musique tonitruante de cirque romain. Il se dressait alors face à tous ceux qui ne sortiraient jamais de la masse, et prononçait un discours ému et grotesque pour exprimer sa joie d'avoir réussi dans la vie.

Notre école n'avait ramassé que le prix pour la meilleure prise de son, attribué à un grand maigre que j'aimais bien. Après le Prix spécial du Jury, décerné au consternant Findus d'un pistonné de l'école la plus huppée, il ne restait à couronner que la meilleure mise en scène et le meilleur spot, les deux distinctions les plus convoitées, évidemment. Nous ne nous faisions plus beaucoup d'illusions, sachant que les cadors des établissements haut de gamme passaient avant nous dans les petits papiers du jury. Mais au fond de moi, j'y croyais. J'avais pourtant déjà pris la décision de rendre mon tablier d'artisan audiovisuel à la fin du mois pour essayer de devenir n'importe quoi du moment que ma nouvelle voie me tienne éloigné des poseurs et des hypocrites de ce monde tout en plastique, je bâillais d'ennui depuis six mois, je me foutais de ce spot Yop – mais, emporté dans le tourbillon factice de cette soirée à Wagram, j'espérais de toutes mes forces qu'il serait primé. Sinon, je m'effondrais. On dira ce qu'on voudra, la nature humaine, c'est quelque chose.

– Le prix de la meilleure mise en scène est attribué à... Un peu de patience. Ah ! ces enveloppes, hein, décidément. Voilà. Pardon pour les cardiaques. Alors... Le prix de la meilleure mise en scène est attribué au spot... YOP !

C'est pas vrai. Je rêve. C'est trop beau, c'est pas vrai. C'est moi qui ai gagné. Devant tous les autres. Meilleur metteur en scène. C'est pas vrai. Et moi qui voulais arrêter l'audiovisuel. Instinctivement, j'ai passé les mains dans mes cheveux pour parfaire ma coiffure. Je transpirais.

– Nous allons appeler la réalisatrice du film...

Ben voyons. Enfin, ça me donnera l'occasion de faire une petite blague, une fois là-haut. Parce que je n'ai rien préparé, au fait.

– Hélène Darat, si vous voulez bien venir me rejoindre.

Ce type avait travaillé ses fiches comme un sagouin. M'étonne pas. Ce sont vraiment des nazes, dans ce milieu. Hélène Darat, une des rares amies que j'avais dans la classe, était scripte, sur mon spot – j'avais fait cadreur sur le sien, Gillette (il était très réussi, d'ailleurs, un truc à la manière de Godard qui aurait largement mérité un prix). Elle était à deux mètres de moi dans la salle, je me suis tourné vers elle en riant, mais nous n'avons pas échangé de regard amusé avant que je me dirige vers le podium car elle se dirigeait déjà vers le podium. Je n'ai pas bougé.

– Hélène Darat ! Pour le spot Yop !

Musique de cirque.

Je la connaissais, Hélène Darat, elle allait monter avec le plus grand sérieux, faire semblant d'accepter le trophée et m'appeler au tout dernier moment (elle était toujours la première pour la rigolade, à l'école). Mais en fait, non. J'ai cru qu'elle jouait admirablement son rôle, je souriais en hochant la tête (ah celle-là…), elle a pris le trophée sans un regard vers moi et a entamé aussitôt son discours de remerciement, manifestement bouleversée par l'honneur qu'on lui faisait.

Je sentais mes jambes se dissoudre sous moi mais je ne disais rien, persuadé qu'elle ne jouait le jeu plus longtemps que pour s'amuser, profiter encore un peu de cet instant de gloire usurpée avant d'annoncer la vérité et de me laisser la place. J'ai regardé autour de moi. Les autres élèves qui avaient travaillé sur le spot ont haussé les épaules ou froncé les sourcils, aussi perplexes que moi – mais non, je n'étais pas perplexe, non, c'est tout ce que ça vous fait, j'étais horrifié. Seul Philippe Leblond, qui m'avait aidé à écrire le « scénario » de Yop, semblait réellement abattu. Quand Hélène Darat a tenu, sans un soupçon de plaisanterie (même les vrais lauréats en rient, pourtant), à féliciter toute son équipe, « qui a très largement contribué à la réussite du spot et mérite ce prix autant que moi, je le dis sincèrement », j'ai su que je resterais là, que je n'avancerais jamais dans la lumière. Elle m'avait volé mon film.

Elle paraissait si naturelle, si sûre de son mérite, que je ne pouvais pas imaginer qu'elle improvisait, qu'elle saisissait simplement l'aubaine au vol. Or Hélène Darat ne connaissait personne dans le monde de l'audiovisuel ou de la publicité, pas plus que moi en tout cas, ses parents travaillaient dans un tout autre domaine (la politique), comment aurait-elle manœuvré pour inciter les organisateurs de la manifestation à tricher et à commettre une telle injustice ? Il devait plus probablement s'agir d'une malheureuse erreur commise par l'école en établissant les fiches de nos spots, mais alors pourquoi n'avait-elle rien dit en arrivant sur scène ? Je la voyais tous les jours depuis près d'un an, nous nous entendions parfaitement, j'avais même dîné chez elle plusieurs fois avec les trois ou quatre autres élèves qui formaient notre groupe d'amis… Les bras m'en tombaient, et le reste de mon corps suivait dans la seconde.

Pourtant je n'ai pas bougé, je n'ai rien dit, je ne pouvais pas. Depuis trois minutes, tout se déroulait comme si je n'existais pas. On m'avait mis à l'écart.

On lui a offert tout un tas de cadeaux – je ne sais même plus quoi, je bourdonnais dans le néant parallèle, comme un fantôme aveugle et sourd, je me souviens seulement d'un stage dans une célèbre boîte de pub, ce dont nous rêvions tous. Quand elle est descendue de la scène, accompagnée par une grande hôtesse en minijupe et chargée de présents magnifiques, je me suis avancé vers l'escalier (non pas du pas de celui qui se réveille enfin, mais au contraire de celui qui dort profondément et qu'une force étrange pousse vers le crime odieux qu'il va accomplir dans cet état second). Elle est passée près de moi, je n'ai toujours rien dit. Elle m'a regardé. Je n'ai pas vu le moindre signe de remords, d'excuse, ni même d'incompréhension dans ses yeux.

Elle m'a regardé normalement. Ou plutôt froidement, comme elle regarderait un inconnu : car si je faisais partie de son équipe, comme elle voulait le faire croire, elle aurait au moins dû me sourire, ou s'étonner que je ne la félicite pas.

L'hôtesse l'a conduite jusqu'à une porte derrière la scène, qui donnait sur un salon où se réunissaient tous les lauréats et les huiles du métier, pour bavarder entre winners et déguster du champagne meilleur que celui qu'on servait dans la grande salle. Je les ai suivies, de ma démarche d'automate blessé, mais on ne m'a pas laissé entrer. Je restais avec les autres, les perdants qui se consolaient entre eux comme ils pouvaient, qui finissaient par en sourire, on reprend un verre de champ', allez, on va pas pleurer pour ça, d'ailleurs il reste le prix du meilleur spot, on ne sait jamais. Je suis revenu parmi eux. Sans rien dire. Pourtant c'était moi, le réalisateur du spot Yop.

Le lendemain, je me suis réveillé. La question n'était plus « Pourquoi mon amie Hélène Darat m'a fait ça ? », ni « Comment cette salope a réussi son coup ? » Je m'en foutais. Tu parles d'une gloire, d'être reconnu comme le metteur en scène d'une pub d'école qui vante les mérites d'un yaourt à boire – surtout quand on a décidé depuis longtemps de fuir l'école, la pub et les yaourts à boire. Et pour les cadeaux, grand bien lui fasse. Elle va faire un stage de deux ou trois mois dans une boîte infestée de requins idiots et vaniteux, et dans dix ans elle se retrouvera assistante sur un spot Pampers – tandis que je verrai dans mon miroir un noble et glorieux détective.

La seule question que je me posais à présent était : « Pourquoi je n'ai rien fait ? » Je revoyais la soirée, le type au micro qui se trompe, Hélène Darat qui monte, qui prononce son discours à la noix, qui reçoit ses cadeaux étincelants, Hélène Darat qu'une hôtesse à demi nue introduit dans le petit temple du succès – et moi qui ne réagis pas. Je m'approche d'elle, mais comme pour mieux l'observer, sans la toucher, puis je repars d'où je viens.

Plus j'y pense, moins je me comprends. Elle me fait du mal (si), et je ne dis rien. Comme un arbre. Les preuves de mon bon droit ne manquaient pas, pourtant. C'est moi, le réalisateur du spot Yop. Même si on suppose que je suis timide, que je n'ose pas me hisser sur la scène et tenter de reprendre mon dû devant tous ces gens, que je crains de passer pour un menteur ou un orgueilleux mesquin, que j'ai peur des représailles de la part des organisateurs, on convient tout de même que j'aurais pu grogner « traître » ou « ordure » quand je l'ai croisée au pied de la scène, que j'aurais dû demander à voir un responsable, loin de la foule bêlante. Mais on est obligé de se rendre à l'obscure évidence : je n'ai pas bougé.

Depuis quelques heures, des souvenirs me revenaient en mémoire comme des pigeons voyageurs. Ce n'est pas forcément lorsqu'on est sur le point de mourir qu'on revoit défiler tous les moments importants de sa vie.

Finalement, j'étais qui ? me demandais-je sans rire. Quand tout allait bien, j'étais parfait : je paressais dans les bars ou sur les hippodromes, je m'immergeais avec ravissement dans les livres, j'embrassais amoureusement ma fiancée et m'allongeais contre son corps souple et chaud pour dormir. Dans le domaine du plaisir et du bien-être, je me débrouillais. Je savais vivre, pas de problème. Mais dès qu'un caillou se glissait dans le mécanisme simple et bien huilé de mon existence, dans le moteur ronronnant de mes journées oisives, dès qu'on venait me taper sur l'épaule, je perdais toute confiance en moi et toute volonté (ou courage, c'était pour moi la même chose, dans ces cas-là) de prendre la moindre initiative. (C'est ce qu'on pourrait appeler le syndrome des sables mouvants – ce qu'on m'en a dit quand j'étais petit m'a sans doute trop profondément marqué. On nous apprend que si l'on marche quelque part et que tout à coup, malheur, on tombe dans un trou de sables mouvants, il ne faut surtout pas bouger, surtout pas agiter un bras ou une jambe, sinon on coule encore plus vite. (Mais bien sûr, si l'on a suffisamment d'intelligence et de maîtrise de soi pour réussir à ne pas remuer un orteil malgré la panique épouvantable, on coule quand même. Plus lentement, c'est toujours ça de gagné.) J'en veux à la personne qui m'a appris ça, qui a sans doute insisté pour que je comprenne bien qu'il ne fallait bouger sous aucun prétexte. D'ailleurs, je me demande pourquoi on tient tant à nous inculquer cette peur traumatisante, dès l'enfance. Statistiquement, un être humain comme vous et moi, au cours de sa vie et même si elle est longue, a peu de chances en marchant quelque part de tomber tout à coup dans un trou de sables mouvants.)

Je craignais le déséquilibre. Dès qu'un incident venait troubler ma stabilité bienheureuse, je m'affolais. Dans ces situations déroutantes, pour ne pas perdre complètement les pédales et tenter de survivre, je me pétrifiais et n'avais plus le choix qu'entre deux rôles : arbre ou mouton.

Or je sais bien que ce sont des rôles de composition, je ne suis ni un arbre ni un mouton. Je suis Philippe Jaenada, détective, je suis né dans les Yvelines, j'ai tenu le coup depuis trente-cinq ans, tout le monde m'aime bien dans les bistrots, je suis un excellent turfiste, quoi qu'on en dise, j'ai réussi à séduire Anne-Catherine et je suis le réalisateur du spot Yop. C'est pas rien, ça. Où est l'arbre, là-dedans ? Où est le mouton ? Alors.

Il était temps de réagir. Mais attention, en restant concentré.

14

En avant !

En bout de nationale 7, j'étais de retour sur le périphérique pluvieux. Il m'était arrivé pas mal de choses
en un peu plus de vingt-quatre heures, ça se devinait
sur mon visage (qui n'était que la partie visible de l'iceberg – j'aime penser à moi en gigantesque et puissant
iceberg), mais les mêmes voitures tournaient toujours
autour de Paris, au même rythme. Ma Ford noire se
mêlait à elles comme si de rien n'était. Bon, il fallait
que je me décide, pour de bon.

J'ai pris la bretelle de sortie à la porte de Châtillon et
je me suis garé en haut pour prendre le temps de réfléchir intensément, sans arrêter le moteur ni les essuie-
glaces. Partir à Veules-les-Roses au lieu de rentrer rue
Gauthey, est-ce que c'est une connerie ?

Dix minutes plus tard, je n'avais pas trouvé de
réponse. Je retournais la question dans tous les sens
(c'est vite fait), j'essayais désespérément de peser le
pour et le contre mais je ne trouvais rien de très solide
à poser sur les plateaux de la balance : d'un côté je
peux aider une femme en détresse mais je risque d'être
gravement blessé, de l'autre je suis sûr de rester physiquement intact mais j'abandonne tranquillement une
femme en détresse. Où se trouve la connerie ? On ne

peut pas choisir rationnellement – c'est comme avec les chevaux. Ma méthode de la connerie a ses failles. Pourtant, il faut bien se décider. Pour de bon.

Concentré, concentré.

Je me suis souvenu d'une méthode, peut-être meilleure et du moins plus originale que la mienne, dont j'avais entendu parler dans un film (je ne sais plus de qui). Les anciens Japonais (ou peut-être Chinois), partisans de je ne sais plus quelle doctrine, prétendaient que toute décision, mineure ou capitale, doit pouvoir se prendre en sept secondes, si j'ai bonne mémoire. Au-delà, toutes sortes d'éléments indésirables, de sales choses acquises, viennent perturber la réflexion et amènent dans un fauteuil à l'erreur. Après tout, les anciens Japonais n'étaient sûrement pas n'importe qui, pourquoi ne pas leur faire confiance ? – plutôt qu'à moi-même et à ma méthode de la connerie (les anciens Japonais contre moi, il n'y a pas photo.)

J'ai fermé les yeux, glissé la main dans ma poche droite pour toucher Pompidou et ajouter une touche de gravité à cet instant décisif, puis j'ai compté jusqu'à sept en essayant de réfléchir à toute vitesse entre chaque chiffre.

Comme il est très difficile de réfléchir en comptant (j'ai déjà dit que je n'étais pas un cador pour les trucs simultanés), j'ai seulement vu des images se succéder. Je me suis vu, moi.

UN – je me suis vu serein dans Paris, à la station Balard – DEUX – je me suis vu courir jusqu'à ma Ford, rue Vasco de Gama – TROIS – je me suis vu foncer sur l'autoroute derrière Persin – QUATRE – je me suis vu rouler docilement derrière la Poisse – CINQ – je me suis vu tenu en laisse depuis le début, trottinant derrière quelqu'un – SIX – je me suis vu tout seul sur la nationale, incapable de savoir quoi faire, abandonné, embourbé – SEPT – je me suis vu m'ébrouer, sortir de ma torpeur, refuser d'en rester là par manque d'audace et décider enfin quelque chose sans qu'on m'y oblige, je me suis vu prendre l'autoroute de l'Ouest.

J'aurais bien continué jusqu'à huit ou neuf, pour voir ce qui m'arrivait ensuite et revenir éventuellement en arrière, mais tous les anciens Japonais auraient levé les yeux au ciel comme un seul homme. Alors j'ai redémarré, je suis redescendu de la porte de Châtillon sur le périph en me forçant à ne plus penser, en m'accrochant fermement à cette décision dont j'étais fier (adieu arbres, moutons), et je suis sorti six portes plus loin pour prendre l'autoroute de l'Ouest, comme dans mon rêve, propulsé par une force sensationnelle (pour le prestige) – je me suis élancé à fond vers l'inconnu, pour de bon.

Je crois que la raison principale pour laquelle je suis parti, c'est que je n'étais absolument pas sûr de trouver Fabienne et ses ravisseurs à Veules-les-Roses.

Cher Journal,
Si je décide de commencer à t'écrire aujourd'hui, c'est que ma vie vient de prendre un tournant décisif. J'ai décidé quelque chose, et ce n'est pas rien. Je vais aller combattre une bande de meurtriers à Veules-les-Roses.

15

L'homme nu sur les Champs-Élysées

Je suis entré dans Veules-les-Roses vers vingt-deux heures (je ne m'étais arrêté que dix minutes en route pour manger un sandwich poulet-crudités-mayonnaise dans une station-service, en hommage à mon boulet égaré et à mon conducteur en fuite). Il n'y avait pas une âme dans les rues humides – et apparemment, pas davantage dans les maisons. Tout le monde dormait déjà. J'avais roulé aussi vite que me l'avait permis ma vieille Ford – par l'A13 jusqu'à Rouen, puis l'A151 en direction de Dieppe jusqu'à Tôtes, à gauche la nationale 29 jusqu'à Yerville puis, à droite, la départementale 142 jusqu'à Veules (la carte Michelin de la Poisse me devenait indispensable) –, mais les Veulais ne m'avaient pas attendu pour fermer les volets et aller se coucher ou se recroqueviller devant la télé. Dans le village, de la départementale à la mer, tout semblait mort. Hormis les lampadaires de la rue principale, la seule source de lumière provenait d'un magasin d'électroménager situé près de l'église (chez Philippe Nadaillac), dont la vitrine était puissamment éclairée. Ça faisait encore plus peur.

En sillonnant les rues du village (dans lesquelles je n'ai pas aperçu de Mercedes noire – ils avaient sans doute déjà changé – ni même de voiture immatriculée à Paris), je n'ai vu que deux hôtels : le relais Douce France, au nom réconfortant, et l'hôtel Napoléon, au nom encourageant si la guerre prévue éclatait. Mais aucun des deux ne laissait deviner une quelconque présence humaine à l'intérieur. En revanche, à l'entrée du village, sur la départementale, j'étais passé devant un bar-tabac qui paraissait encore ouvert – allumé, du moins. Ils louaient peut-être des chambres. De toute façon, j'avais besoin de voir quelqu'un. Ça rassure toujours.

Il n'y avait pas foule au café des Voyageurs. Le patron, ses quatre épagneuls, un grand client barbu devant un Ricard et, tout seul, au fond de la salle, un poste de télé qui diffusait un documentaire sur l'Égypte. Ce n'est qu'en fermant la porte derrière moi que j'ai réalisé que j'avais beaucoup de chance : si j'étais tombé sur Max (disons accoudé au comptoir en train de papoter avec la Bête), je n'aurais pas eu le temps de ressortir comme une fusée et de remonter d'un bond dans ma Ford (à tous les coups, saisi de tremblements incoercibles, je n'aurais pas réussi à entrer la clé dans la serrure, et leurs pas qui se rapprochent dans mon dos…), ils m'auraient fait sauter la cervelle avant. Ça n'aurait pas été une grosse perte, car ma cervelle me servait autant que ma rate, pour réfléchir. J'oubliais complètement de rester concentré et de ne pas faire de conneries. Le grand Max connaissait mon visage, la vessie de porc en était la preuve. S'il me croisait à Veules-les-Roses alors qu'il me croyait au pied d'un arbre près de Romans, son sang battrait le record du tour. Comprenant que j'ai échappé à la Poisse et que, si celui-ci ne l'a pas prévenu, c'est probablement que je l'ai zigouillé et que je possède donc désormais de précieux renseignements sur eux, il m'éliminerait sans se poser de questions – ou pire, il lâcherait la Bête sur moi. J'avais pensé à tout, sauf à ça : il ne fallait pas qu'ils me voient. Ça compliquait sérieusement ma mission. Détruire sans être vu – déjà, détruire tout court, c'est dur.

J'ai acheté deux paquets de Camel et commandé un demi au comptoir. Le grand barbu paraissait calme, les quatre chiens, non, chiennes, inoffensives, affectueuses même, et le patron lisait le *Turf* pour le lendemain. Voilà exactement le genre d'homme que j'avais envie de voir, ici, ce soir.

Après avoir sympathisé en trois minutes (il voyait Three Wizards dans la septième (il avait touché Midy Mouse gagnant dans la septième, aujourd'hui, à 11 contre 1 (« Tout le monde a joué sur Le Mage »), bien vu), et de mon côté, je lui ai conseillé de jeter un coup d'œil aux dernières performances d'Artas, dans la troisième (le propriétaire d'Artas était le patron d'une pizzeria proche de la place Blanche où nous allions dîner de temps en temps, Anne-Catherine et moi – je le jouais toujours), et de Call Me Sam dans la sixième), j'ai repris une bière et je lui ai demandé s'il louait des chambres. Non, mais il connaissait bien la patronne du Napoléon, une certaine Madeleine, qui serait contente de m'accueillir. Son hôtel était beau et confortable, en plus.

– Elle doit dormir, parce que je n'ai pas vu de lumière.

– Oh non, ne vous inquiétez pas, c'est une couche-tard. D'ailleurs, elle a promis de passer ici avant la fermeture. Attendez, je l'appelle.

Madeleine était effectivement éveillée : elle avait des chambres de libre (toutes), et lui a confirmé qu'elle passerait prendre un verre dès qu'elle aurait terminé de classer ses factures. Je n'avais qu'à l'attendre, ce serait plus simple. Ça me convenait très bien. À cette heure, il ne m'aurait servi à rien d'arpenter le village à la recherche des malfaiteurs – même si je trouvais une fenêtre allumée, que pourrais-je faire ? Frapper à la porte ? Me glisser comme un rat à l'intérieur et terroriser deux petits vieux en chemise de nuit ? De toute façon, j'avais besoin de me délasser. J'étais trop tendu.

Si toutes les chambres de Madeleine étaient libres, c'est que je ne risquais pas de me retrouver face à face avec mes ennemis là-bas. Ça me ferait du bien, de me sentir en sécurité.

J'ai demandé une troisième bière et, avant de m'aventurer à poser au patron les questions astucieusement formulées qui me permettraient peut-être de progresser dans mon enquête secrète (rien ne vaut un bistrot pour apprendre rapidement tout ce qui se passe dans un village et en pénétrer l'atmosphère), j'ai essayé de faire plus ample connaissance avec lui pour préparer le terrain. Il s'appelait François, il était venu du Morvan trois ans plus tôt, avec son associé (plus jeune que lui d'une quinzaine d'années) pour racheter cette affaire et tenter de lui donner un nouveau souffle. Chose surprenante dans un petit village si paisible – c'est en tout cas l'adjectif que devait employer le syndicat d'initiative –, le café des Voyageurs était ouvert sept jours sur sept : la semaine et le dimanche jusqu'à minuit, le samedi jusqu'à deux heures du matin. Quand je lui ai demandé pourquoi il se donnait tout ce mal alors que la vie nocturne de Veules-les-Roses devait se limiter à quelques bagarres de chats errants, il m'a répondu en souriant :

– Je ne me donne pas de mal. J'aime tellement les bars, ce sont des endroits tellements intéressants, que j'essaie d'y passer le plus de temps possible. C'est tout. En exagérant un peu, je pourrais vous dire qu'il m'arrive de ne rester ouvert que pour moi.

François ne demandait rien d'autre à la vie que de pouvoir toujours trouver un bar ouvert, jouer aux courses de temps en temps, rester entouré de ses chiennes bien-aimées (Gamine, la grand-mère, Julie, la mère, et Prune, la fille – la quatrième, Prisca, deuxième fille de Julie et petite-fille de Gamine, appartenait à son associé, Laurent), et continuer à voir sa fille Marine, qu'il allait chercher dans le Morvan quand elle avait des vacances. Je trouvais cet homme particulièrement sympathique.

Quelques instants plus tard, son associé Laurent et sa blonde fiancée, Vanessa, ont ouvert une porte qui donnait sur une cuisine et se sont joints à nous. Après quatre demis, je me sentais très bien, entouré de gens agréables et chaleureux (on se tutoyait, et personne ne me posait de questions sur l'état pitoyable de ma tête). J'en oubliais presque que j'étais venu jusqu'ici pour me faire tirer dessus par des gens enragés et cruels – et esquiver les balles, afin de récupérer mon boulet pour lui rendre sa liberté. Quand François m'a demandé ce que je faisais, j'ai improvisé :

– Dans la vie ? Je travaille dans la publicité. Je suis assistant.

– Non, à Veules, je veux dire.

– Ah… je suis venu chercher une amie. J'ai appris qu'elle devait passer quelques jours ici, je veux lui faire la surprise. Vous l'avez peut-être vue, d'ailleurs. Une grosse fille rousse. Avec l'air un peu paumée, comme ça. Elle est toujours habillée en vert. Vert pomme.

François et Laurent ont réfléchi un instant, se sont interrogés du regard (l'un faisait le matin et le soir, l'autre la journée) et ont secoué lentement la tête ensemble.

– Dommage. Mais je crois qu'elle n'est pas venue seule. Elle est peut-être avec un grand type mince, brun aux cheveux courts, plutôt élégant, toujours en costume. D'une quarantaine d'années, environ. Vous ne l'avez pas vu ? Ou une femme brune. Plus difficile à décrire, mais… Ils ont pu venir acheter des cigarettes, non ?

Je devais garder un air enjoué et détaché, car mes questions commençaient à ressembler à celles d'un détective qui recherche une bande de truands de haut vol pour les empêcher de faire du mal à une grosse fille rousse.

– Je crois que j'ai vu le gars, a dit Laurent. Pendant que tu mangeais, François. Un grand maigre, oui, très classe. Ça m'a marqué parce qu'il a pris des Silk Cut. C'est pas tous les jours, ici.

– Exact, a confirmé le grand barbu (qui s'appelait Philippe). Je l'ai vu aussi. Et quand je suis rentré chez moi pour manger, je l'ai croisé sur le pont de la Veules. Ils étaient deux. Affirmatif. Et ils n'allaient pas bien ensemble, je me suis dit ça. L'autre était encore plus grand que lui, cradingue, avec une gueule monstrueuse.

– Ah… ça ne doit pas être lui, alors. Tant pis.

Tant pis, oui. Parce que ça ne faisait aucun doute : le deuxième, c'était la Bête. D'un certain point de vue, c'était une bonne nouvelle, car grâce à la carte de la Poisse et surtout à mon flair, je les avais retrouvés, j'étais tombé pile au bon endroit parmi tous les endroits du monde (comme quoi il ne faut pas hésiter à mettre une pièce sur un tocard, de temps en temps) ; d'un point de vue plus pragmatique, c'était moins enthousiasmant : la Bête correspondait à l'idée qu'on pouvait s'en faire sans le connaître. J'allais devoir me surpasser pour le vaincre. Pour me mettre en jambes, je pourrais peut-être commencer par attaquer le Docteur, ou Véronique.

Avant tout, je devais essayer de les localiser dans le village, car je ne pouvais pas prendre le risque de traîner partout en attendant de les croiser par hasard – c'est-à-dire : en attendant qu'ils me trouvent, eux. Aussi, quand Laurent s'est mis à parler d'un bonhomme du coin qui, saisi d'une nouvelle crise, était encore allé dormir sur la tombe de son frère après avoir furieusement balayé les pots de fleurs qui l'encombraient, j'en ai profité pour lui demander d'autres anecdotes sur les bizarreries des gens du pays. Dans le tas, j'espérais récolter quelque chose à propos d'une maison où il se passait des trucs mystérieux, d'un marginal au regard inquiétant qui se prenait pour un docteur, ou de hurlements qu'on entendait parfois la nuit – si on avait remarqué quoi que ce soit d'anormal, je me trouvais dans le meilleur endroit pour le savoir. Mais, bien entendu, je ne pouvais pas poser de questions précises. (« Il doit se passer de ces trucs, hein, dans ces petits villages ? Entend-on parfois des hurlements, la nuit ? »)

Laurent aimait raconter les histoires – il s'y prenait d'ailleurs remarquablement, en imitant les voix, en mimant les gestes, en ménageant le suspense. Il ne s'est dont pas fait prier pour raconter – et moi non plus, pour écouter. Un autre client est entré dans le bar. Il s'appelait Philippe également (nous étions trois Philippe au comptoir, c'était un peu étrange), il était moustachu. Pendant que Laurent parlait, Vanessa, François et les deux Philippe locaux précisaient les faits, ajoutaient des détails, mêlaient leurs propres souvenirs à ceux du premier violon. C'était un vrai plaisir.

Ils m'ont parlé de l'homme qui passait ses nuits au cimetière. Il était né au milieu de douze autres frères et sœurs. Le père, la mère et les treize enfants (du premier au dernier, il y avait exactement treize ans d'écart) vivaient dans une petite maison de deux pièces. Pendant les premiers mois de leur vie, tous les marmots dormaient dans des caisses à poissons. La plupart d'entre eux en avaient gardé des traces – l'un des frères n'avait qu'une oreille et demie, la moitié de la droite ayant été dévorée par un rat quand il était petit. La mère passait son temps à courir de l'un à l'autre, mais malgré ses treize grossesses successives et les journées de vingt heures qu'elle passait le nez dans la lessive ou les casseroles, elle gardait la forme. Elle ne s'est éteinte qu'à près de quatre-vingts ans, « encore bien belle ». Le père a moins bien tenu le coup. Il a succombé vingt-cinq ans avant elle. (Il gardait des moutons à quelques kilomètres de Veules. Après sa mort, on a trouvé plusieurs petits squelettes et cadavres d'agneaux sous la paillasse de sa cabane de berger, d'où se dégageait une puanteur à peine supportable : cet homme honnête et consciencieux craignait que son patron ne découvre que certains petits n'avaient pas survécu, ce qui est pourtant normal. Il avait sans doute un amour particulier pour la notion de reproduction.) Sa femme ne s'est pas laissé abattre. Malgré le travail considérable qu'elle devait fournir pour s'occuper de sa marmaille, elle a trouvé le temps et la force de se mettre à faire des ménages dans le village. Avec l'argent ainsi récolté, elle a pu séduire quelques « jeunots » du pays afin d'entretenir enfin son amour particulier pour la notion de non-reproduction.

Ça n'avait rien à voir avec Fabienne et ses ravisseurs, mais j'aime bien les histoires. Et je ne devais pas les interrompre trop brusquement, si je voulais qu'ils continuent.

Ils m'ont parlé d'un couvreur du village, celui qu'on appelait de partout dans la région pour monter réparer ou décrocher les girouettes sur les clochers d'église. Un champion de l'escalade et de l'équilibre, à qui il arrivait pourtant de déraper, surtout quand il entendait la chanson de Johnny Hallyday dans laquelle celui-ci parle de sa gueule – il la passait souvent lui-même sur le juke-box du café. Il se mettait à hurler « QUOI MA GUEULE ? QU'EST-CE QU'ELLE A, MA GUEULE ? » puis serrait les mâchoires à s'en faire éclater les dents et se mettait aussitôt complètement nu, où qu'il se trouve. Personne ne parvenait à l'en empêcher. Une fois débarrassé de tous ses vêtements, il se tournait vers toutes les personnes présentes et se remettait à crier : « QUOI MA GUEULE ? QU'EST-CE QU'ELLE A, MA GUEULE ? »

Ils m'ont parlé du Suisse, une célébrité du village qui possédait autrefois un bistrot près de la place. Personne ne pouvait boire autant que lui au nord du pôle Sud. À la retraite, il venait tous les jours au café des Voyageurs et y restait de dix heures du matin à minuit sans interruption, sans manger. Là, il épuisait successivement trois ou quatre partenaires de comptoir (un pour l'apéro de midi, un autre pour l'après-midi, l'apéro du soir, etc.), qui repartaient en zigzag ou à quatre pattes (ils sont pourtant exceptionnellement robustes, en pays de Caux) tandis que lui commandait négligemment un nouveau verre, prêt pour le candidat suivant. Laurent se souvenait de lui avoir servi cinquante-sept pastis jusqu'à la fermeture – c'était une journée ordinaire pour le Suisse, mais pour une fois, Laurent s'était amusé à compter. Et même après tout ça, il était impossible de le tromper d'un franc sur la somme qu'il devait. En revanche, quand il tenait encore son bar près de la place, il buvait avec tous les clients, du matin au soir, et arrivait à saouler suffisamment ces colosses de zinc pour leur gratter quelques francs de plus sans qu'ils s'en aperçoivent – de quoi se préparer une retraite heureuse. Quand Laurent était allé le voir à l'hôpital de Dieppe, sur son lit de mort, et lui avait demandé si les médecins le traitaient bien, il avait simplement répondu : « Ils m'emmerdent. »

Ça n'avait rien à voir avec Fabienne et ses ravisseurs, mais j'aime bien les histoires.

Ils m'ont parlé de l'ancien coiffeur du village, dont le salon se trouvait en face d'un autre bistrot, où évidemment il passait ses journées, pour tromper l'ennui et oublier une existence qui ne lui convenait pas vraiment. Quand une cliente arrivait, il lui coupait les cheveux en vitesse, la mettait sous le casque, et retournait au comptoir au galop. Au bout d'un moment, elle était obligée de venir le chercher. L'une d'elles, plus timide que les autres, a attendu une heure et demie avant d'oser bouger, la douleur devenant insupportable – ce n'étaient pas des casques modernes, avec minuterie. Quand elle est entrée dans le café, humble et honteuse, tous ses cheveux étaient carbonisés. Au sud du pôle Nord, personne n'a jamais autant traversé une rue que cet homme-là. Un jour qu'ils lisaient ensemble, dans *Paris-Normandie*, des statistiques sur les piétons renversés par des voitures, Laurent lui a fait remarquer qu'il s'en était bien sorti, étant donné le pourcentage de risques de se faire percuter quand on traverse une rue, estimé par la Sécurité routière. Le coiffeur s'est plongé dans une profonde réflexion, et au bout d'un moment, les yeux dans le vide, l'air songeur, il a hoché la tête et murmuré : « C'est vrai, finalement. J'ai une chance incroyable. »

Ça n'avait rien à voir avec Fabienne et ses ravisseurs, mais.

Ils m'ont parlé de l'homme nu. Pas celui qui voulait savoir ce qu'on reprochait à sa gueule, un autre. (Avec le hareng, ça doit être l'une des spécialités régionales.) C'était un homme normal dans la journée, modeste et réservé, qui n'ennuyait personne. Mais les nuits où le démon s'emparait de lui, il se déshabillait entièrement, sortait de chez lui sous la lune et partait errer dans le village. Généralement, il empruntait le chemin qui longe la Veules (le plus petit fleuve de France, il faut le savoir : 1,2 kilomètre de la source à la mer) et traverse le village de la départementale à la Manche, les Champs-Élysées – ce n'est pas un surnom donné par les Veulais mais le véritable nom de cette « rue ». De temps en temps, quelle que soit l'heure, il frappait à la porte d'une maison et attendait qu'on vienne ouvrir ou qu'on écarte un rideau. Il ne faisait rien de mal, il voulait simplement qu'on le regarde, qu'on regarde son corps, il voulait qu'on constate qu'il était entièrement nu, la nuit, dans Veules-les-Roses.

Ça n'avait rien à voir avec Fabienne et ses ravisseurs. Et je n'apprendrais rien à ce sujet. Quand Madeleine est arrivée, Laurent continuait à raconter des histoires de ce genre (il me parlait de l'autre coiffeur du village – « alors celui-là, c'est quelqu'un »), des histoires tristes, amusantes ou touchantes de gens qui n'avaient pas réussi à suivre les rails, ou qui avaient préféré descendre du train pour rester à la buvette de la gare. Rien à voir avec le crime organisé.

J'ai fait connaissance avec Madeleine, une Galloise d'une cinquantaine d'années (ou un peu plus mais ça ne se voyait pas), très élégante, souriante et lointaine. Que faisait-elle toute seule ici, de l'autre côté du Channel, entourée de Cauchois la journée, de Morvandiots la nuit, toute seule en tailleur chic à l'hôtel Napoléon ? Décidément, ce village apparemment fantôme réservait quelques surprises. J'en aurais sûrement d'autres.

Elle a bu deux whiskies-Schweppes en discutant avec François (ils semblaient très bien s'entendre, ce qui ne m'étonnait pas), puis nous avons salué tout le monde.

Au moment où j'emboîtais le pas à Madeleine, François m'a rattrapé, suivi par ses quatre épagneules bretonnes qui ne le lâchaient jamais, et m'a dit :

– Tu sais, les gens dont on parlait tout à l'heure… Il ne faut pas croire que ce sont des sales types ou des dégénérés. Ce sont juste des gens qui n'ont pas eu de chance à un moment ou à un autre, qui n'avaient rien d'autre que l'alcool dans la vie, pour certains, ou qui n'ont pas pu grandir dans de bonnes conditions.

J'étais bien d'accord.

J'ai suivi Madeleine en voiture jusqu'à l'hôtel Napoléon, à trois cents mètres de la mer, à l'angle de la rue principale du village et d'une ruelle sombre. C'était une belle demeure à trois étages, au fond d'un jardin très vert entouré d'un mur de vieilles pierres, où l'on pénétrait par une grande porte en bois. Avant de monter me coucher, j'ai bu quelques whiskies avec elle au bar – comme l'avait dit François, c'était beau et confortable : du bois, du cuir et du velours, des tableaux, des objets anciens, et même un piano et une cheminée, dans laquelle Madeleine a allumé un feu. Sans mon sac matelot (son Beretta, son Pentax automatique), je revenais directement un siècle en arrière.

Elle a tenu à me préparer l'une des recettes de son chef Marcel, un magret de canard Rossini. C'était un bonheur, exactement ce qui me fallait pour achever cette longue et éprouvante journée. Je me suis promis d'inviter Anne-Catherine à dîner ici un soir, lorsque la belle vie reviendrait.

Quand elle m'a demandé ce qui m'était arrivé pour que je me retrouve avec tant de bleus sur le visage, je lui ai raconté comme ça venait que je m'étais fait tabasser sur une aire de repos de l'autoroute par un gros type roux, habillé en vert pomme, qui pensait que je lui avais fait une queue de poisson quelques minutes plus tôt (le côté roux-vert pomme n'a pas semblé lui rappeler un truc). Un amoureux de la violence, qui m'avait démoli sans me laisser la moindre chance de riposter efficacement. Ça l'a fait rire et, apprenant que je n'avais passé que de l'eau froide sur mes blessures, elle est montée chercher de l'alcool et du coton pour les désinfecter. Il était peut-être déjà trop tard.

Pendant qu'elle me tamponnait délicatement les douleurs, elle m'a parlé de sa vie. Après deux maris (le dernier s'appelait Philippe), quatre enfants, de nombreux trajets, des séjours plus ou moins longs dans divers pays du monde (et une longue pause en Égypte), elle s'était fixée ici depuis quelques années. Seule depuis huit mois, elle s'y ennuyait. Elle n'avait que très peu d'amis, les Cauchois ne l'ayant jamais vraiment acceptée – et vice versa. Heureusement qu'il y avait les gens du café des Voyageurs, et son amie Bernadette – qui était une marrante. Elle n'avait plus vraiment la volonté de partir, mais ce cadre ne lui convenait pas. Non, ça ne lui convenait pas.

Après cinq ou six whiskies en guise de digestif, je suis monté dans ma chambre, la 5, assez saoul. Madeleine est restée en bas pour trier quelques papiers. Grâce à la brosse à dents et au dentifrice qu'elle m'avait donnés avec la clé, j'ai pu m'aérer la bouche à la menthe fraîche. Ça m'a redonné de la jeunesse aux dents. J'ai pris une longue douche très chaude, puis j'ai posé *Mort aux rats* sur ma table de chevet, je me suis couché sous le drap blanc et j'ai appelé Anne-Catherine.

Elle était en train de me tricoter une écharpe pour l'hiver prochain, en regardant la rediffusion de la réunion à Auteuil sur la chaîne des courses. Les flics n'avaient toujours pas téléphoné. Je ne serais peut-être jamais rattrapé par la Poisse et le Piteux, le mort et le nu. Je lui ai raconté ce qui s'était passé depuis mon coup de fil de Saint-Étienne (j'ai entendu Madeleine entrer dans sa chambre), elle m'a demandé de faire très attention à moi, m'a ensorcelé pour que je dorme profondément, et avant de raccrocher, elle a dit : « Ne t'éloigne pas de moi. »

Chaque fois que je vois Anne-Catherine, chaque fois que je lui parle, je me sens comme un chat qu'on caresse sur le ventre. Après, je peux m'étirer avec grâce, en tendant mes deux pattes avant le plus loin possible devant moi, aller manger cinq ou six croquettes en plissant les yeux, et m'étendre paresseusement près du radiateur pour dormir.

J'ai lu une vingtaine de pages de *Mort aux rats*, vraiment yes, puis j'ai éteint la lumière et me suis tourné sur le côté droit. Je n'entendais pas la mer. Il faisait noir. Je n'entendais pas non plus la pluie. Quand Anne-Catherine pose son livre, elle se met sur le dos, ferme les yeux, un instant plus tard elle sursaute, elle dort. J'essayais d'entendre la mer. J'imaginais Anne-Catherine en train de tricoter lentement devant l'arrivée de la septième course, Le Mage finit bien mais trop tard. C'est ma mère qui lui avait donné la laine et les aiguilles (ma mère tient un magasin Phildar). Je me suis mis sur le dos. La Manche devait être à marée basse. J'avais pleinement conscience de me trouver ici, à Veules-les-Roses, à deux heures du matin, seul dans un lit au premier étage d'un hôtel, avec la nuit autour et le danger quelque part. Je me sentais comme un homme nu sur les Champs-Élysées.

16

La métamorphose

Le lendemain, j'ai décidé de me secouer. Il était peut-être déjà trop tard – j'avais demandé à Madeleine de me réveiller à neuf heures. J'avais encore rêvé de l'avion blanc qui descend inexorablement vers la mer, son nez de fer qui touche l'eau calme. Après un petit déjeuner copieux mais rapide près de la cheminée éteinte, je suis descendu voir la mer en vitesse (pour me donner du courage), l'eau salée criblée par la pluie, j'en ai profité pour jeter dans les vagues le portable de la Poisse, que personne n'appellerait sans doute plus jamais (à l'exception de sa pâquerette, peut-être, mais je préférais ne plus rien savoir), j'ai sauté dans ma Ford comme un desperado sur un cheval et j'ai traversé le village au galop de chasse, en jetant des regards méfiants de tous les côtés, jusqu'à la départementale où j'ai tourné à droite en direction de Saint-Valery-en-Caux.

J'avais besoin d'un déguisement, je ne pouvais pas traîner à découvert dans les rues de Veules, à la merci de n'importe quel tireur couché sur un toit. Selon Madeleine, il était impossible de dégoter une paire de chaussettes ou un chapeau, ici. Les boutiques les plus proches se trouvaient à Saint-Valery, à dix minutes en longeant la côte. Ça retarderait sensiblement le moment où je pourrais lancer courageusement les hostilités contre le crime organisé (en hurlant la devise de mes ancêtres : « Ne me faites pas mal ! »), Fabienne et ses bourreaux seraient peut-être déjà dans l'avion pour New York quand je reviendrais, méconnaissable, mais c'était indispensable à ma survie. Et ma survie, j'y tiens.

J'ai réussi à trouver un magasin qui vendait un peu de tout, moche mais pas cher, et j'en suis ressorti un quart d'heure plus tard avec un pantalon de velours côtelé vert olive, un polo Lacoste vert gazon, un coupe-vent vert épinard avec une capuche (j'aurais aussi bien fait de garder les horreurs du Piteux), un caleçon imprimé et des chaussettes blanches pour le tennis (ça ne faisait pas partie du déguisement (si les bourreaux me demandaient de me déshabiller, c'est que je ne pourrais déjà plus me faire beaucoup d'illusions quant à l'efficacité de ma ruse), c'était juste une mesure de salubrité privée) et, dans un grand sac en plastique rose, mes vêtements civils, ainsi que trois caleçons et trois paires de chaussettes de rechange. Chez un opticien du centre ville, j'ai acheté des lunettes de soleil légèrement teintées. Elles étaient très bon marché, mais cette petite enquête personnelle s'avérait plus coûteuse que prévu (je venais de retirer mille francs au distributeur, au cas où). Or, même si je n'en avais qu'une idée très floue, mes finances ne devaient pas susciter l'admiration respectueuse de mon responsable de compte au Crédit agricole – on dépensait tout sans se soucier de rien, avec Anne-Catherine. Si les choses ne se réglaient pas très vite, ce que je souhaitais d'ailleurs pour douze raisons autres qu'économiques, je n'aurais plus que trois solutions pour éviter la déconfiture bancaire : abandonner, gagner une belle somme aux courses, ou trouver un sponsor. Passons les deux premières, il fallait donc que je trouve un sponsor.

Le seul qui me venait à l'esprit, c'était le gros Gilles. Il ne me manquait plus qu'une recette pour lui faire avaler toutes mes dépenses à la sauce note de frais.

À onze heures, j'étais de retour à Veules. Malgré ma transformation spectaculaire, j'hésitais toujours à me lancer dans des recherches pédestres. Ce serait pourtant bien plus efficace qu'en voiture, mais je me sentais encore trop repérable. Car même si, au niveau de l'habillement, ma propre mère ne m'aurait pas reconnu, au niveau de la tête je me ressemblais comme deux gouttes d'eau. La mère de ma boulangère m'aurait reconnu sans problème. Les lunettes pourraient peut-être tromper la perspicacité d'un vieillard étourdi et borgne, mais n'importe quel gangster de base me sauterait dessus sans un instant d'hésitation – après avoir pris le temps de pouffer de rire. Mon seul véritable atout, en fin de compte, c'étaient les coupures et les boursouflures de mon visage. Je ne m'en voudrai jamais assez de t'avoir fait du mal, la Poisse.

Comme je n'étais pas venu à Veules-les-Roses pour me cacher, non plus, je suis entré au café des Voyageurs, en ouvrant la porte comme un détective de film quand il craint qu'un ennemi se trouve à l'intérieur (non pas en donnant un violent coup de pied dedans, en faisant une galipette plongeante et en me relevant jambes écartées et fléchies, tenant le revolver à deux mains et pivotant comme un périscope mortel, mais en la poussant centimètre par centimètre, sans bruit, et en glissant le nez dans l'entrebâillement – ce genre de détective, plutôt), et j'ai commandé un Perrier. Le Philippe barbu était là, sans le Philippe moustachu mais en compagnie d'un artiste peintre qui s'appelait Gérard. Cinq ou six autres clients prenaient l'apéro au comptoir :

aucun d'entre eux n'avait un air de tueur, de docteur ou de cerveau de gang.

Après avoir examiné mon costume d'un œil déconcerté mais poli (j'avais enlevé mes lunettes), Laurent, qui était de service, m'a appris spontanément que l'homme aux Silk Cut était repassé, à l'ouverture, prendre un café. Il n'était pas seul. Une femme brune extrêmement belle l'accompagnait, ainsi qu'un homme plus âgé, rabougri et visiblement vicelard, vêtu de manière très classe, en vieux dandy. *Véronique et le Docteur*. Laurent n'avait pas osé parler de moi au grand, étant donné que la veille j'avais l'air de dire que c'était pas lui. Il avait bien fait. Quand je lui ai demandé de quoi ces trois-là avaient discuté, en buvant leur café (pour savoir une fois pour toutes s'il s'agissait des amis de mon amie), il m'a répondu :

– Eh ben mon père, j'en sais rien. J'avais les commandes de cigarettes à faire, et puis j'ai passé dix minutes au téléphone avec le brasseur. Bénéfice net : j'ai rien entendu. T'étais là, non, Dudu ?

Dudu, c'était l'artiste peintre qui s'appelait Gérard.

– Ouais. Ils parlaient de Londres, je crois, au début. Ensuite, de Dieppe. Et le vieux n'arrêtait pas de répéter que ça compliquait beaucoup les choses. Ils ont dit aussi qu'il ne fallait pas qu'ils traînent parce qu'ils en auraient pour un bout de temps. À quoi faire, je n'en sais rien. Ils discutaient bizarrement. Le vieux a dit qu'il fallait absolument qu'ils soient revenus avant demain, et la femme, une belle femme, hein, lui a dit de ne pas s'inquiéter. Enfin voilà, c'est tout ce que j'ai entendu, je n'écoutais pas vraiment.

– Et ils sont repartis par où ?

– Alors ça je sais, par contre, a dit Laurent. J'étais à la caisse. Ils sont montés dans une belle BM blanche et ils sont partis vers Dieppe. Ou par là, en tout cas, je peux pas dire. D'après toi, c'est tes potes ?

– Je crois pas, non.

Il valait mieux que je ne traîne pas trop dans le bar. D'après ce que je pouvais déduire de ce que je venais d'apprendre, Véronique, Max et le Docteur étaient à Dieppe et en avaient pour un moment (le vieux dandy viçelard espérait revenir avant demain, avait dit Dudu Gérard). Mais rien n'est moins fiable qu'une déduction, surtout quand c'est moi qui raisonne. Ils avaient pris la direction de Dieppe en sortant, mais avaient très bien pu s'arrêter devant leur maison, trentre mètres plus loin, avec l'intention de ne partir pour Dieppe que plusieurs heures plus tard.

De retour dans ma Ford protectrice, j'ai exploré soigneusement toutes les rues ruisselantes de Veules-les-Roses. En commençant par celles qui se trouvaient du côté de la départementale qu'on emprunte pour aller à Dieppe. Je n'ai pas vu de BMW blanche. Non. J'ai mis près d'une heure pour inspecter le village entier, dans tous ses recoins – du moins tous ceux auxquels on peut accéder en voiture – et je n'ai pas vu une seule BMW blanche.

Parmi les cinq personnes que j'ai croisées (deux petites vieilles et trois enfants), aucune ne correspondait, loin s'en fallait, à la description qu'avait faite Philippe le barbu de la Bête, dernier élément de la bande (dernier élément à ma connaissance, car ils étaient peut-être une quinzaine), qui n'était pourtant pas de l'éventuel voyage à Dieppe : si j'avais correctement interprété les renseignements glanés au café des Voyageurs, il ne restait dans les parages que Fabienne et la Bête (tiens, je n'aime pas ce titre de film, *Fabienne et la Bête*). Et moi.

Quant aux maisons – de vieilles bâtisses en pierre et en bois, hautes et étroites pour la plupart, aux seuils et aux jardins piquetés de roses classiques ou trémières – pas une ne m'a paru particulièrement louche. Ou alors toutes. On les avait baptisées Pied à Terre, Cheu Nous, Sam Suphi, Yo Lu (pour Yolande et Lucien, j'imagine), La Quiétude ou Nous y Reviendrons. Pas d'assassins là-dedans. Pas d'assassins rue de la Mer, rue du Couvent, sente des Ânes ou impasse Chasse-Truie.

En bas du village, près de la mer, je me suis arrêté sur le grand parking désert qui bordait la plage. Sur une hauteur, mise à l'écart, une grosse discothèque en béton, le Channel, semblait défier le vieux Veules et ses roses. Comme une forteresse de la jeunesse tumultueuse. Une forteresse abandonnée, pour l'instant.

Et maintenant ? Que faire sur ce parking vide, entre le béton creux des jeunes et les pierres muettes des vieux ?

Je suis entré dans une cabine et j'ai appelé le PMU. J'avais envie de jouer. Plus que d'habitude. J'ai mis cent francs gagnant sur Artas dans la troisième et cent francs placé sur Three Wizards, le cheval de François, dans la septième. Dans la même course, j'ai joué cinquante francs gagnant et cinquante francs placé sur Hopopop, que j'avais vu finir en boulet de canon un mois plus tôt à Longchamp et qui partirait sans doute à une cote intéressante. J'ai laissé tombé Call Me Sam dans la sixième, parce qu'il était monté par un apprenti très jeune qui n'en était qu'à sa trois ou quatrième course, et j'ai préféré miser pour une fois sur deux chevaux que je ne connaissais pas mais dont le nom me plaisait – Anne-Catherine ne jouait quasiment que de cette manière et ne perdait pas beaucoup plus que moi. Dans la sixième, à la place de Call Me Sam, j'ai choisi Monsieur le Curé. Dans le *Turf*, il était précisé que le cheval faisait une rentrée après castration. Je me suis dit qu'il allait se sentir libéré du poids de la tentation et pouvoir fournir sa pleine mesure. J'ai risqué cent francs dessus, à la place. Dans la première, j'ai également joué cent francs placé sur Seule à Paris.

Il me restait deux cent douze francs sur mon compte.

Ayant fait tout ce que je pouvais faire en voiture, je suis allé la garer devant l'hôtel Napoléon. La porte était fermée, Madeleine s'était absentée. De toute façon, je n'avais rien à l'intérieur.

J'ai rassemblé tout mon courage (ça tenait dans une main), j'ai mis ma capuche pour ne pas me tremper les cheveux et j'ai commencé à remonter la rue principale du village, vers la place de l'église. J'étais le seul être vivant visible. Je marchais au milieu de la route, pour éviter les attaques à la fourbe. J'avais l'impression d'entendre un air sinistre et lancinant d'harmonica. Je me suis rarement senti aussi vulnérable. J'avais si peur de tomber sur quelqu'un qui voudrait me tuer que je n'osais pas regarder sur les côtés, je gardais les yeux braqués droit devant moi – ce qui n'était pas malin, si je voulais bien me souvenir du but de cette périlleuse expédition. Pour tenter de combattre l'angoisse de la mauvaise rencontre, qui bloquait complètement mes recherches, je suis allé jusqu'à remettre mes lunettes rondes aux verres orangés. Mais ça ne m'a pas beaucoup détendu. Et je me suis rarement senti aussi ridicule.

Après cinq cents mètres pénibles, je me suis arrêté devant le salon de coiffure dont Laurent s'apprêtait à me parler quand Madeleine était arrivée, la nuit dernière, comme on s'arrête un instant sur une plate-forme entre deux fils tendus au-dessus du vide. La vitrine n'était pas composée de perruques, de peignes, de lotions et de photos décolorées de brushings ou de permanentes des années 72-73, comme on aurait pu s'y attendre, mais d'une quarantaine de ces pousse-bonbecs (ou tire-bonbecs) de toutes les couleurs qui tiennent debout et dans lesquels on introduit, comme un chargeur dans un automatique, des rangées de pastilles rectangulaires Pez, qui sortiront une à une de la bouche de Titi, Speedy Gonzales, Picsou, Astérix ou Darth Vador. Il y en avait manifestement de toutes les époques. Cette somptueuse collection était exposée là comme le résultat de toute une vie de travail. (Plus tard, j'ai appris que ce coiffeur changeait de vitrine tous les mois : en avril, par exemple, il avait attiré le badaud chevelu grâce à une vingtaine de bouteilles d'eaux minérales de toutes marques et de toutes formes.)

J'ai poussé la porte sans tergiverser plus longtemps. Je ne pouvais espérer changer véritablement d'apparence si je ne consentais pas à sacrifier mes cheveux. Ça ne prendrait qu'un quart d'heure, et en ressortant de là, entre ma tenue de camouflage, mes lunettes, mes déformations faciales et ma coupe à ras du crâne (avec un peu de chance, cet artisan excentrique me ferait quelques trous), j'aurais tout à fait l'allure de l'un de ces gars du coin qui n'ont pas eu de chance. Les gangsters ne pourraient plus me remarquer.

C'était un homme maigre et moustachu, l'air à la fois introverti et méfiant, presque soupçonneux. Il m'a accueilli avec une sorte de déférence affectée, comme si j'étais le pape – et lui un extrémiste musulman. Mais il n'avait rien d'un musulman, et moi rien d'un pape. Il ne disait rien. C'est moi qui ai dû entamer la conversation :

– Bonjour monsieur.

– Oui.

– C'est pour une coupe de cheveux.

– …

– Très court, s'il vous plaît.

– …

– Je… je peux m'asseoir là ?

– Bien sûr.

Je me suis installé dans son unique fauteuil, il m'a passé une grande serviette blanche autour du cou et n'a plus arrêté de parler jusqu'à la fin de son travail – c'est-à-dire pendant très longtemps. Pour commencer, il m'a bombardé de questions. Après chacune de mes réponses, il interrompait ce qu'il était en train de faire, s'éloignait de quelques pas sur le côté et restait cinq ou dix secondes derrière un pan de mur, vers ce qui devait être son bureau, comme s'il notait tout ce que je venais de dire. C'était assez gênant, et pas seulement pour le temps que ça me faisait perdre.

– Vous venez de Paris ?

– Oui, je suis arrivé hier.

– Ah, très bien.

(Il s'éloignait sans rien dire, comme pour aller chercher une paire de ciseaux ou un peigne, et revenait un instant plus tard :)

– Vous êtes ici en vacances ?

– Oui, si on veut. Je viens chercher une amie.

– Ah…

(Il s'éloignait de nouveau, faisait quelque chose, et revenait :)

– Vous vous appelez comment ?

– Pardon ? Euh, je m'appelle Jacques Persin.

– Persin, vous dites ?

– Oui, Jacques Persin.

– …

(Il s'éloignait, cinq secondes, revenait. Je me sentais de plus en plus tendu.)

Dès que quelqu'un passait dans la rue principale (par bonheur, c'était rare), il allait coller son nez contre sa porte vitrée et se mettait à marmonner – des choses comme : « Ah ben dis donc, le revoilà, celui-là, je me demande bien ce qu'il fabrique, aujourd'hui », ou : « Qu'est-ce qu'elle fait là à c't'heure, la mère Dupart, elle a l'air bien pressée », ou encore : « Non mais regarde-moi celle-là, comment qu'elle marche, on dirait qu'elle a toute la misère du monde sur les épaules. » Quand il s'intéressait de nouveau à moi, il me racontait la vie de la mère Dupart (la femme du boucher, Philippe Dupart) ou du bonhomme qui venait de passer deux fois en moins de trois heures. Parfois, il sortait carrément de sa boutique, me laissait seul pendant dix minutes, et je le voyais dans le miroir discuter avec un passant, en se penchant vers lui et en lui parlant presque à l'oreille comme s'il lui révélait le secret de la force de frappe nucléaire des États-Unis. Je m'impatientais : il m'avait coupé cinq ou six mèches de cheveux.

Quand je lui ai demandé s'il s'intéressait beaucoup à la vie du village, il m'a dit : « Ben bien sûr » et s'est mis à me raconter tout ce qu'avaient vécu tous les membres de toutes les familles de Veules-les-Roses depuis l'arrivée des premiers hommes préhistoriques. Un torrent de noms et d'informations diverses, charriant quelques appréciations personnelles, se déversait sans interruption dans mes oreilles. Je ne pouvais plus émettre le moindre son pour tenter de le distraire, mais ça ne me dérangeait pas. Hormis le fait que, toutes les vingt secondes, il prenait un pas de recul pour faire des gestes et mieux m'expliquer le topo, pendant cinq ou six minutes. Dans ma situation, je ne pouvais pas me permettre de contrarier une telle encyclopédie locale. Sa science du terrain et des hommes allait me servir.

Peu avant quatroze heures (je n'avais encore qu'un côté à peu près coupé et l'autre intact – il ne procédait pas selon la méthode traditionnelle des coiffeurs, qui consiste à couper normalement les cheveux), il a consenti à un bref entracte dans sa narration, au moment où madame Moreau venait de perdre son mari, pour me demander si je voulais aller déjeuner. Non merci, je préférais avoir la tête uniforme d'abord, si ça ne l'embêtait pas de me finir ce serait aussi bien. Il m'a regardé avec une certaine tristesse dans les yeux, en se demandant ce qu'allait devenir le monde avec des types qui ne prennent même plus le temps de manger, puis m'a appris, d'une voix plus terne (je l'avais déçu), que la mère Moreau avait quasiment tourné maboule après le décès de son époux : on la voyait des fois passer dans la rue à vingt heures.

J'ai profité d'une réflexion sur les inconnus qu'on apercevait de temps en temps (« On ne sait même pas d'où ils viennent ») pour avancer mon seul pion :

– Vous n'avez pas vu une grosse fille rousse, habillée en vert pomme, qui…

– Vous la connaissez ?

– Oui, c'est une amie à moi.

– Je ne l'ai pas vue, non.

– Alors peut-être un grand maigre, en costume, les cheveux bruns… bien coupés.

– Lui oui. Je l'ai vu deux fois, même. D'abord hier soir, avec un homme à tête de chien. Et pas un lévrier, voyez. Ils sont allés chez la petite Isabelle, un peu plus loin, ils ont acheté de l'eau minérale. Six ou sept bouteilles. De la Volvic, 1,5 litre. D'après elle, ils ne sont pas très bavards. Ils ne lui ont même pas dit ce qu'ils faisaient à Veules. Et je l'ai revu ce matin, le gars. Avec une jolie brune qui n'a pas l'air de se prendre pour une crotte, et un vieux beau idem. Ils sont entrés à la poste et sont ressortis un quart d'heure plus tard. Rosine m'a dit qu'ils avaient juste consulté des annuaires. Sans lâcher un mot, encore. Des gens louches, si vous voulez mon avis. Ce sont des relations à vous ?

– Oh non, pas vraiment. Des connaissances, quoi. Des connaissances de mon amie, surtout. Vous ne savez pas où ils sont allés, ensuite ?

– Eh, dites, je ne suis pas de la police. Tout ce que je sais, c'est qu'ils habitent quelque part derrière la station-service. Vous voyez, Esso, là-haut, à côté de chez François. Le café. C'est Jean-Jean qui m'a dit ça, ils les a vus monter dans une voiture par là-bas. Vers la cavée d'Iclon.

– La quoi ?

– La cavée d'Iclon. C'est comme une ruelle, si vous voulez.

– Ah… Bon, merci. Enfin c'était juste comme ça, hein, pour savoir.

– Bien sûr, c'est naturel.

Il a dénoué la serviette que j'avais autour du cou à seize heures trente. J'avais tout essayé pour le faire accélérer, mais il tenait dur comme fer à poursuivre à son rythme – et avec sa technique particulière, je n'aurais pu me sauver avant la fin qu'avec un côté plus long que l'autre. Il avait mis quatre heures pour me couper les cheveux (si j'avais eu des ciseaux, même sans miroir, j'aurais fait la même chose en dix minutes – et Anne-Catherine en cinq), mais m'avait donné un renseignement de première importance. Je pourrais aller le vérifier sur place sans trop trembler, car avec cette coupe (dite « du vieux tapis sur lequel on a écrasé quelques cigarettes »), ma propre mère serait passée près de moi sans autre réaction qu'un léger haut-le-cœur.

Il m'a demandé cent quatre-vingt-dix francs. Je ne suis pas radin, mais je trouve que c'est exagéré. Un prix de vingt ou trente francs m'aurait semblé plus honnête – sauf s'il considérait qu'il travaillait à l'heure, évidemment. Je lui ai donné un billet de deux cents en lui proposant de garder la monnaie, mais il a refusé net (je ne saurai jamais sur quoi il s'est basé pour calculer cette somme de cent quatre-vingt-dix francs – pourquoi pas cent quatre-vingt-douze francs cinquante ?) Il est retourné derrière son pan de mur et je l'ai entendu remuer des pièces pendant – sans mentir, je le jure, je regardais sa pendule – douze minutes. Je perdais la tête. En fouillant dans sa boîte, il grommelait comme un tapir angoissé :

– Mais c'est pas possible, où est passée cette pièce, nom de Dieu ?

– Ce n'est rien, ce n'est rien, gardez la monnaie.

– Non, non, je suis sûr que j'avais une pièce de dix francs, elle n'a quand même pas pu s'envoler.

– Non, mais même des pièces jaunes, ça ira.

– Je deviens fou, ou quoi ? J'ai mis cette pièce ici pas plus tard que ce matin. Elle est bien quelque part.

J'ai pensé à fuir comme un voleur, mais avec son influence, ça risquait de me causer des ennuis dans le village. Au bout de douze minutes, il est revenu avec un grand sourire, en me tendant triomphalement une pièce de dix francs (elle était dans sa poche). Fausse.

En sortant, j'ai jeté un dernier regard aux petits distributeurs de Pez (je voyais maintenant Daffy, Vil Coyote, Gros Minet et leurs semblables, tournés vers la rue, comme une armée de mini-espions vicieux et ricanants), je suis allé en vitesse chez la marchande de

242

journaux pour y acheter le *Turf* du lendemain, samedi, à Chantilly, puis j'ai continué à remonter l'artère principale de Veules vers le café des Voyageurs. Sous ma nouvelle apparence, je me sentais beaucoup plus à l'aise. Rien à voir. Malgré la pluie persistante, je n'ai pas remis ma capuche. Je marchais sur le trottoir et je regardais partout autour de moi comme n'importe quel touriste (sauf qu'il n'aurait pas cette allure-là – ça se peut pas).

Je suis arrivé jusqu'à la départementale sans avoir rien vu d'intéressant pour mon enquête, mais j'y suis arrivé. Je l'ai traversée. Après la station-service qui jouxtait le bar, une petite rue permettait d'accéder aux maisons qui se trouvaient derrière, les dernières du village. C'était la cavée d'Iclon, pleine de boue. Si Fabienne se trouvait par là, la proximité d'Esso lui apportait sûrement un brin de réconfort. « C'est tout un monde de couleurs et de sandwiches. » Pas celle-ci, mais bon.

Le même problème que dans le reste du village se posait ici, à plus petite échelle. J'ai dénombré une trentaine de vieilles maisons, toutes semblables – non pas d'un point de vue architectural, mais dans la mesure où aucune ne paraissait plus suspecte qu'une autre : nulles traces de sang sur les façades. Elles s'appelaient Les Blés, Les Lierres, La Petite Normande ou La Renardière. La probabilité de croiser quelqu'un ou d'apercevoir un visage derrière une fenêtre semblait encore plus infime ici qu'ailleurs. Je suis passé dans la cavée d'Iclon, le chemin du Val, la cavée du Renard (je suis là), mais je n'ai vu ni BMW blanche, ni boulet roux désemparé, ni géant cradingue à tête de chien monstrueux. Jean-Jean s'était peut-être fourré le doigt dans l'œil. Non, ça ne doit pas être son genre – un gars super entraîné.

Le découragement s'emparait de moi (c'est une sensation horrible). Je pensais à Fabienne (« Pourrais-tu me trimbaler dans ton véhicule ? ») Je me savais injustement mais indéniablement responsable d'elle (« Je ne veux pas rester dans la panade, s'il te plaît ») et je ne pouvais rien faire pour la sauver. L'impuissance, c'est également très mauvais, comme sensation. La seule possibilité qui me restait pour secouer tout ça, c'était de me planter au croisement de la cavée d'Iclon et de la cavée du Renard et de hurler « FABIENNE ! » Il se passerait un truc, mais j'étais pour l'heure trop lucide et trop sobre pour faire courageusement abstraction des éventuelles conséquences de ce truc, comme l'apparition instantanée d'une bête.

J'étais trempé, les Kickers boueux.

Je vais m'envoyer deux ou trois whiskies aux Voyageurs, voire quatre, et si je n'ai pas trouvé d'autre idée d'ici une heure, je reviens cavée du Renard et je crie « FABIENNE ! »

J'ai poussé la porte du café sans appréhension. Grâce à mon patient travail de métamorphose, je me sentais enfin un autre homme.

17

Mourir à Veules-les-Roses

– Eh ben mon père… a fait Laurent d'une voix
consternée. Qu'est-ce qui t'est arrivé ? (Il m'a reconnu,
d'accord, mais c'est à cause de mon accoutrement inimitable.) Attends, ne me dis pas. Toi, t'es passé chez
P'tit Lou.

– Je ne sais pas comment il s'appelle, mais oui, ça
doit être lui.

– Mais t'es pas bien ou quoi ? Pourquoi tu m'as pas
demandé ? Elle est coiffeuse, Vanessa. Bonne coiffeuse,
en plus. Elle t'aurait fait ça dix fois mieux. Et plus vite,
je suis sûr. Combien de temps t'es resté ?

– Quatre heures.

– Hop. Et combien il t'a pris ? Au moins cent cinquante, je parie.

– Cent quatre-vingt-dix.

– Pan. Ah le sagouin, dis donc. Il n'a peur de rien.
L'année dernière, il a réussi à vendre une lotion anti-
pelliculaire à un type qui venait de se raser le crâne
et qui cherchait un produit pour le faire reluire. Ah !
non, cent quatre-vingt-dix balles, il exagère. Pour ça…
Bénéfice net : il a gagné sa journée, et toi t'as perdu
les deux mois à venir.

– Bah, c'est pas grave. On ne peut pas tout savoir.
Et puis j'avais envie d'une coupe un peu… différente.

– Eh ben mon père, c'est réussi.

Il buvait une prune au comptoir dans une tasse à café, c'est François qui servait, les quatre épagneules à ses pieds. Lui non plus ne paraissait pas très épaté par mon nouveau style. Je devais faire peur à voir. Ça me remontait le moral et me donnait du courage.

Il y avait toujours à peu près les mêmes clients : Vanessa, qui me dévisageait d'un air abattu, Madeleine, qui m'a demandé si j'avais reçu un autre coup sur la tête (quand elle a voulu savoir si j'allais de nouveau dormir chez elle ce soir, j'ai répondu que c'était possible, que tout dépendait du nombre de coups que j'allais prendre sur la tête d'ici là – elle m'a dit que, de toute façon, elle resterait éveillée jusqu'à deux ou trois heures du matin, je n'aurais qu'à frapper à la porte, elle avait toujours l'alcool à 90° et le coton), Dudu le peintre, le Philippe barbu et le Philippe moustachu, ainsi que deux ou trois gars du pays que j'avais déjà vus ce matin, et un groupe de jeunes attablés près du juke-box et des flippers, qui regardaient la télé suspendue au-dessus de leurs têtes.

Je venais de terminer mon premier whisky quand un solide gaillard est entré. Il a serré la main de la plupart des personnes présentes, et toutes l'ont salué en retour : « Ça va, Philippe ? » Ça devenait surnaturel. Une écrasante majorité des hommes de Veules-les-Roses s'appelaient Philippe. J'avais bien fait de venir.

Je venais de terminer mon troisième whisky quand un solide gaillard est entré. Je le dis comme ça pour essayer de garder mon calme, pour me convaincre que rien d'anormal n'est en train de se produire, mais ça ne marche pas. Solide gaillard, c'est se moquer du monde. Puissant mastodonte, phénomène de foire, titan hideux, là d'accord. Ce type ne peut pas s'appeler Philippe, par exemple. Piotr, Abdul, Helmut, Olaf, la Bête, je ne sais pas, mais pas Philippe. Les « Philippe » sont doux, sensibles, généreux, souvent réservés, ils réussiront bien dans une carrière d'artiste ou de travailleur social, voire de détective, ils aspirent à aider ou distraire leur prochain et pourront s'épanouir pleinement dans le cadre d'une association humanitaire, ou d'une troupe de théâtre. De leur côté, les « la Bête » sont brutaux, bornés, cruels, souvent incontrôlables, ils réussiront bien dans une carrière de bourreau, ils aspirent à tuer leur prochain et pourront s'épanouir pleinement dans le cadre d'une bande d'assassins.

Mais gardons-nous des préjugés. Ce n'était peut-être pas lui.

Il s'est installé à l'autre bout du comptoir et a commandé un Ricard. Si c'était lui, il ne risquait pas de me reconnaître : je ne l'avais jamais vu (et je pouvais le jurer sur la tête d'Anne-Catherine et de toute sa famille (déjà existante et à venir), car une vision pareille, ça ne s'oublie pas – il était roux, très roux, et, outre son côté bestial et effrayant, il avait le plus gros nez qui puisse exister). On m'avait décrit le type qui marchait avec Max comme un cradingue, celui-ci était plutôt proprement habillé – on devinait qu'il venait d'acheter son costume d'occasion chez un contrebandier peu scrupuleux qui importait de vieux stocks pakistanais destinés à la destruction, mais ça n'a rien de cradingue (je ferais bien de me regarder, d'abord). En revanche, d'autres éléments tendaient à prouver qu'il s'agissait effectivement de la maudite Bête : a) il fallait bien que ça m'arrive un jour, il avait une tête incroyablement patibulaire (étant donné que j'en voyais une pour la première fois de ma vie, j'ai fait un vœu (on n'a pas le droit de dire ce que c'est, mais c'est pas dur à trouver)), une tête qui ferait trembler n'importe qui de doux, sensible et généreux, et b) il avait, je suis absolument formel, le teint olivâtre (malgré son côté roux, ce qui était encore plus marquant) – là aussi, c'était une grande première pour moi, je m'étais maintes fois demandé à quoi ça pouvait ressembler exactement, un teint olivâtre, mais j'ai lu suffisamment de romans policiers pour savoir que quand on se trouve face à un individu au teint olivâtre, c'est qu'on a du souci à se faire. (Je me disais toujours : Non, c'est pas vrai, il vient de dire que ce type a le teint olivâtre et il continue à lui parler sans se méfier ? Et inévitablement, quelques lignes plus loin, le gars écrivait : « Le petit gros au teint olivâtre sortit un automatique de sa poche et le braqua sur moi. Son index boudiné caressait la détente. J'étais dans un foutu pétrin. » Eh oui mais ça, fallait t'y attendre. T'es pas bien futé, mon bonhomme.) Ça faisait tout de même beaucoup d'indices. À coup sûr, cet homme était la Bête.

— Tiens, regarde, m'a fait Philippe le barbu. Le gars qui boit du Ricard, là, c'est celui que j'ai vu hier avec le grand que tu cherchais.

Qu'est-ce que je disais.

— Ah bon ? Non mais finalement, le grand que je cherchais, c'était pas le bon. Enfin je veux dire, l'ami de mon amie, c'est un autre grand. Bref. Lui, là, je ne le connais pas. Et je n'ai pas très envie de le connaître, d'ailleurs.

— Ah ah, je te comprends.

Je sais bien qu'on ne fait pas toujours ce qu'on a envie, dans la vie, mais parfois c'est vraiment rageant. J'allais être obligé de connaître ce titan hideux roux, afin de l'empêcher de nuire. Je suis futé, je vois bien qu'il a le teint olivâtre et je m'attends à une vive résistance de sa part, mais dans les circonstances actuelles, je ne peux rien faire d'autre que m'attaquer à lui. Peut-être pas de face, cependant. Car plus je l'observe, plus je sens que mon côté futé va devoir prendre le dessus si je ne veux pas mourir à Veules-les-Roses.

Les bras croisés sur le comptoir (des bras comme des jambons), le dos voûté, les mâchoires serrées, il regarde son verre de Ricard comme s'il s'apprêtait à le massacrer. Tout son corps semble imbibé de haine. Certaines personnes dégagent une indiscutable impression d'humilité ou de bonté, même à plusieurs mètres et sans qu'elles aient besoin d'ouvrir la bouche, la Bête dégage une indiscutable impression de malveillance et d'agressivité. Il paraît si fondamentalement méchant qu'on le sent capable de se tirer une balle dans le pied, par pure méchanceté.

Alors un type qui essaie de l'attaquer, pour la Bête, c'est la providence.

Une demi-heure plus tard, il commandait son quatrième Ricard. Et moi, un Perrier. Dès que la cloche retentirait au bord du ring, j'aurais besoin de toute ma clairvoyance pour faire parler la poudre et le réduire en compote sous les vivats. Il ne semblait pas pressé d'ôter son peignoir. B ne consultait pas sa montre, ne regardait pas par la vitre du café, ne s'intéressait à aucun des clients présents. Nos yeux ne s'étaient pas croisés une fois. Ça valait mieux : même face à Mike Tyson, je manquerais d'assurance.

Comprenant que j'avais un peu de temps et fortement désireux de me changer les idées, j'ai quitté le comptoir pour téléphoner au serveur vocal de Geny Courses (sans toutefois cesser de surveiller la Bête) pour savoir combien j'avais gagné. Dans la première, Seule à Paris ne figurait pas parmi les trois premiers. Dommage, mais c'était plutôt bon signe : cela signifiait tout bonnement que ce cheval n'avait rien à voir avec ma vie, que par conséquent Anne-Catherine n'allait pas rester seule à Paris, et qu'alors donc je n'allais pas mourir à Veules-les-Roses. Ouf. Dans la troisième, Artas avait terminé troisième. Pas mal, le patron de la pizzeria de la place Blanche devait être plutôt content, mais moi moins : je m'étais encore une fois montré trop ambitieux en le jouant gagnant. Pour l'instant, je restais à deux cent douze francs. Dans la sixième, Call Me Sam avait terminé deuxième (heureusement que je n'y avais pas touché, je l'aurais mis gagnant – bien vu Philippe), ce qui me faisait plaisir pour le jeune apprenti, qui s'était bien débrouillé. Monsieur le Curé, lui, ne faisait pas partie des trois premiers. Il devait être encore dans le tournant final, en sueur, à souffler comme un bœuf et à pester contre le fils d'athée qui lui avait ôté sa virilité sacrée. Ça m'apprendra à jouer un cheval qui porte le même nom qu'un bonhomme qui m'a fait interpréter un arbre devant tout le monde. Enfin, dans la septième, Hopopop avait réussi à se hisser au troisième rang. Voilà ce que j'appelle les courses. Il rapportait deux francs quarante à la place, ce qui faisait remonter mon compte en flèche jusqu'à la coquette somme de quatre cent cinquante-deux francs.

Quant au cheval que m'avait conseillé François dans cette septième course, Three Wizards, il n'était pas là. Évidemment, je ne lui en voulais pas. Je sais ce que c'est. Quand on demande un tuyau, il ne faut pas s'énerver si ça ne donne rien (c'est comme si on demande à un ami de nous prêter une belle veste pour emmener une fille au restaurant, et qu'on s'en prend ensuite à lui parce que la fille a refusé de monter, n'ayant pas succombé au charme de la veste). D'ailleurs, un vieux dicton turfiste dit que la seule chose vraiment utile pour gagner aux courses, c'est une paire de boules

Quiès. (Je connaissais un type qui avait mis au point un système risqué mais ingénieux. Il se rendait au restaurant de Vincennes, par exemple, et se donnait l'allure d'un petit prince du pronostic qui passe sa vie sur les champs de courses. Il circulait entre les tables d'un air désinvolte, sûr de lui, et dès qu'il repérait quelques ploucs qui venaient ici pour la première fois (ça ne manque pas, dans les restaurants d'hippodromes, on vient se donner des frissons en famille, devant un repas chic), il échangeait quelques mots avec eux, pour bien leur montrer qu'il connaissait le monde hippique sur le bout des doigts, et leur confiait un tuyau en or : « Si vous voulez toucher dans la prochaine, mettez votre argent sur le 3. J'ai vu l'entraîneur ce matin, il est chaud bouillant. Enfin, moi je vous dis ça comme ça, parce que vous avez l'air sympa, mais vous faites ce que vous voulez, bien sûr. Et surtout, motus. Il ne faut pas que la cote baisse. » Il n'avait pas un sou aujourd'hui pour le jouer, à cause d'un problème idiot, alors autant en faire profiter des gens sympas. Le mythe du tuyau est tenace, surtout chez les néophytes. On se croit privilégié, sorti de la masse des caves qui vont alourdir les caisses du PMU, on se sent dans le secret des dieux. Le mythe de la magouille est aussi tenace. On sait bien que tout ça est truqué, que le gagnant est connu à l'avance, c'est combine et compagnie (sinon, pourquoi on perdrait si souvent ?). Aussi, la plupart du temps, la famille misait sur le canasson du petit roublard. Avant une course, il répétait la manœuvre à plusieurs tables, en donnant un tuyau différent chaque fois, jusqu'à ce qu'il ait conseillé les six ou sept chevaux qui avaient le plus de chances de remporter la course (ou même les six ou sept partants, s'il n'y en avait pas plus). Les restaurants d'hippodromes sont immenses, il pouvait choisir des tables suffisamment éloignées pour que personne ne se doute de rien. Après la course, il allait rôder négligemment près de la famille qui était tombée par hasard sur le bon numéro, se faisait vivement féliciter et remercier, et neuf fois sur dix, on lui proposait un petit pourcentage sur les gains, puisqu'il n'était pas très en fonds en ce moment. Il refusait énergiquement, il n'avait pas donné ce tuyau par intérêt, mais le brave père de famille insistait : sans lui, il n'aurait jamais joué ce cheval, non seulement il n'aurait pas gagné mais en plus il aurait perdu, il était plus que naturel qu'une partie de l'argent lui revienne. « Acceptez, je vous en prie, sinon j'aurais mauvaise conscience. » Bon, s'il y tenait vraiment. Et voilà comment ce renard se débrouillait pour gagner aux courses presque à tous les coups, et sans miser un franc. Mais bien sûr, un jour, il s'est fait démolir le portrait. Et un autre jour aussi. L'imbécile.)

Je suis retourné au comptoir et j'ai poursuivi cette fin d'après-midi au Perrier. La Bête olivâtre, avec son énorme nez, ne bougeait pas (sauf pour tendre son verre vide à François), ne parlait à personne, ne levait pas les yeux de son Ricard. Plus je le regardais (en coin), plus il me faisait peur. Inutile d'être morphopsychologue diplômé pour affirmer que cet homme était monstrueusement cruel. Et inutile d'être anatomiste (et pessimiste) pour affirmer qu'il pourrait me briser tous les os du corps sans froisser son costume à dix francs. Mais si le reste de la bande était bien à Dieppe pour une partie de la nuit, comme je l'espérais, l'anéantir au plus vite était ma seule chance de sauver Fabienne. L'anéantir par la ruse.

J'ai donné les résultats des courses à François. Il était déçu pour Three Wizards, mais avait mis cinquante francs à la place sur chacun des chevaux que je lui avais donnés, Artas et Call Me Sam, et empochait donc un peu d'argent. Pour me remercier, il m'a offert un whisky que je n'ai pas pu refuser. Nous avons feuilleté ensemble le *Turf* pour la réunion à Chantilly. Il voyait Cash Is King dans le quinté, moi Binn Tin Tin, et Souviens-Toi dans la troisième.

Vers vingt heures, la Bête a réglé ses consommations. Je me suis mis sur mes gardes (sans problème). J'avais déjà payé tout ce que j'avais bu, au fur et à mesure, car je suis malin comme un singe. Un instant plus tard, il a quitté le café des Voyageurs sans regarder qui que ce soit, moi par exemple. J'ai compté jusqu'à trois, j'ai fait une prière à Pompidou en inspirant profondément par le nez et je suis sorti derrière lui.

La pluie avait cessé. La Bête ne se dirigeait pas vers la cavée d'Iclon, comme je l'avais prévu, mais dans la direction opposée, sur la rue principale qui traverse le village et descend jusqu'à la mer. Je lui ai laissé deux ou trois cents mètres d'avance et me suis engagé sur l'autre trottoir. Comme toujours, le village était désert, il faisait encore parfaitement clair, je me trouvais à nouveau dans une position peu enviable, celle du type qui en suit un autre et ça se voit. Mais la filature, c'est mon rayon. Pour le cas où il se retournerait, je ne cessais d'admirer les façades des maisons. Sans pour autant le perdre de vue, car je suis un détective sensationnel : on aurait dit que j'avais un troisième œil dans l'oreille.

Je suis sur les traces d'un titan hideux qui ne connaît ni le mot « scrupule » ni le mot « miséricorde » et va tout faire pour me disloquer le corps sans trop se fatiguer, mais j'espère toujours que je ne vais pas mourir à Veules-les-Roses.

Cher Journal,

Je prends quelques instants pour t'écrire, tu sais comme j'aime te confier mes petits secrets. Voilà, je suis en train de suivre un géant d'une force et d'une méchanceté hors du commun, et je vais essayer de l'attaquer par surprise. Je te raconterai. À demain, j'espère. Grosses bises.

18

Les damnés dans l'ombre

La Bête est entrée au relais Douce France. J'ai vu par
la fenêtre qu'on l'installait à l'une des tables du restaurant de l'hôtel, l'Assiette. Elles étaient presque toutes
occupées, il n'en restait que deux ou trois. N'écoutant
que mon courage et mon estomac, je l'ai suivi à l'intérieur. C'était dangereux, quelqu'un qui mange seul dans
un restaurant est plus repérable que n'importe qui (pour
la plupart des gens, ça fait le même effet que quelqu'un
qui parle tout seul dans la rue), mais j'étais persuadé
qu'il ne m'avait pas remarqué aux Voyageurs – et puis
même, j'avais bien le droit d'aller dîner après l'apéro,
comme tout le monde. J'avais faim. Ce n'est pas parce
qu'on est redresseur de torts qu'on n'a pas faim de
temps en temps. Ça n'a rien à voir.

C'était un endroit un peu distingué, mais la patronne
n'a fait aucune difficulté pour m'accepter chez elle,
malgré mon allure de fou campagnard qui venait de se
prendre une raclée. Elle m'a proposé une table assez
éloignée de celle de la Bête et de son gros nez, mais à
peine assis j'ai compris que je ne pourrais pas profiter
de mon repas. Sa présence à quelques mètres me téta-
nisait l'intérieur. On ne mange pas avec plaisir en face
de son futur bourreau. Je savais que je ne supporterais

255

pas de le voir trancher sa viande, en faisant couler le sang avec un rictus vorace, et en enfourner de gros morceaux dans son ignoble cavité buccale – je me sentirais trop proche du bœuf ou de l'agneau. Tous les autres clients devenaient abstraits, j'étais seul dans la salle avec l'émissaire du Crime (et le bouc, celui qu'on allait sacrifier sur l'autel de l'Injustice, c'était moi – bêêê). Sur la carte alléchante, j'ai quand même choisi une assiette de jambon de Parme, en entrée, et un aloyau saignant – pour bien lui montrer, s'il tournait par hasard son attention vers moi, qu'il allait devoir affronter un gars qui ne plaisantait pas, lui non plus. Mais le cœur n'y était pas. J'avais la peur au ventre. Pas de place pour un bon aloyau. Et pour dénouer un estomac, bonjour.

J'ai commandé une demi-bouteille de lalande-de-pomerol, même si je tenais à rester le plus sobre possible, car quelqu'un qui ne boit que de l'eau au restaurant, c'est louche. La Bête s'est fait apporter une bouteille entière. Tant mieux. Plus il sera saoul, plus je pourrais esquiver facilement ses coups de poing ou ses balles.

Soudain, à deux tables de la mienne, qui j'ai reconnu ? Oui. Je n'en croyais pas mes yeux. Et pourtant si. Pierre Joxe. Le vrai Pierre Joxe, l'homme politique. Décidément, je n'ai pas une vie comme les autres – c'est seulement du bol ou quoi ? Un jour à Cannes j'ai vu Gérard Depardieu, et maintenant Pierre Joxe. Un gars qui a été ministre de l'Intérieur. Je suis aux prises avec un gang qui ne recule devant rien pour commettre le mal en toute illégalité, et sur qui je tombe ? Un gars qui a été ministre de l'Intérieur. Autant dire chef de tous les flics de France. Un gars pour qui lutter contre le grand banditisme, c'était comme pour moi passer l'aspirateur dans mon appartement. C'est trop beau. Et comme tout ce qui est trop beau, ça ne sert à rien. Car qu'est-ce que je peux faire ? Aller m'asseoir à sa table ? « Bonjour Pierre Joxe, j'ai de graves ennuis avec des meurtriers qui se sont installés à Veules-les-Roses, alors vu que vous avez été ministre de l'Intérieur, j'ai pensé que… » Eh non. On doit lui dire des choses comme ça sans arrêt, c'est comme les comiques à qui on demande de raconter des blagues, il va m'envoyer promener (pas un seul garde du corps en vue, il doit savoir s'y prendre (il n'a pas l'air spécialement musclé, pourtant)). Et même s'il m'écoute, parce qu'il est super sympathique, je vais inévitablement tomber dans le filet de la justice. Non, rien à faire. Alors ça, c'est pire que tout. Déjà, combattre des brutes qui voudront me tuer dès qu'elles s'apercevront de ma présence, ce n'est pas gai. Alors en plus, se trouver à portée de voix de Pierre Joxe et ne rien pouvoir lui dire, c'est le pompon.

Manifestement, la Bête ne s'y connaissait pas beaucoup en ministres. Il se goinfrait comme un ogre, inconscient du danger, avec le regard mauvais d'un enfant prometteur qui démembre une grenouille. Alors j'ai tenté quelque chose de très imprudent : j'ai sorti le Pentax de mon sac, je l'ai posé sur la table comme si j'aimais le contempler en mangeant, et j'ai réglé le zoom au maximum. Pour la Bête, rien au monde n'existait que sa pièce de viande. J'ai dirigé l'objectif vers lui à l'instinct, en espérant ne pas cadrer son assiette, et j'ai appuyé sur le bouton rouge en prenant l'expression de l'homme qui a repéré une poussière sur son trésor. La salle entière s'y est laissé prendre. Puis j'ai vite remis l'appareil dans mon sac car il y a décidément trop de poussière, ici. Il faut que je fasse attention, avec ces trucs imprudents : un jour, ça va me retomber dessus.

Après avoir englouti son tournedos, il a sorti son portable et a composé un numéro. Il n'a parlé qu'une

ou deux minutes à son interlocuteur – Max, peut-être.
J'ai eu beau tendre l'oreille de toutes mes forces, à
m'en déchirer le cartilage, je n'ai pas pu entendre un
seul mot de ce qu'il disait. Mais pour la première fois,
je l'ai vu sourire, olivâtre. J'en ai avalé ma dernière
bouchée d'aloyau de travers.

Il a commandé un dessert, mais j'ai préféré en rester
là et passer tout de suite au café, à l'instar du singe, pour
pouvoir partir rapidement s'il le fallait. Pierre Joxe se
régalait d'une grosse part de tarte aux pommes. Pendant
que la Bête piochait dans une grande coupe de glace,
j'ai sorti mon bloc-notes et j'ai écrit un mot pour Pierre
Joxe, en espérant qu'il le prendrait au sérieux. Sans trop
y croire, mais enfin.

Pierre Joxe,
Des malfaiteurs ont enlevé une femme à Romans, près de
Valence, après en avoir tué une autre (qu'ils ont laissée dans
le jardin de l'hôtel Mercure de la zone industrielle) et l'ont
amenée ici, à Veules-les-Roses. Celle qu'ils ont enlevée. Ils
se cachent dans une maison, quelque part, et projettent de
partir à New York, peut-être demain. Je sais que ça paraît
farfelu, mais c'est vrai. Pour plus d'informations, vous pouvez
contacter le commissariat de Romans, qui doit normalement
s'occuper de l'affaire. Vous n'avez plus rien à voir avec
toutes ces histoires de police, mais j'imagine que vous avez
gardé quelques relations. Croyez-moi, s'il vous plaît. C'est
très sérieux. »

Aide-moi, mon vieux. Fais parler la poudre, toi, parce
que moi, je suis limité.

Quand la Bête a payé son addition, j'étais déjà prêt à
partir depuis un moment. J'ai quitté le restaurant avant
lui, pour ne pas éveiller ses soupçons (qui devaient
toutefois dormir profondément). En passant devant la

réception, j'ai pris quelques secondes pour parler à la patronne.

– Excusez-moi, c'est bien Pierre Joxe, qui dîne ici ?

– Oui monsieur.

– C'est ce que je pensais. Voilà, je suis un de ses admirateurs, si on peut dire, mais je n'ose pas aller lui parler. Je suis timide. Alors je lui ai écrit une lettre pour lui dire tout le bien que je pensais de son travail. Si vous pouviez la lui donner après que je serai parti, ce serait très gentil.

– C'est que…

– Oh ce n'est rien, vous savez. Juste trois mots pour lui faire part de mon estime, quoi.

– Bon, eh bien, écoutez, je lui donnerai votre lettre, oui.

– C'est vraiment très aimable à vous.

– Je vous en prie.

Je suis sorti en la remerciant encore une fois, et je suis allé me cacher dans une ruelle sombre qui longeait le restaurant, pour attendre la Bête. Un quart d'heure. Il avait dû s'offrir un petit digestif. Bois, mon grand, bois. Je vais pouvoir faire de toi ce que je veux. Tu vas prendre la dérouillée de ta vie. Oh, ne ris pas comme ça, attends de voir. Oui oui, c'est ça.

Finalement, je ne regrettais pas de m'être offert ce dîner a priori dangereux. Face à un bon plat, pas de bourreau qui tienne. L'estomac se dénoue comme une fleur. Le vin était très bien, aussi.

Quand la Bête a enfin quitté l'Assiette, il n'est pas remonté vers la départementale et la cavée d'Iclon, comme je l'avais prévu, mais a continué à descendre vers la mer. Et ce n'est que lorsque nous sommes arrivés tout en bas (après être passés devant l'hôtel Napoléon, où j'ai aperçu la silhouette de Madeleine près de la

259

cheminée), que j'ai compris ce qu'il venait y faire. Le parking était plein, des voitures s'entassaient jusque sur les trottoirs du front de mer. Dans les allées, un vigile promenait un chien féroce. Et au-dessus, au sommet de sa petite colline, le cube de béton du Channel vibrait comme un groupe électrogène. Quelques néons roses et bleus allumés sur la façade indiquaient que la vie était revenue à l'intérieur. Et des battements sourds résonnaient dans un rayon de deux ou trois cents mètres autour du bloc compact et lourd.

La Bête s'est engagé dans le grand escalier de pierre qui grimpait jusqu'à la porte d'entrée. J'ai failli le suivre mais me suis ravisé en posant le pied sur la première marche. J'ai attendu de voir s'il n'était pas refoulé à l'entrée, puis je suis reparti en courant vers chez Madeleine. J'avais quelques minutes devant moi, c'était sûr, mais il ne fallait pas que je traîne : rien n'aurait été plus stupide que de perdre la piste maintenant, perdre tout ce que j'avais, simplement parce que l'ambiance de la discothèque ne lui plaisait pas.

Je suis arrivé à l'hôtel Napoléon hors d'haleine et j'ai expliqué à Madeleine, qui discutait avec un jeune couple de clients au bar, que je dormirais encore ici cette nuit mais que je risquais de rentrer très tard car j'allais boire quelques verres et mouvoir mon grand corps souple au Channel. Elle m'a demandé de ne pas faire trop de bruit dans la chambre avec la fille que je ramènerais, et m'a donné un double des clés de la porte d'entrée. Je lui ai dit que la grand-mère de la fille que je ramènerais dans la chambre n'était pas encore née, que si par erreur elle naissait demain elle resterait vierge jusqu'à la fin de ses jours, et sans perdre une seconde de plus je suis reparti à grandes enjambées vers le Channel, seulement freiné dans ma course par une fatigue considérable.

Depuis la cabine du parking, j'ai appelé Anne-Catherine en vitesse. Elle était en train de travailler aux corrections de son roman, qu'un éditeur attendait pour la fin du mois. Je lui ai raconté en quinze mots ce qui s'était passé depuis le matin, je lui ai proposé de penser à moi dans les heures à venir car la nuit serait terrible, et je lui ai expliqué que je devais y aller tout de suite, pour ne pas perdre la Bête. Elle paraissait très inquiète. Mais, avant de raccrocher, elle m'a dit : « Ne regarde pas trop les filles, dans la boîte. Et rappelle-moi dès que tu as tué les bandits. »

En montant l'escalier de pierre, je me suis rendu compte que, malgré la pause brève dans la cabine téléphonique, j'étais encore essoufflé et dégoulinant de sueur. Ces coupe-vent, c'est le cauchemar du sportif. J'espérais que le portier serait plus ouvert, si je peux dire, que ses confrères parisiens, car si on vendait dans les magasins de farces et attrapes un déguisement (comprenant costume, lunettes, perruque, maquillage et sueur artificielle) de « pauvre diable qui ne réussira jamais à entrer dans une boîte de nuit », je pourrais poser pour le catalogue.

Les deux costauds qui se trouvaient à la porte m'ont jaugé en experts et m'ont laissé pénétrer dans le temple de la jeunesse, sans grogner. C'était convivial, ici. Ou alors ils me prenaient pour une tekno victim (ils avaient à moitié raison). La caisse se trouvait à droite. Elle était tenue par une femme, qui pouvait être la patronne. Elle non plus n'a pas trop froncé les sourcils en me donnant mon ticket – pour l'instant, tout le monde avait l'air sympathique. En revanche, elle m'a conseillé avec insistance de laisser mon sac matelot au vestiaire. J'aurais préféré le garder, pour ne pas avoir à attendre à la sortie (c'est toujours embêtant, pour nous les singes), mais de son côté, elle préférait que je le laisse. C'était sa parole contre la mienne, je n'avais aucune chance. J'en ai profité pour déposer aussi mon coupe-vent vert épinard. Finalement, j'attirerais moins le regard.

La musique tonitruante venait d'en haut, la discothèque proprement dite se trouvait au premier étage. Avant de m'engager dans l'escalier qui menait aux jeunes possédés livrés à eux-mêmes dans le noir, j'ai regardé par la porte vitrée qui se trouvait à gauche de l'entrée. C'était un bar, éclairé normalement, presque plein mais assez tranquille. J'ai rapidement repéré la Bête, assis seul à l'une des tables, le nez sur un grand pichet de bière. Bien. J'ai poussé la porte, me suis installé au comptoir, sur un tabouret, et devant leur intéressant choix de whiskies, je n'ai pu résister à l'envie de commander un Oban.

Vingt minutes plus tard, j'en avais bu deux autres et fait la connaissance du barman, un grand brun amateur de bon whisky – ça facilite les présentations. Il s'appelait Manu, il aimait son boulot et tous les clients qui venaient chercher à boire semblaient l'apprécier (neuf personnes sur dix demandaient un pichet d'un litre de bière (quatre sur neuf avec du sirop de fraise) et deux ou trois verres). Le plus impressionnant des deux portiers est venu prendre un café à côté de moi, j'ai également engagé la conversation avec lui. C'était un moustachu aux faux airs de montagne, il s'appelait Christian, il aimait aussi son boulot et venait de décider de reprendre ses études en parallèle. Je leur ai dit que je travaillais dans la réalisation de films publicitaires (pour l'instant, je bossais sur un spot Yop qui promettait pas mal), ça permet souvent d'entrouvrir les barrières ordinaires. Si la Bête restait encore un moment aussi calme, j'allais utiliser intelligemment, comme à mon habitude, le temps stérile que je passerais ici à tisser le plus de liens possible avec le plus possible d'employés de la boîte. Pour avoir traîné mille et une nuits de jeunesse dans ce genre d'endroits, je sais que rien n'y est plus utile que de bons rapports avec les hôtes – cela s'avère indispensable en cas de problème majeur avec un ennemi, lequel se retrouve immédiatement neutralisé. À l'échelle nationale, c'est comme si l'on parvenait à gagner l'amitié du président de la République, du garde des Sceaux, du ministre de l'Intérieur bien sûr, du directeur de la Banque de France, de Patrick Poivre d'Arvor et du PDG de Pernod-Ricard. On serait plus décontracté dans la vie. Et c'est agréable, ça, d'être décontracté.

La Bête se concentrait. Les coudes en appui sur la table, il lançait des œillades furtives autour de lui (il semblait avoir du mal à tourner la tête, à cause de son nez lourd), toujours en direction des filles. Après tout, il était peut-être intimidé.

Quand il est venu au comptoir commander un autre pichet de bière, tout près de moi, j'ai vraiment entendu sa voix pour la première fois. On aurait dit le grand tremblement de terre de San Francisco, en plus crispé. On le devinait mal à l'aise, trop grand, trop brusque ou trop énervé pour évoluer ici, au milieu de tous ces jeunes gens hilares et peu vêtus. Conscient et furieux d'être mal à l'aise. Mais d'autre part, et ça je l'ai bien senti, un truc insupportable émanait de lui. On le sentait bien, ça, quand on se trouvait juste à côté. Ce n'était pas l'indiscutable impression de méchanceté dont j'ai déjà parlé, c'était un truc plus tangible et plus insupportable : on sentait comme des milliers d'aiguilles très fines qui vous transpercent le corps. Jusqu'à quarante ou cinquante centimètres autour de lui, il diffusait de la violence pure.

S'il me remarquait et s'il lui venait l'idée de provoquer un problème majeur, les deux portiers, Manu, l'homme du vestiaire et la femme de la caisse auraient encore besoin de renfort pour le maintenir au sol. Je les aiderais.

De retour à sa table, il a avalé son deuxième pichet de bière plus rapidement que le premier. Il cherchait probablement à se donner un coup de fouet avant de passer à l'action, de se lever pour tenter d'aborder une fille. J'espérais qu'il n'y aurait pas de réaction de panique dans la foule.

Mais aucune des jeunes femmes présentes n'a eu à subir l'effroi d'une approche de sa part. L'horloge du comptoir marquait minuit et demi lorsque, sa Fisher terminée, il s'est dirigé vers la sortie du bar. J'ai vite réglé mon cinquième Oban à Manu et, sans bouger les fesses de mon tabouret, j'ai tendu souplement le cou vers la porte vitrée pour voir s'il quittait le bâtiment ou s'il montait vers la boîte. Les bras ballants, le nez pesant, il s'est jeté à l'eau : il est monté. Je lui ai laissé trois minutes d'avance et suis monté derrière lui – au passage, j'ai adressé un clin d'œil publicitaire à Christian le colosse, qui veillait sur la porte.

Une vision d'apocalypse m'attendait en haut de l'escalier. Je me suis arrêté sur la dernière marche, frappé à la tête par le bruit, et j'ai attendu que mes yeux s'accoutument à l'obscurité. Noyés dans un vacarme explosif, dans une pénombre bleutée que ne perforaient faiblement que quelques spots troubles, des centaines de jeunes gens magnétiques bondissaient, oscillaient ou erraient tétaniques d'un endroit à un autre, tressautant sur la piste ou électrifiés debout sur des enceintes, des centaines de corps sous le choc englués dans une sauce rythmique épaisse et puissante, ballottés comme des globules par une pulsation sourde, rapide, torrentueuse – enfermés vivants dans le tumulte du cube et isolés du reste du monde. Au-dessus de la foule prise dans le tourbillon, le disc-jockey hurlait dans son micro : « FOUTEZ-MOI LE BORDEL ! » Je me suis demandé si c'était bien nécessaire. J'ai fait quelques pas en avant, prudemment, pour ne pas me laisser emporter par mégarde dans la spirale fiévreuse dont la piste était le centre. Il faisait bien dix degrés de plus que dans le bar du bas (on se mettait à transpirer instantanément, comme lorsqu'on sort d'un avion en provenance de Paris sur un aéroport des Caraïbes), l'air était moite et saturé, il collait à la peau comme de la mélasse chaude. J'avais l'impression de pénétrer dans le corps d'un gros animal. J'ai tout de même réussi à bouger suffisamment la tête pour regarder autour de moi. La plupart des damnés haletaient, rouges. On distinguait mieux les corps que les visages. La moyenne d'âge devait être de seize ou dix-sept ans. Autour, les murs et les piliers semblaient suintants, et les battements de la musique faisaient tout trembler. Partout, ça sentait la fille en sueur.

La Bête devait se sentir perdu dans cet univers de gamins survoltés, le pauvre. J'ai mis une dizaine de minutes à le retrouver. Debout ahuri au bord de la piste dans son costume démodé, il contemplait les jeunes danseuses en transe avec l'air de se demander comment il allait pouvoir en sortir une de ce capharnaüm hurlant pour aller la besogner tranquillement à la maison. Viens poupée, laisse ces mioches se trémousser si ça les amuse, je vais te tringler chez moi. Eh non. Ça marchera pas. Comment que je vais faire ?

On aurait dit un pêcheur consterné qui se creuse la cervelle devant un ruisseau plein de tout petits poissons, en considérant tristement la grosse canne et l'hameçon de cinq centimètres qu'il a apportés. Dans la lumière noire, son teint olivâtre rendait vert bouteille. Ça allait bien avec le roux.

J'ai pu me frayer un étroit chemin jusqu'au bar, dans une forêt dense de bras nus, de seins, de fesses, d'épaules musclées et de jambes encore laiteuses, et après avoir dû patienter quelques instants, le temps qu'une grande et forte fille de ferme se fasse servir un « cercueil », j'ai pu trouver assez de place sur le comptoir pour y glisser mes deux coudes serrés l'un contre l'autre et commander un whisky. Merci. Mon verre en main, j'ai pivoté sur moi-même à grand-peine, en poussant délicatement les deux adolescents immenses qui m'encadraient, et je me suis retrouvé face à la salle humide et vibrante. J'allais enfin pouvoir expérimenter ma fameuse méthode de la filature ultra discrète en boîte de nuit surpeuplée, que j'avais transmise quelques années plus tôt à deux ou trois vieillards ivres à Genève.

Elle ne fonctionnait pas. Je l'ai compris en moins de temps qu'il ne faut à un vieillard ivre pour s'endormir. Il y avait tant de monde, et la discothèque était si grande, que je n'arrivais même pas à repérer la silhouette pourtant si caractéristique de la Bête – alors le suivre des yeux en faisant mine de regarder ailleurs, n'en parlons pas. Comme ça, c'était réglé. En fin de compte, ce n'était pas plus mal. Étant donné que la méthode que j'avais imaginée était nulle, je n'avais plus à regretter de n'avoir eu pour seul véritable public qu'une illuminée qui n'avait rien vu et rien entendu. Donc, logiquement, je n'avais plus à regretter d'avoir accepté cette conférence, et rejoué l'arbre. Ça change pas mal de choses. Tout s'arrange, je suis sur la bonne voie.

J'ai descendu mon verre et suis reparti à la recherche de la Bête, qui n'avait pas bougé. Pour ne pas prendre de risques, même s'il paraissait perdu dans de douloureuses réflexions sur la manière de pêcher une petite, je suis retourné me payer un whisky (pourquoi avais-je bu le premier si vite ?) et me suis installé sur un muret près de l'escalier. Je ne pouvais pas le louper.

Le spectacle était captivant. Les jeunes Cauchois devaient affluer de cinquante kilomètres à la ronde, et pas seulement pour danser frénétiquement jusqu'à l'aube. Les purs amateurs de technovariète semblaient en minorité. De toute évidence, on venait avant tout pour trouver celui ou celle avec qui on allait pouvoir partager paisiblement le restant de ses jours – en pénétrant dans la boîte, on ne souhaitait qu'une chose : repartir « accompagné ».

Les places en hauteur, sur le podium, les enceintes et les murets, où l'on pouvait se mettre correctement en valeur devant tous les acquéreurs potentiels, valaient très cher. On patientait pour en dégoter une, et quand on l'avait on la gardait jusqu'à épuisement total – « Après ça, c'est bien le diable si je ne ramasse pas quelque chose. » Une fois surélevés, les garçons n'hésitaient pas à retirer leur tee-shirt ou leur chemise, mieux bichonnés que des taureaux de concours, et se déhanchaient avec une application touchante et obscène, comme des chippendales débutants qui se lancent dans le commerce. Les filles étaient presque toutes habillées de la même façon : en minijupe ou pantalon moulant (noir, pour dissimuler les éventuelles imperfections des fesses), avec un haut blanc, moulant aussi bien sûr, qui s'arrêtait au-dessus du nombril. Elles portaient toutes un soutien-gorge. Celles qui avaient réussi à s'installer en hauteur bombaient le torse et cambraient les reins, pour utiliser leurs atouts au maximum, écartaient les jambes pour laisser distraitement remonter leur jupe sur leurs cuisses, et regardaient droit devant elles, au-dessus des amateurs éblouis, afin de montrer qu'elles étaient inaccessibles et ne dansaient que pour le plaisir de sentir leur corps onduler langoureusement sous la caresse de la musique, car c'est vraiment ça qu'elles aiment, mais qu'elles finiraient bien par descendre un jour. Sur la piste, les parades nuptiales se faisaient plus concrètes. Ils se tournaient autour, ils piaffaient, ils se flairaient et se frottaient. J'ai pensé que les filles les plus sincères dans leur volonté de s'accoupler dégageaient certainement une puissante odeur de désir, car les garçons convergeaient vers certaines d'un pas prudent mais fébrile, le corps secoué de spasmes à peine perceptibles, la bouche entrouverte et l'œil affolé. Feignant de ne pas remarquer le client, la libidineuse faisait alors appel à toute sa science fraîchement acquise, ne lésinant sur aucun détail enjôleur, étalant de son mieux toute la gamme de ses appas et adoptant consciencieusement les poses suggestives que lui avait enseignées sa mère (je les imaginais toutes les deux dans le salon familial, la mère conseillant à sa fille un soutien-gorge plus flatteur, retouchant sa robe pour mieux souligner les formes avantageuses qu'elle lui a données, ce serait quand même dommage, lui montrant comment sourire timidement, comment bouger les hanches ou faire ressortir sa poitrine – « Mais rentre un peu ton ventre, pauvre gourde, comment veux-tu nous en ramener un si tu as l'air d'une vache ! »), elle se proposait avec le plus grand sérieux, ridicule, visiblement inquiète à l'idée de ne pas faire comme il faut et de voir le curieux s'éloigner.

Quand deux jeunes gens repartaient ensemble, s'engageaient dans l'escalier vers la sortie alors que les autres s'activaient encore, ils avaient dans les yeux un mélange de fierté, de soulagement et de satisfaction en songeant à la bonne affaire qu'ils venaient de conclure. Elle a de gros seins, quand même. Ça pourrait être pire, en tout cas.

La Bête commençait à se laisser porter par l'ambiance de marché qui régnait dans la boîte. Je l'ai aperçu tenter plusieurs fois sa chance, d'abord de manière un peu fruste (en marchant droit sur une fille et en lui adressant directement la parole (avec un geste de la main vers le bar pour lui indiquer qu'il avait de quoi lui offrir à boire)), puis en s'inspirant des techniques plus élaborées de ses jeunes congénères (c'est-à-dire en rôdant d'abord un moment autour de la femelle dans l'espoir de dégager une puissante odeur de rut). Il se faisait rabrouer chaque fois – bien entraînées, les demoiselles avaient tout de même l'élégance de ne pas crier en voyant sa tête épouvantable, ce qui témoignait d'une pratique déjà longue de ce genre de commerce. Contrairement à ce qu'on aurait pu croire, la Bête ne brisait pas le cou fragile des jeunettes qui se refusaient à lui. Il encaissait l'échec, tête basse.

Vers deux heures, après le strip-tease de « Miss Ibiza », quelques novices fatigués sont partis. Ils auraient tout le temps de retenter leur chance. J'ai pu me trouver facilement une place au comptoir, commander un autre whisky et continuer mon travail de présentation aux maîtres des lieux. Les barmen s'appelaient Dominique et Nicolas. Ils étaient sympathiques. Le disc-jockey, qui discutait volontiers avec ceux qui s'approchaient de sa cabine, s'appelait Juanito – on le surnommait le Roi Nito, il n'avait pas son pareil pour agiter les molécules des jeunes danseurs. « FOUTEZ-MOI LE BORDEL ! » Il était sympathique. Constatant que la Bête avait réussi à s'asseoir à la table de trois adolescents (dont deux filles) en leur offrant une bouteille de William Lawson et un pichet de Coca, je suis redescendu boire un Oban au bar de Manu (ils n'en avaient pas en haut), puis je suis allé traîner du côté de l'entrée pour parfaire mon travail d'intégration. À la porte, le collègue de Christian s'appelait Sylvain. Il était sympathique, et sûrement redoutable en combat singulier. La femme de la caisse était bien la patronne et s'appelait Anne-Marie. J'ai parlé assez longuement avec elle, pour qu'elle m'aime bien et décide de virer la Bête plutôt que moi s'il choisissait d'en venir aux mains. Elle était sympathique. François, le gars du vestiaire, était sympathique. En cas d'urgence, il me permettrait peut-être de doubler les jeunes, en véritable singe, et de récupérer vite mon sac et mon coupe-vent.

Pour se montrer d'emblée si aimables avec un homme tel que moi, du moins tel que celui dont j'avais l'air, il fallait qu'ils soient vraiment très sympathiques.

En remontant vers le premier, je me disais qu'avec tous ces gens sympathiques dont je venais de faire des amis, ou presque, il ne pouvait plus rien m'arriver de grave. J'avais le président de la République, le PDG de Pernod-Ricard et consorts dans la poche. Décontracté, maintenant. J'ai même pensé à engager la conversation avec la Bête – c'est dire si je me sentais en confiance. Avec tout ce qu'il avait bu, je pourrais peut-être lui soutirer quelques renseignements sur Fabienne – en usant évidemment de tact et d'habileté. Ça me connaît, le tact et l'habileté, c'est vraiment mon truc, depuis tout petit, mais avec tout ce que j'avais bu, ne risquais-je pas de me tromper quelque part ? De faire une boulette ?

Alors là, tout irait très vite : il briserait mon cou fragile et, lorsque mes alliés sympathiques parviendraient à le ceinturer, je ne serais plus qu'un souvenir.

De toute façon, il était désormais inabordable : il avait réussi à extraire l'une des filles du petit groupe dans lequel il s'était incrusté et l'avait attirée vers le comptoir, où elle dégustait à présent un grand cocktail orange et bleu en l'écoutant d'une oreille dédaigneuse. Encouragé, il la fixait droit dans les yeux – pas elle : elle regardait la piste, nostalgique. Elle avait une quinzaine d'années, les cheveux blonds coiffés comme Jennifer Aniston dans *Friends*, portait un pantalon noir et un haut blanc, moulants bien sûr, et prendrait encore deux tailles de soutien-gorge avant sa majorité. On aurait dit le grand tremblement de terre de San Francisco qui tente de séduire un hoquet de chat.

C'est en me disant que j'allais devoir patienter encore un long moment avant de pouvoir reprendre ma filature de la Bête, vers la maison où ses maîtres détenaient Fabienne, que j'ai tiqué.

J'étais là, à contempler notre belle jeunesse avec attendrissement, à me féliciter d'avoir des tas d'amis influents au Channel, et Fabienne m'attendait seule dans une maison du village, désespérée. Max et ses acolytes pouvaient revenir d'un instant à l'autre et je flânais béatement ici ? Max et ses acolytes étaient revenus, même. Qu'est-ce que je raconte ? Et moi je flânais béat… Bon, peut-être pas. Si la Bête prenait son temps, s'il espérait ramener la petite à la maison pour la tringler tranquillement, rien n'était perdu. Au restaurant, il avait peut-être appelé Max et ses acolytes, sur son portable. « On ne rentrera pas avant l'aube. » Sourire carnassier. Cela dit, je flânais béatement, c'était indéniable. Comment n'avais-je pas encore songé à courir dans les rues de Veules-les-Roses en hurlant « FABIENNE ! » ?

D'ailleurs j'y avais songé – c'est pire –, en errant cet après-midi dans la cavée d'Iclon. Maintenant, était-il trop tard ?

Je suis allé du côté opposé à celui où se trouvaient la Bête et l'adolescente et j'ai fait signe à Dominique. J'ai glissé devant lui le prix d'une bouteille de whisky et lui ai demandé de la leur offrir dans cinq minutes, sans leur révéler l'identité du généreux donateur. Je n'ai pas eu besoin de lui donner d'explications, je lui ai fait un clin d'œil. Il me l'a rendu avec un hochement de tête complice.

À la caisse, j'ai prévenu Anne-Marie que je revenais dans dix minutes (je partais chercher du liquide à l'hôtel). J'ai demandé mon sac et mon coupe-vent à François, j'ai prévenu Christian et Sylvain que je revenais dans dix minutes (je partais chercher du liquide à l'hôtel), à tout de suite mes amis, j'ai pris ma respiration et j'ai quitté l'enceinte du Channel comme un dragster.

Devant l'hôtel Napoléon, j'ai pilé net pour ne pas dépasser ma Ford. Au départ, je comptais courir jusqu'à la départementale, je pensais que ça irait aussi vite, mais je me rendais compte que je ne pouvais pas foncer comme je l'aurais souhaité, car mes jambes ne voulaient plus répondre. Ce n'était pas plus mal : la pluie avait recommencé à tomber. Je me suis glissé en haletant, rouge, dans ma voiture noire, et avant d'avoir pu compter jusqu'à trois, le souffle coupé, je la garais sur la départementale devant le café des Voyageurs et me précipitais dans la cavée d'Iclon, derrière la station-service. Maintenant, il s'agissait de ne pas faire de connerie. Concentré. Toutes les maisons dormaient, à l'exception de la Petite Normande, dont plusieurs fenêtres étaient allumées. Je me suis approché dans l'ombre, furtif. Au rez-de-chaussée, une jeune femme blonde, assise par terre en tailleur, tapait sur le clavier d'un ordinateur posé sur une table basse. À l'étage, je ne voyais que la tête d'un homme, apparemment lui aussi face à un écran d'ordinateur. Ils paraissaient calmes et sérieux. Je les dérangerais, mais tant pis.

– FABIENNE ! ai-je hurlé, ingénieusement tapi derrière un arbre.

Les habitants de toutes les maisons voisines ont dû m'entendre comme si j'étais debout sur la table de leur cuisine. J'imaginais de vieux corps bondir de trente centimètres au-dessus de leur matelas et retomber lourdement, flasques. La jeune femme du rez-de-chaussée et l'homme de l'étage ont tourné la tête vers leurs fenêtres respectives. Je n'ai pu déceler aucun autre signe de vie alentour.

Après être resté deux minutes plus immobile que l'arbre derrière lequel j'étais caché (inutile de rappeler mes prédispositions au mimétisme végétal), je me suis déplacé d'une centaine de mètres et, chemin du Val, j'ai de nouveau hurlé, les pieds boueux. Sans résultat. Pour finir, je suis allé hurler cavée du Renard. Plusieurs fenêtres se sont allumées, une au-dessus de ma tête, une cavée d'Iclon, et deux chemin du Val (« Bon, il commence à nous les gonfler, c't'ivrogne… »). Mais toujours pas le moindre gémissement étouffé par un bâillon. Inutile d'insister, de solides paysans pourraient descendre me faire un sort. Après avoir attendu une dizaine de minutes pour calmer les esprits (résiste, farouche adolescente du Channel, ne te laisse pas embarquer tout de suite par la Bête – tu ne connais encore rien à l'amour, mais dis-toi bien qu'il va te faire mal), je suis retourné vers ma Ford. Cavée d'Iclon, les deux noctambules informatiques s'étaient remis au travail.

Si on m'avait dit, par exemple avant-hier au Saxo Bar, que je serais cette nuit en coupe-vent vert, le visage meurtri et les cheveux presque rasés, à hurler « FABIENNE ! » dans les rues désertes d'un village de haute Normandie, je n'aurais pas rigolé. Oh non. Ça m'aurait fait peur.

Au niveau du relais Douce France, j'ai aperçu, derrière mes essuie-glaces, au milieu de la rue à trois cents mètres devant moi, une silhouette familière – cet adjectif convient très mal à ce que j'aurais aimé que la Bête soit pour moi, mais on ne choisit pas. J'ai continué ma route le plus stoïquement possible, en priant pour que mes mains sur le volant ne fassent pas trembler la carrosserie de la voiture.

Il est monté sur le trottoir de droite, et c'est un homme au bord de la dépression nerveuse que j'ai croisé. J'ai déjà vu des tonnes de gars renfrognés, mais des comme ça, jamais. Tu viens de sauver ta carrière de femme, farouche et sagace adolescente.

Je me suis garé dès que j'ai pu, j'ai attendu qu'il se fasse tout petit dans mon rétroviseur, et je suis reparti à pied vers les cavées, qui résonnaient encore de mes hurlements. Le plus difficile était de trouver une distance intermédiaire entre le trop loin et le trop près, comme toujours dans les filatures. Quand il a traversé la départementale, les choses se sont encore compliquées. Il allait bien vers les cavées, comme le coiffeur m'avait permis de le supposer, mais celles-ci sont étroites et courtes : je ne pouvais plus me permettre de marcher à deux cents mètres derrière lui. (Si je le perdais de vue maintenant, il ne me resterait plus qu'à me cacher de nouveau derrière un arbre et à hurler « LA BÊTE ! », ce qui n'est pas dans ma nature. Il faut savoir se forcer, je ne sais plus qui a dit ça, mais j'ai tout de même quelques principes. Ou alors je chercherais un arbre vraiment gros.)

En sautant comme un kangourou détective de poteau en arbre et d'arbre en poteau, dans les flaques, j'ai pu le filer invisiblement jusqu'au moment où il a quitté la cavée d'Iclon et ses noctambules qui travaillaient toujours, pour prendre à droite dans celle du Renard. J'ai compté jusqu'à cinq, je me suis approché du coin et j'ai passé une tête craintive au-delà du mur de pierres. Il avait disparu. Voilà, je vais devoir hurler « LA BÊTE ! ». Ça ne m'arrange vraiment pas. J'ai couru comme un perdu dans la cavée du Renard, une fenêtre s'est éclairée sur ma droite, j'ai plongé derrière une voiture et je me suis fait très mal aux genoux.

Mais ce n'était pas grave car je venais enfin de localiser la maison où se trouvait Fabienne. J'ai rampé dans la boue jusqu'au pare-chocs, j'ai levé la tête et, à travers le voilage blanc sur lequel étaient brodés des perroquets en cage, j'ai aperçu la Bête dans sa cuisine. Il ôtait sa veste, de très mauvaise humeur. Il est sorti de la pièce et, un instant plus tard, une lumière s'est allumée à l'étage, derrière d'épais rideaux rouges. C'était vraisemblablement la chambre où ils gardaient Fabienne. Ils n'étaient donc que deux dans la maison, Véronique, Max et le Docteur n'étaient pas encore revenus de Dieppe ou d'ailleurs. Pas de BMW blanche dans la cavée du Renard. Juste la voiture derrière laquelle j'étais toujours allongé, une Polo noire immatriculée 76. Les pneus étaient bien usés.

Dix minutes plus tôt, j'avais hurlé à dix mètres de là (c'était une fenêtre de la maison voisine de celle où venait d'entrer la Bête qui s'était allumée au-dessus de ma tête). La conclusion, c'est que Fabienne était très solidement bâillonnée. La bande à Max, c'était des pros. Ou la bande à Spengler, la bande à Salordi. Je ne savais pas grand-chose. À ce propos, qu'est-ce qui me prouvait que Fabienne était bien enfermée ici ? La dernière fois que je l'avais vue, elle montait dans une Mercedes à Romans, à des centaines de kilomètres de cette vieille maison cauchoise. Il faudrait un drôle de coup de bol… Je n'avais retrouvé aucune des personnes qui l'avaient embarquée la veille. Le seul sur qui j'avais réussi à mettre la main (pas encore au sens propre), c'était la Bête. Mais justement, était-ce la Bête ? Après tout, la seule chose que je savais de lui, c'était qu'il se promenait hier soir avec un grand maigre élégant. On avait revu ce grand maigre aujourd'hui avec une belle femme et un petit vieux, mais des grands maigres qui se promènent un jour avec une brute et le lendemain avec une femme et un vieux, il doit y en avoir des dizaines de milliers en France. Mon sens de la déduction me jouera des tours. Je remarque un grand maigre à Romans, on me dit qu'on a aperçu un grand maigre à Veules-les-Roses : bon sang, je suis sûr que c'est le même ! Or si ce grand maigre n'est pas Max, ce type que je file depuis des heures et que je m'apprête à combattre n'est pas la Bête, évidemment. Si ça se trouve, Max, Véronique et Fabienne sont à Lille ou au Mont-Saint-Michel, avec le Docteur – un quadragénaire blond et athlétique – et la Bête – un nabot hargneux aux dents pointues –, et moi je m'apprête à pénétrer en pleine nuit, mon Beretta en main, chez un paysan de Veules-les-Roses qui vient de prendre râteau sur râteau dans une boîte de nuit. Mais je suis obligé. On ne peut pas tout savoir.

En rasant la terre, j'ai atteint le portail du jardin, qui fermait mal mais ne grinçait pas, et me suis faufilé à l'intérieur. En rasant la pelouse, j'ai atteint la porte d'entrée de la maison, qui donnait directement sur la cuisine. J'ai conscience que tout ça peut paraître fort audacieux pour un brave type comme moi, qui n'ai rien demandé, mais c'était ma première et sans doute dernière chance de récupérer Fabienne et d'en finir avec cette poursuite épuisante. Alors bon. N'étant pas un arbre…

La porte était fermée à clé. Mais en regardant par la fenêtre de la cuisine (avec le voilage et la lumière à l'intérieur, je ne craignais rien – d'autant que la Bête était toujours en haut : j'entendais tonner sa voix de pachyderme ivre, sans pourtant pouvoir décrypter un mot de ce qu'il disait (mais s'il parlait, logiquement, c'est qu'il était avec quelqu'un – Fabienne, logiquement)), j'ai aperçu une autre porte, sur le côté gauche. J'ai contourné la maison à pas de loup (en rentrant par instinct la tête dans les épaules, ce qui n'est pas très utile quand on y réfléchit), et j'ai tourné la poignée de cette autre porte le plus silencieusement possible. J'ai su qu'elle allait s'ouvrir avant même qu'elle ne s'ouvre. Je ne suis pas plus devin que ma cousine, j'ai simplement remarqué que les clés étaient encore dans la serrure, à l'extérieur.

La Bête en avait un bon coup dans le nez. Le Ricard, le vin rouge, la bière et le William Lawson, ça monte à la tête. Moi, j'avais l'impression que ça allait à peu près. J'ai relâché la poignée. J'ai essuyé vigoureusement mes pieds sur le paillasson (pas par politesse). J'ai sorti mon Beretta de mon sac matelot. J'ai ôté le cran de sûreté, comme Thierry me l'avait montré deux ans plus tôt. J'ai observé mon arme avec, pour la première fois, le

sentiment qu'elle ne m'appartenait pas, que non seulement elle ne faisait pas partie de moi, mais qu'en plus
elle jouerait contre moi – je me sentais soudain comme
un homme qui a fait quinze ans d'études passionnantes
pour devenir l'un des plus grands spécialistes mondiaux
de la voûte plantaire, disons, et qui, lorsqu'il s'installe le
premier matin dans le cabinet dont il a tant rêvé, où des
centaines de malheureux venus de tous horizons se pré-
cipiteront pour se faire palper la voûte, lorsqu'il regarde
autour de lui, s'interroge. N'a-t-il pas commis une erreur
quelque part sans s'en rendre compte ? « J'attends ce
moment depuis ma plus tendre enfance, je vais enfin
pouvoir palper des voûtes à tire-larigot. Mais suis-je à
ce point fou des pieds ? C'était bien beau, les études,
c'était fascinant, j'allais de découverte en découverte,
mais maintenant je vais devoir me coltiner des pieds
jusqu'à la fin de mes jours ? Oui ? Qui m'a fourré dans
ce cabinet ? »

Je n'allais pas jouer de la gâchette à tire-larigot
jusqu'à la fin de mes jours, c'était certain. Mais,
durant quelques minutes, c'est déjà regrettable – de
plus, « durant quelques minutes » et « jusqu'à la fin de
mes jours » ne sont pas forcément incompatibles. Avant
d'ouvrir la porte, je me suis demandé si je n'étais pas
en train de faire une connerie.

19

Lutte à mort contre la Bête

Ça y est, je suis dans la cuisine. Ça sent le chou de Bruxelles. Il fait chaud. Je tiens mon Beretta devant moi, le coude à angle droit. Je ressemble à une ombre chinoise. À une statue du héros prêt à l'action. Je ne fais pas de bruit. Au-dessus de moi, la Bête continue de vociférer. Je comprends ce qu'il dit. J'entends ses pas sur le plancher. Il tourne en rond.

– … parce que ça me démange, là. Tu peux pas savoir, j'empalerais n'importe quoi du moment que c'est chaud. Et dans le genre n'importe quoi, pour l'instant, je vois que toi.

– Tu te fourres le doigt dans l'œil, je ne suis pas n'importe quoi.

C'est trop beau. J'ai retrouvé Fabienne. Enfin. Georges Pompidou, Ernest, on a retrouvé Fabienne.

– Tu vas y passer, Bouboule, je peux te garantir que tu vas y passer. Me regarde pas comme ça, je sais très bien que ça te chauffe entre les jambes, je connais les bonnes femmes. Ça fait des manières, ça se tortille, mais ça pense qu'à ça, tout le temps, je les connais, c'est tout dans la chatte, les bonnes femmes, une bonne queue dans le ventre, bien au fond, même dans le cul, ça rêve que de ça. Bien au fond, je te dis. Bien profond.

Elles veulent pas le reconnaître, tu parles, faut faire la dame, la respectable, faut serrer le cul pour se faire bien voir, mais tout ce qu'elles veulent en vrai c'est de pouvoir faire la pute, je les connais, elles ont que ça dans la tête, écarter les jambes ou lever le cul, bien ouvert, là, ces salopes, pour se faire défoncer comme des chiennes en chaleur. Me dis pas le contraire, tu sais bien que j'ai raison. T'es pareille, tu ressembles à une truie mais t'es une femme quand même, et si t'es une femme c'est que tu penses qu'à te faire bien baiser. Ça doit pas t'arriver souvent, en plus. Mais t'inquiète pas, t'auras qu'à lever ton cul et je vais te la mettre bien au fond, je vais t'empaler dans le cul, comme t'aimes. Ça va te soulager, tu vas voir.

– Je n'aime pas les rapports sexuels.

– Menteuse ! De toute façon, que t'aimes ça ou pas c'est le même tarif. Toutes ces petites salopes, ce soir, elles m'ont mis sur les nerfs. Ça remue du cul, c'est tout ce que ça sait faire. Ça t'allume comme c'est pas permis, ça montre ses seins, ça remue du cul, avec leurs petites chattes trempées, là, et quand t'es bien chaud et que t'es d'accord pour leur en filer un bon coup, bien au fond, elles t'envoient te faire foutre. Ces petites putes, elles ont besoin que de ça, pourtant, je t'assure que ça les soulagerait, ça les décoincerait de se prendre une bonne queue bien profond, de se faire bien défoncer la chatte, leurs petites chattes trempées, salopes, mais tu parles, tout d'un coup ça se met à jouer la pucelle et ça se barre en faisant sa prière. C'est toi qui vas prendre pour elles, Bouboule, je te jure. Si je me fais gauler pendant que je te fais ton affaire ça va peut-être être ma fête, mais j'en ai rien à branler, faut que ça gicle ou je vais exploser. Alors c'est toi qui vas prendre.

– Je refuse.

– T'es une marrante, toi, hein ? Tu crois que t'es bien placée pour refuser, là ? T'as vu comment t'es ? Qu'est-ce que tu vas faire ? Si tu veux appeler au secours, c'est pas un problème, je te refous le torchon dans la gueule. Et ça ? Tu vois ça ? J'aime pas quand la femme bouge trop, moi, ça me déconcentre. Alors si tu remues trop ta graisse, boum, terminé. Au moins je pourrais prendre mon pied tranquille. Et t'en fais pas pour moi, j'aurais fini avant que tu sois froide.

– Ton ami a déclaré que je dois rester en bonne santé, je te ferais dire.

– T'as pas remarqué qu'il déclarait beaucoup de conneries, mon ami ? Si t'es sage, c'est pas ma queue qui va te rendre malade, t'en fais pas. Putain, je vais te baiser, j'en peux plus, je te jure sur la tête de ma mère que je vais te baiser, maintenant. Je vais t'en foutre plein la chatte et plein le cul, tu vas tout prendre pour ces petites salopes.

C'est presque trop beau. Je suis arrivé à bon port. Enfin. Je suis au pied de l'escalier, qui fait un coude avant la porte de la chambre, que je ne vois pas. La Bête turgescente continue à baver son trop-plein de lubricité sur Fabienne. Manifestement, il a du mal à passer à l'acte. Malgré l'alcool et l'envie débordante, ah ! ces petites chattes trempées, il semble encore vaguement craindre la réaction de ses maîtres s'ils le surprenaient à défoncer leur butin. Je voudrais bien passer à l'acte, moi aussi : attaquer. Mais je suis sur le point de me solidifier sur place, devant la première marche, mon Beretta en main : statue du héros en proie au doute. Si je monte avec l'intention de remettre les pendules à l'heure – « Non mais qu'est-ce qui se passe, ici ? » – ce vieil escalier de bois va craquer sous chacun de mes pas comme un arbre qui tombe. Averti de ma présence, la

Bête ne sera pas assez fou pour descendre au risque de se prendre une balle dans le nez. Il m'attendra en haut et nous resterons ainsi, chacun d'un côté du coude, immobiles pendant des heures. Je sens la peur me grimper le long des jambes. Je suis dans les sables mouvants. Le plus sûr est de ne pas bouger, je m'en souviens, mais ça ne mène à rien. Seule la voix de Fabienne (« Je refuse »), que j'ai l'impression de n'avoir pas entendue depuis des mois (« Je dois rester en bonne santé, je te ferais dire »), seule la présence de mon infortuné boulet malmené à quelques mètres de moi, enfin, active des foyers de révolte du côté de mon cœur, engendre de minuscules mercenaires de la bravoure qui tentent avec un acharnement pitoyable de repousser les six cents alpinistes de la peur.

La seule solution serait de faire du bruit en bas pour forcer la Bête à descendre et lui tirer dessus. Il faudrait que ce soit un bruit suffisamment anormal pour aiguiser sa curiosité, mais pas trop suspect non plus, afin qu'il ne déboule pas en arrosant devant lui à la mitraillette : je finirais en statue du héros criblé de balles.

J'avance sur coussins d'air jusqu'au salon, faiblement éclairé par la lumière qui vient de la cuisine, à la recherche d'un objet à renverser, un objet qui pourrait très bien tomber tout seul. Au-dessus de moi, la Bête annonce à Fabienne qu'il va lui remplir le cul de foutre. Je me trouve maintenant au milieu d'un petit salon où rien ne pourrait tomber tout seul. Un divan, deux fauteuils, une télévision, un vieux téléphone, un lampadaire, un buffet, deux vases vides, deux tableaux représentant des paysages d'automne – il est très rare, dans les maisons, de trouver des trucs qui tombent tout seuls. Non, je sais ce que je vais faire. Je vais taper au carreau de la fenêtre. L'esprit humain est ainsi fait que la Bête, si toutefois il réagit comme un humain, ne va pas douter une seconde qu'on frappe de l'extérieur – pas un intrus ne serait assez débile pour frapper au carreau une fois qu'il est dans la maison. Il descendra sur ses gardes, bien sûr, mais pas au point de faire feu dès qu'il pénétrera dans le salon. Il se dira que ça peut être n'importe qui, un voisin dérangé par le bruit de son désir, et n'osera pas se montrer avec son arme à la main. Je suis très ingénieux, ça fait plaisir.

Imaginons : je frappe au carreau, je cours sur coussins d'air me cacher sous l'escalier, derrière ce rideau à fleurs, bon, allons voir d'abord. Sur coussins d'air. Psshh, Psshh. Sous l'escalier, derrière le rideau à fleurs, sont rangés un aspirateur, un balai dans un seau, et quelques chaises de cuisine empilées. Il reste de la place pour moi. Donc, imaginons : je frappe au carreau, je cours sur coussins d'air me cacher sous l'escalier, il descend prudemment, j'entends ses pas lourds juste au-dessus de moi et ça m'épouvante, il allume la lumière du salon, j'attends qu'il s'approche de la fenêtre, je sors de ma cachette, braque mon Beretta dans son dos et crie « Ne bouge pas ou t'es mort ! » puis « Lâche ton arme » et tout le toutim. Dans la fiction, ça passe tout seul. Mais c'est sans compter sur le côté psychologique. Car s'il refuse de jouer mon jeu, s'il se retourne pour faire feu sur moi, mon côté psychologique va me gêner. Je risque de me poser des questions avant de lui tirer dessus (ce qui entraînera ma mort immédiate). Honnêtement, il faut quand même pas mal d'audace, pour tirer. On se dit qu'on a un flingue et qu'on s'en servira si besoin est, on n'y pense pas vraiment puisque c'est logique, mais quand besoin est, on fait moins le fier, c'est comme avec les voûtes plantaires, on se demande ce qu'on fait là. Tuer un homme, on a beau dire…

Ça me rappelle une histoire drôle. Mon pote Daniel était dealer dans une cité de banlieue, il y a quelques années. Un dealer à la petite semaine, qui vendait sa poudre à l'ancienne, pas comme ces voyous sans scrupules qu'on voit maintenant. Il gardait son stock chez lui, mais s'était déjà fait braquer trois ou quatre fois par des toxicos en manque, qui ne reculaient devant rien pour ramasser quelques doses d'avance. Ces crapules se débrouillaient pour grimper la nuit jusqu'à son premier étage, cassaient un carreau, ouvraient sa fenêtre, entraient chez lui, lui mettaient un couteau sous la gorge et le forçaient à leur donner toute sa came. Il obtempérait, bien sûr, mais c'était rageant. Le pire, c'est qu'il ne pouvait jamais porter plainte. Il a fini par s'acheter une carabine, n'importe qui aurait fait comme lui, et l'a cachée sous son oreiller. Daniel n'a rien d'un assassin, mais aux grands maux les grands remèdes (je crois que c'est Pierre et Marie Curie qui ont dit ça). Il dormait dessus toutes les nuits, ce n'était pas très confortable, mais au moins, si quelqu'un essayait encore de lui voler son bien, il pourrait lui désigner la sortie (la fenêtre) du bout de son canon. Il était plongé dans un profond sommeil, une dizaine de jours plus tard, quand un grand bruit de vitre cassée dans sa chambre l'a réveillé en sursaut (c'est normal). Le temps qu'il sorte de son rêve et se souvienne de l'endroit où il se trouvait, un sauvage avait bondi chez lui comme un tigre en brandissant un grand couteau (ça fait peur, au réveil). Mais Daniel, rapide comme l'éclair qui foudroie le tigre, a sorti son fusil de sous son oreiller et l'a braqué sur son agresseur. Ah ah. Il voulait jouer avec lui ? Eh bien les règles avaient changé, maintenant.

– Allez, dégage, a dit Daniel.

– T'es encore dans tes rêves, toi, a ricané le toxico en montrant son couteau. Envoie la came.

Encore endormi, Daniel s'est demandé s'il n'avait pas oublié de prendre son fusil, sous son oreiller. Il a baissé les yeux. Non, l'arme était bien entre ses mains.

– Tu fais un pas et je tire. J'en ai marre, de vos conneries. Fous le camp ou je fais sauter ta sale gueule.

À la grande stupéfaction de Daniel, le toxico n'a pas eu l'air impressionné. Il a éclaté de rire :

– Elle est bonne. Donne ta came, je t'ai dit.

– Je te jure que je vais te descendre, connard.

– Et alors ? Vas-y, qu'est-ce que tu veux que ça me foute ?

– Quoi ?

– Tire. Tu crois que je tiens à la vie ? Allez, fais voir si t'as des couilles.

Sur ces mots, il s'est avancé vers le lit avec son couteau. Daniel n'a rien pu faire.

– Et merde.

Il lui a donné tout ce qu'il avait, et l'autre est reparti sans se presser par la fenêtre, comme ses prédécesseurs, le sourire en plus. Daniel a rangé le fusil sous son oreiller. Il avait bien fait de l'acheter, tiens.

Je ne serais pas du genre Daniel, moi ? Si la Bête se met à rire en voyant mon Beretta, s'il avance vers moi avec sa tête monstrueuse et surtout son revolver, qu'est-ce que je fais ? Je l'abats de sang-froid ? Non, je dis « Et merde » et il me ligote avec Fabienne. Salut la Bête, excuse-moi d'avoir pénétré chez toi par effraction, mais c'était juste pour que tu me ligotes. J'ai pensé que tu aurais du mal à me trouver, alors me voilà. Et merde. Je suis arrivé jusqu'ici et je ne peux plus rien faire. Je suis dans un foutu pétrin. Eh oui mais ça, fallait t'y attendre. T'es pas bien futé, mon bonhomme. La seule solution, maintenant que tu sais que Fabienne est là, ce serait de ressortir et d'appeler la police. Eh bien voilà, impeccable. Je vais faire ça. UNE SONNERIE RETENTIT. Hein ? Je bondis à la verticale. Une autre sonnerie retentit, assourdissante. DRRRIIIING. Qu'est-ce qui se passe ? Enfin non, j'imagine bien que c'est le téléphone, mais non, je ne veux pas, il est juste à côté de moi, non. Les pas de la Bête se dirigent vers l'escalier, qu'est-ce qu'il fait, non, moi, qu'est-ce que je fais, vite, le rideau à fleurs, DRRRIIIING, vite, sur coussins d'air, sur coussins d'air, vite, psshh psshh, la Bête descend, je suis caché derrière le rideau à fleurs, « AIDEZ-MOI ! AIDEZ-MOI ! » (c'est Fabienne qui hurle, pas moi – même si j'ai toujours eu horreur des sonneries de téléphone (les vieilles sont encore pire, elles crèvent les tympans)), DRRRRIIIIIIIIING, la Bête remonte en trombe, « AIDEZ-MMMMMM », c'est le torchon, le salaud, il redescend les marches quatre DRRRIIIING à quatre, pourvu qu'il tombe et s'explose le crâne en bas, ce serait l'idéal, tu parles, il passe devant ma cachette, si je fais tomber le balai je suis mort, DRRRI.

— Oui ? Oui. Ah, m'sieur Spengler. Non, j'étais aux toilettes. Ah... Cette nuit ? Euh, je n'ai rien entendu, non. C'est un vieux téléphone, peut-être qu'il déconne. Je sais bien, mais... Oui mais vous auriez dû appeler sur mon portable, je... Ah non ? Ah. Pourtant je... Oui ? Oui, pardon. Oui. Oh, tout se passe très bien, oui. Elle est là-haut. Bien sûr. Non, parfait. Elle est droitière, oui, pas de problème. Rien de spécial, non. Française, bien sûr. Oui, comme vous dites. Et c'est pas l'apparence qui compte, hein. Non, ne vous en faites pas, je m'occupe d'elle. Oui. Justement, non, pas encore. Je ne sais pas. Ils ont dit dans la nuit, mais... Oui, avec tous les problèmes qu'on a eus, hein ? Non, ils ne vont pas tarder. Voilà, c'est ça. Le Docteur dit que ça devrait aller. Oui, je sais bien. Une petite heure, d'après lui. Vous voulez que… On a pu remettre le bateau à demain, oui. Tout dépend du Docteur, mais normalement ça ira. Le plus tôt possible, oui, bien sûr. En fin de matinée, je pense. Toujours le même, oui. Seuls, bien sûr. Non. Enfin moi… En tout cas, pour l'avion c'est bon. Oui, je crois. C'est m'sieur Salordi qui s'est débrouillé pour arranger ça. Normalement, aucun problème. Ils décollent de Londres à… Oui, de Paris c'était impossible. Non… Mais vous ne voulez pas que je leur demande de vous rappeler quand ils… Ah, pardon. Non, d'accord. Bien. La Maison de Sade, d'accord. Un drôle de hasard, hein, m'sieur Spengler ? Non, pardon… C'est ça, Max m'en avait parlé, je crois. Pardon ? Oui. Max sait où… Bon. Non, je ne sais plus exactement, mais je crois qu'ils arrivent à New York vers vingt et une heures. Ou un peu avant, oui. Newark. Oui. Vous les attendrez ? Ah… D'accord. Non, ils n'auront pas beaucoup de temps, bien sûr. Je pense, oui. Cindy, d'accord. Le plus vite possible. Avec la marchandise, oui. Oui. Bien sûr. La Maison de Sade, Cindy. Véronique connaît, non ? D'accord. Sans problème. De toute façon, la fille ne les gênera plus beaucoup à ce moment-là, hein ? Ah ah ! Non, excusez-moi, je voulais dire… Oui, pardon. D'accord. Et au cas où, ils vous rappellent demain. À New York, oui, bien sûr. Non, moi je reste ici. Oui ? Oh non, pas le sale boulot. Ah ah ! Non, ça m'amuse, au contraire. Oui. The Beast, comme vous dites. Merci. Non, ne vous inquiétez pas. O.K. Sans problème. D'accord. D'accord, m'sieur Spengler. Oui. Allez… Oui. Sans problème. À bientôt, m'sieur Spengler.

Je ne bouge pas, moi. Entre mon balai et mon aspira-teur, surtout, je ne bouge pas. Ça tombe bien, c'est ma spécialité. Tout à l'heure je vais bouger, je vais sauver Fabienne pour qu'ils ne l'emmènent pas à New York, non, eh non, je ne sais pas, voilà, on verra bien, mais pour l'instant je ne bouge pas. C'est ça. Trop risqué, oui. Non. Je n'en sais rien. D'accord. Entendu. Sans problème. Je ne bouge pas.

— Quel con, putain, grogne la Bête.

Il est toujours près du téléphone. Je serre la crosse de mon Beretta, je vais sortir de ma cachette et le mettre en joue.

— La porte, merde.

Il passe devant mon rideau, je ne bouge pas, je suis l'une des fleurs du rideau. Je l'entends ouvrir la porte d'entrée, la refermer, tourner la clé dans la serrure.

— Je déconne trop, merde. T'as de la chance, toi, là-haut !

J'entends un bruit sec sur la table de la cuisine. Il vient peut-être de poser son flingue. Il ouvre et referme un placard. Il ouvre le robinet. Il boit peut-être un verre d'eau. Oui, il déglutit bruyamment, comme une bête. Il ouvre à nouveau le robinet. Il boit sûrement un autre verre d'eau. C'est énervant, je ne vois rien. Ce n'est pas comme ça, en écoutant des bruits, que je vais sauver Fabienne. Je vais attendre qu'il remonte, ensuite je sors appeler la police. Mais si le niveau de sperme est redescendu, après le coup de fil, s'il se fout désormais de Fabienne et reste en bas ? Les autres peuvent arri-ver d'une minute à l'autre. Quelle heure est-il ? Quatre heures ? Cinq heures ? Ils vont arriver. Je suis presque mort. J'écarte le rideau à fleurs, je marche vers la cui-sine comme si j'étais Clint Eastwood (mais sur coussins d'air), je le vois de dos boire un grand verre d'eau, son revolver est sur la table, je tends le mien devant moi sans y croire et j'articule :

– Ne bouge pas.

Il lâche son verre et pivote sur lui-même. Son gros nez olivâtre me fait face. Son verre éclate sur le carrelage.

– NE BOUGE PAS !

– Qu'est-ce que tu fous là, toi, enculé ?

Je suis pris de cours, je ne sais pas quoi répondre. À l'étage, Fabienne gémit.

– Qu'est-ce que tu fous là ?

– Tu fais un pas et je tire.

– Tu me fais très peur. D'où tu sors ?

– Mets-toi face au mur, connard.

J'étais sûr que j'avais oublié un truc. Qu'est-ce que je fais de lui, maintenant ? Une fois qu'il sera face au mur, je lui demande de compter jusqu'à cent, les mains sur la tête ? Ce n'est que la deuxième fois de ma vie que je tiens un type en joue et qu'il est donc obligé de m'obéir. Mais le Piteux était bien plus trouillard et docile que la Bête. Et il était assis sur une cuvette de chiottes. Celui-ci va me donner du fil à retordre, je le sens.

– Dans tes rêves, je me mets face au mur. Dans tes rêves, petite merde.

Bingo.

– Bon, alors on va monter tous les deux à l'étage, et tu vas détacher mon amie. Voilà. Vas-y, passe devant.

– Et si je refuse, qu'est-ce que tu fais ? Tu me descends, peut-être ?

– T'as tout compris, t'es moins con que t'en as l'air.

– Parle-moi correctement, petite merde. Je supporte pas qu'on dise que je suis con. Fais attention. Tu m'as jamais vu en colère.

Et je n'y tiens pas particulièrement, je suis un émotif. Mais j'ai l'impression que si je te parle correctement, trou du cul, tu ne vas pas être d'accord pour te soumettre à ma volonté. Allez, il ne faut pas que j'aie peur de lui. Je suis en position de force.

– Je ne plaisante pas, la Bête.

– Tu me connais ?

– J'en sais plus que tu crois. Et je suis plus en colère que j'en ai l'air. Passe devant et monte. C'est la dernière fois que je te le dis, ensuite je laisse la parole à mon flingue. Il n'a pas beaucoup de vocabulaire, mais il sait se faire comprendre. Tu sais, j'ai déjà descendu ton pote la Poisse hier, je n'en suis plus à un près. On monte.

– Non, petite merde. On monte pas. Tire si t'as des couilles. Je ne bougerai pas d'ici.

Bon, un point pour toi. De toute évidence, ce qui me handicape, c'est que je ne t'effraie pas du tout. Tu ne vas rien vouloir faire, on va rester coincer tous les deux ici jusqu'à ce que tes amis reviennent, et j'aurais l'air fin. À l'étage, Fabienne gémit toujours. La Bête me regarde en souriant, la bouche pleine d'acide.

Ah, je le tuerais, ce salaud (si je trouvais un litre de gin pour me donner du cran, et quatre ou cinq anciens catcheurs pour le maintenir fermement à terre pendant que je vise). Non, le mieux, ce serait que j'aie l'air féroce, que la Bête ait la frousse de sa vie et qu'il passe entièrement sous mon emprise. Ça, ce serait impeccable. Je me souviens d'avoir vu, à la télé, un reportage sur les gros lézards du désert (des sortes d'iguanes, ou je ne sais plus quoi). La plupart du temps, ils n'ont pas besoin de combattre, car ils arrivent à terroriser leur adversaire. Ils se contractent, se ramassent sur eux-mêmes, leur ventre touchant presque le sol, puis lèvent une patte avant et une patte arrière (l'avant-droite et l'arrière-gauche, par exemple), sans doute pour signifier qu'ils sont très mobiles, prêts à bondir, et qu'il ne faudrait pas les pousser beaucoup plus pour qu'ils attaquent, enfin ils ouvrent grand la gueule et poussent un cri menaçant, qui ressemble à un mélange entre un vagissement de bébé et un grincement de portail en fer. En général, l'adversaire ne veut pas en savoir plus : il se débine. Et on le comprend, car ça glace le sang, ce truc-là. Mais, tout bien pesé, je ne sais pas pourquoi j'y repense maintenant, en face de la Bête. Dans l'absolu, cette attitude ferait entendre raison à n'importe quel ennemi, mais je crois que je ne vais même pas essayer. Si je me laisse tomber au sol, je me mets à quatre pattes, je lève un bras et une jambe, j'ouvre grand la bouche et je pousse un cri aigu, mélange entre un vagissement de bébé et un grincement de portail en fer, il va sursauter, c'est sûr, il va probablement ressentir quelque chose de proche de la terreur pendant une ou deux secondes, mais il ne deviendra pas ma chose pour autant. La surprise passée, il se ressaisira et rira à gorge déployée. Même si j'ai choisi de lever le bras droit, au bout duquel se trouve mon Beretta. Vous êtes plus forts que moi, gros lézards du désert.

— Je ne vais pas te mentir, la Bête : je n'aime pas tuer des gens. J'y suis parfois obligé, c'est mon métier qui veut ça, mais je t'assure que ce n'est pas un plaisir. Alors ce que je vais faire, si tu ne remues pas ton gros cul tout de suite…

— Retire-ça, enculé.

— Excuse-moi. Si tu ne remues pas ton cul tout de suite, je te fais exploser un genou. Ça m'évitera d'avoir encore à abattre quelqu'un, mais toi tu peux dire adieu à ton boulot de gros dur. C'est sensible, les rotules.

— Tu sais quoi, petite merde ? J'ai une autre idée. Puisque t'aimes pas buter les gens, on va changer les rôles. Tu verras, tu te sentiras mieux. Je t'explique. Tu vois mon flingue, là, sur la table ? Je vais le prendre, et toi tu vas poser le tien. C'est pas compliqué, hein ? Et je suis gentil, je te préviens à l'avance. Alors voilà, si t'as quelque chose contre mon idée, tu tires tout de suite. Parce qu'après, il sera trop tard. Je te laisse dix secondes pour te décider, c'est mon jour de bonté.

Bon. Je n'ai ni gin ni anciens catcheurs sous la main, et il est trop fort pour moi seul. Même un lézard ne ferait pas peur à ce monstre sans âme. Quant à moi, je suis fixé. Je suis comme Daniel. Je réagis comme lui : je ne peux pas appuyer sur la détente pour descendre mon adversaire. Je suis exactement comme Daniel. Je m'en doutais depuis très longtemps, quasiment depuis ma plus tendre enfance (quand on jouait aux cow-boys et aux Indiens, avec mes potes, j'hésitais toujours à liquider mon ennemi, même si j'étais un Indien – du coup, c'était toujours moi qui mourais, et personne ne voulait m'avoir dans son camp (« Oh non, pas Philippe, il va crever tout de suite »)), mais je n'avais encore jamais eu l'occasion de le vérifier dans des conditions valables. Eh bien c'est fait, maintenant. Il aura fallu que j'attende toutes ces années pour avoir la certitude que je ne suis pas un assassin. Et comme au bon vieux temps, je vais crever tout de suite. À moins que je ne le force à me donner meilleure conscience. Je vais prendre son revolver sur la table. Il va venir vers moi, c'est couru, mais quand il me saisira à la gorge, là, quand même, je trouverai le cran de lui tirer dessus. Quand un Indien s'apprêtait à me scalper, faut pas charrier, je l'envoyais rejoindre ses ancêtres (« Bien joué Philippe ! »). À l'étage, Fabienne continue de gémir.

Je m'arrête après un seul pas vers la table. Une voiture se gare devant la maison. Max et ses acolytes. La Bête sourit, bave de l'acide. Une portière claque. Mince.

Dans vingt secondes, je vais rejoindre mes ancêtres. Les dents de la Bête sont jaunes, il adore cette situation. Une autre portière claque, une troisième. Je ne pourrais jamais les flinguer tous. La Bête avance vers la table. Le portail en fer du jardin grince. Il commence à tendre le bras. Je n'ai jamais été aussi foutu que ça. Alors je tire dans le ventre de la Bête. C'est la première fois de ma vie que j'appuie sur la détente. Il me regarde, l'air étonné. Bien joué Philippe. Ce n'est pas un lézard du désert qui aurait pu faire ça. Il fait un nouveau pas vers son revolver. À moins de deux mètres, je vise la tête et l'atteins à l'épaule. On court sur les graviers de l'allée. J'appuie encore deux fois sur la détente, en visant le nez : je le touche dans la joue et dans l'œil. Ça gicle. La Bête s'écroule.

Ça y est, j'ai encore tué un homme.

20

Le coup du lapin

Je suis encore dans la cuisine, je traîne. Près de l'escalier, une fenêtre donne sur le jardin de derrière. Elle se trouve à dix pas de moi. À cinq si on en fait des grands. Voilà. Pendant que je l'ouvre, j'entends une clé dans la serrure de la porte d'entrée. Je crie :

— T'en fais pas, Fabienne, je vais te sortir de là !

Puis je saute dans le jardin et me mets à courir comme un lapin. Je ne vois presque rien et j'ai du mal à courir en terrain détrempé. Au fond, un grillage de deux mètres de haut me barre la route. Ça fait bien vingt-cinq ans que je n'ai pas escaladé un truc. Je retombe lourdement de l'autre côté, j'ai perdu l'habitude. Quelqu'un court derrière moi – et ce n'est certainement pas le vieux Docteur efféminé. J'entends la voiture qui redémarre en trombe. Je suis dans un autre jardin, plus vaste que le premier. Je cours à découvert, heureusement qu'il fait sombre. Dans mon dos, mon poursuivant crie « Merde ! ». Il n'a rien dû escalader depuis un moment, lui non plus. La voiture fonce cavée d'Iclon, dans le même sens que moi. Devant moi, une grande maison dont la façade doit donner sur la départementale, et sur les côtés je n'en sais rien, je suis plutôt affolé, de l'obscurité, des arbres. Je m'embourbe. J'oblique sur la gauche en essayant d'accélérer encore, je passe péniblement à travers une haie dense, la voiture m'attend peut-être sur la départementale, je pénètre dans un autre jardin, une maison, sombre, une petite remise en bois blanc accolée au mur de gauche, je n'ai plus que ça, la porte n'est pas fermée à clé, je trébuche à l'intérieur, referme derrière moi, grimpe par-dessus une tondeuse et m'accroupis entre un vieux râteau et de gros pots de peinture, mon Beretta à la main. Je ne bougerai plus jamais d'ici.

Cher Journal,
Je suis sur la bonne voie. Je fais une petite pause, là, mais je vais retrouver mon second souffle et boucler cette affaire. Toi seul peux me croire.

Voilà sans doute plus d'une heure que je suis recroquevillé entre mon vieux râteau et mes pots de peinture. La pluie crépite sur le toit de tôle. J'ai entendu la voiture aller et venir cavée d'Iclon, rôder sur la départementale, j'ai même cru percevoir les pas de Max (de celui qui me poursuivait, en tout cas) dans le jardin, près de ma maison mère, mais personne n'est venu ouvrir la porte de ma remise. De toute manière, je ne crois pas qu'il y ait de lumière ici, et j'ai si peur qu'ils m'auraient certainement confondu avec un outil de jardinage.

Il ne faut plus que je tarde à sortir. J'espérais que mes coups de feu auraient réveillé et inquiété des voisins, mais soit mon Beretta est moins bruyant que moi quand je crie « FABIENNE ! », soit ils se sont terrés sous leur couette : il ne me semble pas que des véhicules de police aient envahi le quartier. Ce sera donc à moi, encore une fois, d'alerter les flics. Trop tard, j'imagine.

Je m'accorde encore cinq minutes, pour être au moins à moitié sûr, quand je vais quitter râteau et pots de peinture pour revenir dans le monde brutal, de ne pas me faire tirer comme un lapin qui sort de son trou. Je regarde mon Beretta, qui ne m'a pas trahi. Donc, ça y est, j'ai tué un autre homme. Ses dernières paroles sur cette terre auront été : « C'est mon jour de bonté. » Bon, il n'est jamais trop tard. Tu t'en sors avec les honneurs, la Bête. Moi non, si je continue à rester planqué comme le dernier des trouillons. Pauvre Fabienne. Je lui ai promis de la sortir de là, maintenant. « Fais parler la poudre, mon ami. » Sincèrement, j'ai fait de mon mieux, jusqu'à présent. Ma poudre bégaie un peu mais je ne suis pas tout à fait dans mon domaine de prédilection, c'est pour ça. Moi c'est les courses de chevaux. On va me critiquer, mais quoi ? Je devais renoncer à me cacher et provoquer les salauds en duel les uns après les autres dans la pénombre ? Qui aurait fait ça ? En revanche, c'est à partir de là que ça va se jouer. Je vais sortir, courageusement. Je dois les arrêter avant qu'ils ne prennent le bateau, je ne sais pas lequel, pour l'Angleterre, puis de Londres l'avion pour New York. Car si j'ai bien compris ce que disait feu mon ennemi au téléphone, ils vont la tuer là-bas. Ou, au mieux, lui faire très mal. Je dois l'intercepter avant, tout de suite. Parce que leur courir après jusqu'aux Etats-Unis, non merci. Il y a des limites. Si, je regrette. C'est important pour moi, la notion de limites.

Mais s'ils n'ont pas encore foutu le camp de la maison pour aller se cacher ailleurs et se fondre dans ma carte Michelin en attendant le départ de leur bateau, c'est qu'ils sont vraiment fatigués.

Je suis sorti, prudemment. Je n'ai pas osé retourner tout de suite du côté de la maison malsaine – ça n'aurait servi à rien. Je voulais prévenir les flics. J'ai réussi à rejoindre la départementale sans que qui que ce soit me saute dessus. Il y avait une cabine au bord de la route, mais ici c'était trop risqué. En empruntant les petites rues plutôt que celle qui descendait jusqu'à la mer, et en rasant les murs sans plus déranger l'atmosphère paisible du village endormi qu'un papillon de nuit, j'ai pu retrouver ma voiture. La rue était déserte. Le jour se levait déjà, tous les clients du Channel étaient probablement rentrés chez eux. Ceux et celles qui n'étaient pas repartis les mains vides devaient être en train d'essayer avec émotion leur nouvelle acquisition.

J'ai roulé jusqu'à l'hôtel Napoléon, pris dans la voiture le sac qui contenait toutes mes affaires (avant de ressortir, je devais me changer : paradoxalement, la seule chose qui permettait désormais aux malfaisants de me reconnaître, c'était mon déguisement), je suis monté silencieusement dans ma chambre et j'ai aussitôt composé le 17. J'ai raccroché très vite car je ne voulais pas mêler Madeleine à tout ça. Et moi non plus, si possible. J'ai remis mes vêtements habituels à toute allure, mon pantalon noir, mon tee-shirt et ma veste de Moulins, j'ai jeté les autres et mes lunettes sous mon lit, j'ai dévalé l'escalier et tant pis si je réveille Madeleine, j'ai couru jusqu'à une cabine téléphonique un peu plus bas dans la rue, j'ai composé le 17. Voilà. Fin des hostilités. Moi, sans défaitisme exagéré, je ne pouvais plus rien faire.

Le flic ne m'a pas cru. J'ai dû répéter trois fois mon histoire d'enlèvement et de séquestration dans la cavée du Renard, j'ai juré que je n'étais ni un ivrogne ni un mauvais plaisantin, j'ai dit que mon nom était Christian Laveme. Quand j'ai donné le numéro de téléphone qu'il exigeait pour me rappeler, il m'a demandé si je ne me foutais pas de lui, j'ai dit que non, bon d'accord j'étais dans une cabine, tout ça n'était pas net, mais je le suppliais de me croire, qu'il téléphone à cette maison du, ah je ne sais plus combien cavée du Renard, mais c'était une question de vie ou de mort, si je ne voulais pas donner ma véritable identité, Philippe J., c'est que j'avais tué deux hommes en deux jours, de la pure légitime défense mais je connais la justice, je suis, enfin je connais la justice, j'ai hurlé dans ma cabine pour qu'il se rende compte que j'étais sérieux et il a fini par m'annoncer d'une voix peu convaincue qu'il envoyait une voiture de Saint-Valery-en-Caux, à dix kilomètres de Veules, mais je vous préviens.

Je raconte tout ça aujourd'hui parce que je ne supporte plus le secret, mais sur le moment je ne pouvais pas me résoudre à prendre le risque de mettre ma vie en déséquilibre.

J'en avais honte, cependant. Si j'avais déclaré que je m'appelais Philippe Jaenada et que, oui, je les attendrais volontiers à tel endroit pour leur montrer la maison et tout leur expliquer, ce sceptique aurait déclenché l'expédition policière avec plus d'entrain. Pour me soulager la conscience, j'ai repris ma Ford et suis aller rôder au-delà de la départementale. Cavée d'Iclon, morte – les deux travailleurs noctambules avaient éteint leurs écrans et leur maison. Chemin du Val, cavée du Renard, morts. Il n'y avait plus de voitures garées. Même celle derrière laquelle j'avais plongé au péril de mes genoux avait disparu. Je me suis arrêté devant le portail, la première enclenchée, le pied à deux millimètres de l'accélérateur. À l'intérieur, tout était éteint. J'ai laissé passer une minute pour trouver le courage de sortir. 58, 59, 60. Hardi, mes jambes. Le portail était fermé à clé. La maison ressemblait à toutes les autres. Évidemment, ils s'étaient sauvés, ils avaient transféré leur infamie n'importe où ailleurs. Ils n'avaient pas dû perdre trop de temps à me chercher dans les jardins.

Les flics, s'ils venaient, se regarderaient en secouant la tête (« Tu me dois cent balles, Raymond ») mais au moins, je n'avais plus à regretter d'avoir été trop pleutre pour leur donner mon nom. Ça n'aurait absolument rien changé.

En dépit de toute logique, j'avais pourtant le senti-ment diffus d'avoir trahi Fabienne, dont j'étais le seul être sur la planète à me soucier. J'avais forcément dû déconner quelque part, puisqu'elle était toujours entre leurs pattes, et eux désormais introuvables, pour de bon. Il me semblait avoir tout tenté pour la sauver, j'étais allé jusqu'à traverser la France et tuer des gens, et au bout du compte, la situation n'avait jamais été pire. Du bon travail.

Je suis resté un moment assis dans ma Ford, devant la maison où Fabienne avait passé quelques heures de sa vie, attachée au premier étage. La Bête ne l'avait pas violée, c'était toujours ça. Je tripotais la médaille de son ancêtre Ernest, restée dans la poche de ma veste gris sombre.

Je suis allé me garer dans une autre ruelle du village, pour éviter que les flics me tombent dessus.

Comment retrouver Fabienne, maintenant ? Je bloquais, comme un jouet mécanique contre un mur. Mes petits bras se faisaient de moins en moins énergiques sur mon tambour. Ratatam ratatam ratam ratam tam tam tam. Je bloquais. Je renonçais ? Tam… tam. Je la laissais se débrouiller toute seule contre eux ? Tam. Je l'abandonnais à son sort, comme ça ? Il y a des limites, quand même.

21

Le grand saut

J'étais au café des Voyageurs dès l'ouverture, pour
me sécher. Je ne risquais plus de croiser Max et ceux de
ses acolytes qui vivaient encore. Après la pagaille que
j'avais semée cette nuit, après la correction que je leur
avais infligée, n'ayons pas peur des mots (au moins), ils
ne s'amuseraient pas à revenir traîner dans les parages.
D'un côté c'était ennuyeux, question évaporation de
Fabienne, de l'autre c'était bien car ça me permettait
de préparer tranquillement l'assaut final – malgré les
courbatures et l'épuisement dus au manque de sommeil.
J'ai passé la matinée au téléphone, à espérer que rien
n'était perdu. Une nuit blanche, à trente-cinq ans, ça
met la tête à l'envers.

Bien entendu, je savais qu'il me serait impossible
de partir à New York à temps pour les empêcher de
la faire souffrir là-bas. En outre, financièrement, je
n'avais pas les moyens. (Et je me voyais mal prendre
un bateau pour l'Angleterre – où ? quand ? quoi ? –,
filer jusqu'à Londres et me mettre à courir partout dans
l'aéroport pour les retrouver avant qu'ils ne décollent.)
Je ne connaissais qu'une personne à New York, Marie-
Sophie, une amie que je pouvais toujours envoyer à la
Maison de Sade mais qu'ils réduiraient en paillettes

avant qu'elle n'ait le temps de battre une fois de ses longs cils (tandis que moi je suis robuste, par exemple). Quant à prévenir les policiers américains, j'en souriais tout seul en regardant le téléphone.

– Allô ? Yes, it's Oswaldo Smith. I'm calling from France. Yes. Veules-les-Roses. You know Normandy ? The war, and everything. Okay. Listen, some dangerous people have kidnapped my friend Fabienne and they want to kill her or something like that. I promise, it's true. To find them, you have to go to the Maison de Sade, in New York City I suppose, and ask for Cindy. Or Mister Spengler. Believe me, please. Please. Oh Lord, please don't let me be misunderstood.

Si je n'arrivais pas à mettre en branle la petite machine policière française, je pouvais toujours courir pour secouer l'énorme système américain. Alors j'ai tout de même appelé ma petite sœur, Valérie, qui habitait à l'époque dans le Luberon. Elle n'avait pas enfilé un uniforme depuis sept ans, mais était toujours plus ou moins considérée comme navigante à Air France et connaissait pas mal de filles qui travaillaient encore. Je lui ai demandé d'appeler tous ceux et celles qu'elle pouvait pour me trouver un vol à destination de New York. Dans les heures qui viennent, et pas cher du tout. J'y croyais autant qu'aux chevaux qui volent.

Dans le même genre, j'ai téléphoné à Florence, une amie parisienne qui bosse à Nouvelles Frontières. Elle m'a demandé si je ne préférais pas un aller-retour pour Jupiter en montgolfière, par hasard, parce qu'elle trouverait sans doute plus facilement. Mais elle m'a promis de faire son possible. Comme à ma sœur, je lui ai dit que je la rappellerais en début d'après-midi.

Ensuite, j'ai composé le numéro de l'agence, et je suis tombé comme d'habitude sur Claudine. Avant qu'elle

ne me passe le gros Gilles, j'ai voulu prendre la tem-
pérature : estivale.

– Il n'a pas trop gueulé, pour ma filature manquée ?

– Tu parles, il s'en fout. Il a reçu un paquet de fric
hier. Et il en attend le triple. Un gros truc, un mec qui
détournerait des bagnoles chez Peugeot. Il a mis Alombert,
Pieau et Champagne dessus. Il est sur un nuage, depuis
vingt-quatre heures. Et de toute façon, je crois que la
mère Persin commençait à le gonfler sérieux. Il paraît
qu'elle est radine, en plus.

– Parfait. Bon, écoute, il faudrait que je trouve un
moyen de me faire payer un voyage à New York. T'as
pas une idée ?

– Holà. Sans rapport avec la boîte ?

– Ça, je peux peut-être me débrouiller...

– Ah mais attends... Sa belle-mère habite là-bas,
tu sais ?

– Euh, non.

– Si. Et je crois me souvenir que c'est elle qui a la
montre de son père, qui est mort l'année dernière. Un
machin qui vaut une fortune. Il m'a dit deux ou trois
fois qu'il devait aller la chercher, mais qu'il n'avait pas
le temps. Je crois surtout qu'il a la trouille de se faire
choper à la douane. Mais il ne veut pas que la vieille
l'envoie, c'est trop risqué.

– Tu me fais marcher ?

– Non, sérieux. Il me semble, hein. Je voudrais pas
dire de connerie mais...

– Tu es une fée, Claudine. Merci.

– Je t'en prie, mon gros.

Malheureusement, avec le gros Gilles, ça n'a pas bien
marché. D'abord, il m'a passé un savon (que je savais
de principe, grâce à Claudine) pour l'échec lamentable
de la mission Persin. Ma requête n'a rien arrangé. En

quel honneur, un voyage à New York ? Je n'avais qu'à vider mon livret de Caisse d'épargne. Je pouvais me brosser, boire de l'eau et aller mendier chez les Grecs. Alors j'ai fait ce que je m'étais juré de ne pas faire (mais Compromission est mère de Réussite, disent les lâches et les traîtres) : je lui ai révélé que j'étais sur un coup bien plus important que Persin, une fille de bonne famille qui avait fugué. C'étaient des nobles, ils roulaient sur l'or, ils étaient prêts à tout pour récupérer leur petite Fabienne. Les du Val d'Orvault. S'il parvenait à les contacter, grâce à son puissant appareil de renseignements, ils n'hésiteraient sûrement pas à casquer. Je l'ai senti mollir sensiblement, et plus encore quand j'ai enfoncé le clou avec la montre (attention, malheureux !) que je pourrais récupérer au passage, puisque je serais sur place. Ce serait idiot de ne pas en profiter, hein. Mouais. Il verrait si on peut retrouver ces du Veau d'Orval, ça ne mange pas de pain, mais pour l'instant c'était toujours niet popov. De toute manière, j'avais le billet ? Et je comptais en trouver un comme ça, clac, comme un ticket de métro ? Revenez sur terre, Jaenada. Et je ferais mieux de rentrer tout de suite, pour reprendre sérieusement le boulot. Et j'avais intérêt à me tenir à carreau, maintenant. Tiens, il venait de virer le petit Taouf, par exemple. Dès son premier jour de filature, il s'était envoyé la pharmacienne nymphomane. Alors New York, on en reparlerait quand je serais descendu de la lune. Bon. D'accord. Au fait : du Val d'Orvault, chef. Du Val d'Orvault.

Sans lâcher le téléphone, j'ai appelé Anne-Catherine. Elle dormait, mais pour une fois elle avait laissé la sonnerie du téléphone et le son du répondeur, pour être sûre de ne pas me rater si je me manifestais. Je lui ai raconté les derniers rebondissements (douloureux).

Ce n'est pas elle qui regretterait la Bête. Elle était comme moi, elle ne savait plus s'il fallait continuer ou arrêter mais elle pensait qu'on ne pouvait pas balayer Fabienne de la table comme une miette de pain. En tout cas, les flics n'avaient toujours pas donné de nouvelles. Et France Info n'avait pas dit un mot, ni de Romans ni du reste – ce qui était, à la rigueur, plus normal. Après tout, la police devait se foutre royalement de tout ça. À part mes lettres débiles et mon coup de fil farfelu, ils n'avaient qu'un cadavre non identifié à se mettre sous la dent. Une bonne femme sans visage, près de Romans. Une miette, crac. Pas de quoi en faire un plat, on n'allait pas déranger la cavalerie pour ça. J'ai promis à Anne-Catherine de lui retéléphoner dans l'après-midi, et avant de raccrocher, elle m'a dit : « Si tu vas à New York, ramène-moi une robe d'occasion. Tu te souviens de la boutique Rose Is Vintage ? »

Enfin, j'ai réveillé Marie-Sophie dans son appartement de King Street. Il était quatre heures trente, là-bas. Elle a grogné, mais quand je lui ai dit que c'était important et urgent, elle s'est mise à rire (car s'il est bien quelqu'un qui n'a jamais à faire face à quoi que ce soit d'important ou d'urgent, c'est moi). Je lui ai parlé de la Maison de Sade. Elle ne savait pas ce que c'était, mais regarderait dans l'annuaire ou appellerait les renseignements new-yorkais, ou des amis sadomasos, avant de se rendormir. À tout à l'heure.

Il ne me restait plus qu'à attendre – ça me changeait. Je suis retourné au comptoir, j'ai terminé mon café et commandé une bière, pour estomper la légère gueule de bois de la nuit. J'ai prévenu Laurent que je n'étais pas tendre avec son téléphone : qu'il ne s'affole pas si le compteur battait son record. Quand François est arrivé, j'ai discuté avec lui des courses de l'après-midi à Chantilly. Ni Laurent ni lui n'ont fait la moindre remarque au sujet de ma tête de fantôme.

Je me suis éloigné de nouveau vers mon point de connexion avec le reste du monde, et j'ai appelé le PMU pour retrouver confiance en moi. J'ai mis cent francs placé sur Cash Is King dans le quinté, la quatrième course, comme me l'avait conseillé François la veille, ainsi que cent et cent sur Souviens-Toi dans la troisième. Dans mon élan, j'ai ajouté cent francs gagnant sur Pantouflard dans la sixième. Il me restait cinquante-deux francs.

Tout en continuant à feuilleter le *Turf* au comptoir, à la recherche d'une ancienne perfomance révélatrice qui me permettrait de dénicher un petit malin à grosse cote dans l'une des courses, j'écoutais tout ce qui se disait autour de moi (impossible de faire le papier efficacement dans ces conditions – après je m'étonne…). Personne ne parlait des coups de feu de la nuit, ni d'une quelconque agitation suspecte dans le village. Tant pis. J'aurais pu aller consulter le coiffeur aux petits espions multicolores, mais ça n'aurait servi qu'à confirmer ce que j'étais idéalement placé pour savoir (mieux que lui, pour une fois) : on avait tiré trois coups de feu, une voiture avait fait crisser ses pneus, était partie définitivement un quart d'heure ou une demi-heure plus tard, suivie d'une autre. Ensuite, la police était peut-être venue voir. Tout ça n'avait plus grande importance.

J'attendais la suite.

Près de moi, un jeune homme avec du matériel photo expliquait à Dudu le peintre son programme de l'après-midi. Normalement, il était spécialisé dans les mariages, les communions, les choses comme ça, mais aujourd'hui on l'avait engagé pour photographier un enterrement. Ça, ce n'était pas commun. Tu l'as dit. Et plus exactement, il était chargé de prendre des photos du cercueil. Eh ben. Y en a qu'ont de ces idées. Attends. La famille de la petite vieille de Fontaine-le-Dun à qui on rendait un dernier hommage avait pensé à ça pour une raison toute simple : toute sa vie, la petite vieille avait catégoriquement refusé de se laisser prendre en photo. Elle détestait ça, personne ne savait pourquoi mais c'était comme ça, elle était têtue comme une mule. On n'avait jamais réussi à lui tirer le portrait. Vous m'aurez pas. Alors comme c'est quand même pas possible de laisser partir quelqu'un sans garder au moins une image – quelqu'un qu'on aime, tu vois, c'est surtout pour elle qu'on veut qu'elle laisse une trace –, ils avaient eu cette idée astucieuse : photographier son cercueil. Au moins, elle ne pouvait plus se débiner, une fois dans la boîte. Bon, c'est pas terrible pour la ressemblance, un cercueil, mais c'est mieux que rien. On a tout de même fini par l'avoir, cette vieille entêtée.

Vers treize heures, je me suis décidé à rappeler ma sœur. Elle était désolée, mais tout ce qu'elle avait trouvé, c'était un vol mardi matin, à mille neuf cents francs aller-retour. Le prix, à présent, je m'en foutais. Pas la date. Mardi, je ne savais pas dans quel état serait Fabienne, mais je ne la trouverais certainement plus à la Maison de Sade. Partir à New York dans ces conditions, ce serait comme sauter d'un plongeoir de dix mètres quand il ne reste déjà plus que vingt centimètres d'eau dans la piscine qu'on a commencé à vider une demi-heure plus tôt. Merci quand même, ma sœur. Embrasse ton mari et mes neveux.

À Nouvelles Frontières, Florence n'avait pas pu faire grand-chose non plus. Elle me proposait un vol lundi soir, avec retour la semaine suivante, à mille quatre cents francs aller-retour. Ah, c'est bien, c'est pas cher. Mais dommage. Merci quand même, Florence. Embrasse Christophe.

– Attends. Tu es où, là, tu m'as dit ?

– À Veules-les-Roses, près de Dieppe.

– Ah. Bon, dommage.

Dommage, en effet. Parce que l'une des connaissances qu'elle avait jointes pour mon affaire venait de la rappeler. Elle travaillait dans une de ces agences qui vendent des billets à la dernière minute, à des prix massacrés, et lui avait proposé un aller-retour New York pour huit cent cinquante francs. Le côté « dommage », c'était qu'il fallait se présenter à l'embarquement à seize heures trente dernier délai. Alors le temps de... Le temps de quoi ?

– De revenir de Normandie, de préparer tes affaires, de prendre le billet, d'aller à Roissy...

– Où est-ce que je dois prendre le billet ?

– Bon, ça, elle peut se débrouiller facilement pour que tu n'aies qu'à passer en vitesse à un guichet de l'aéroport. Il faut que je la rappelle, mais...

– Le retour, c'est quand je veux ?

– Non. Attends, je t'ai noté ça. Voilà. Il faut que tu repartes de JFK dimanche soir, à vingt-trois heures cinquante-cinq locale. Holala... C'est pas pratique du tout, en fait. C'est même n'importe quoi, c'est pour ça que c'est pas cher. Laisse tomber. En plus, au retour, tu as une escale à Manchester.

– C'est pas grave, ça. J'arrive quand, là-bas ?

– Aujourd'hui, samedi, à dix-neuf heures trente. Heure locale, bien sûr.

– Écoute, pour huit cent cinquante francs, je le prends.

– Quoi ? Mais tu vas rester à peine une journée sur place.

– Tant pis. Il faut absolument que j'y aille, d'une manière ou d'une autre. Il est quelle heure, là ?

– Deux heures moins vingt.

– Si je pars maintenant et si je roule vite, j'ai le temps.

– Mais attends, Philippe, il faut que tu saches où prendre le billet !

– Tu peux joindre ton amie tout de suite ?

– J'en sais rien. Je pense, oui. Ou peut-être qu'elle déjeune.

– Bon, j'y vais, et je t'appelle dès que j'arrive à l'aéroport.

– Pauvre fou.

J'ai payé le téléphone et mes consommations, j'ai laissé quelques billets à François pour qu'il les donne à Madeleine dès qu'il la verrait (pour le petit déjeuner, le coup de fil à Anne-Catherine et les whiskies du premier soir, j'ai calculé approximativement, en espérant ne pas trop me tromper), je lui ai demandé de l'embrasser de ma part et de m'excuser auprès d'elle, je l'ai salué chaleureusement, ainsi que Laurent, Vanessa, Gérard Dudu et Philippe le moustachu, qui entrait au moment où je sortais, adieu à tous – j'avais passé des moments importants ici et ne reverrais sans doute pas de sitôt ces gens, les figures humaines de ce court et violent séjour qui me propulsait à New York (pour le prestige) –, et deux minutes après avoir quitté Florence au téléphone, je m'engouffrais dans ma Ford noire et fusais vers Paris.

C'est bien, comme ça. Depuis que les assassins ont déserté la maison, je bloquais. Et maintenant, je débloque.

Après tout, c'est la meilleure chose qui pouvait m'arriver – de ne pas avoir le temps de réfléchir, ni peut-être celui d'atteindre Roissy avant l'heure d'embarquement. Je peux me détendre et laisser au destin (ou au hasard – je ne connais rien à ces trucs-là) le soin de choisir pour moi. Je vais rouler le plus vite possible : si j'arrive à l'aéroport avant le décollage, je prends l'avion. Si j'arrive à l'aéroport après le décollage, je ne prends pas l'avion. Voilà, je ne reviendrai pas là-dessus.

Il était treize heures quarante-cinq. Un œil sur la carte et l'autre sur la route, j'ai suivi le même chemin que le jeudi soir, mais en sens inverse, sous une pluie cette fois battante, et beaucoup plus vite : la départementale 142 jusqu'à Yerville (en passant par Fontaine-le-Dun, où la petite vieille enrageait dans son cercueil), tout de suite à gauche en faisant élégamment crisser les pneus, la nationale 29 jusqu'à Tôtes, je braque à droite dans la poussière, bien, à fond maintenant, l'A1 jusqu'à Rouen, que je contourne sans décélérer, tout en dérapage, et l'A13 en ligne droite étourdissante jusqu'à Paris, en voyant défiler Louviers, Vernon, Mantes et Saint-Germain-en-Laye de part et d'autre de mon missile Ford comme des platanes sur une route de campagne, je rate la déviation vers la Défense et Roissy, je pile sur le périphérique pour redescendre à 100 km/h, il est quinze heures trente, bravo, c'est bon mais il ne faut pas se relâcher, heureusement il n'y a pas beaucoup de circulation, je double tout le monde jusqu'à la porte de Clichy, je ralentis pour penser à Anne-Catherine, si proche, rue Gauthey, Anne-Catherine, je veux la voir, je veux la voir, je l'aime, je veux la voir, il n'y a qu'elle sur terre, j'accélère de nouveau à la porte de Saint-Ouen, je monte sans crainte à 120 km/h, j'enrhume les radars, ma tête est déportée contre la vitre à cause de cette interminable courbe à droite, à la porte de La Chapelle je lâche mon volant pour me faire éjecter par la vitesse vers le nord, en direction de Lille, j'écrase l'accélérateur et laisse deux longues traces brûlées sur le bitume de l'A1 jusqu'à la sortie pour Roissy, À DROITE ! – je m'engage comme une torpille sur la bretelle et percute violemment l'arrière d'un gros camion jaune.

Il est quinze heures cinquante-cinq. Pas mal.

Mais je vois trouble. J'ai mal à la tête. J'ai la cage thoracique explosée. Le chauffeur du poids lourd descend et se dirige d'un pas qui fait trembler tout le nord de Paris vers ma Ford fumante, dont l'avant est à moitié enfoncé. A priori, il paraît sympathique. Il ressemble à Bruce Willis. Mais il paraît sympathique. Comparé à ma voiture au moteur compressé (qui ne pourra plus faire un mètre sans l'aide d'une dépanneuse), son camion n'a pas grand-chose – dès que j'en aurai le temps, j'enverrai une lettre de profonde amitié au constructeur de camions qui a eu l'idée d'installer un pare-chocs arrière assez bas pour que les voitures qui arrivent comme des torpilles ne soient pas arrêtées seulement au niveau du pare-brise.

Affligé, Bruce semblait bien plus préoccupé par l'état déplorable de mon véhicule (et le mien) que par la légère déformation du sien. Routier mon ami. Mon visage tuméfié et exténué pouvait prêter à confusion, mais apparemment, je n'avais pas de nouvelle blessure : rien d'abîmé, rien de cassé, rien de perforé. Comme l'heure tournait sans se soucier de mes problèmes, et comme je savais que j'étais entièrement en tort, je lui ai proposé un marché : je déclarais que j'étais entièrement en tort s'il acceptait de m'emmener jusqu'à l'aéroport, à cinq minutes de là. J'allais prendre un avion pour New York avec ma fiancée, c'était notre premier voyage aux États-Unis, elle en parlait depuis deux ans, elle devait être en train de pleurer devant le guichet d'embarquement, toute seule. Le bon Bruce n'a pas hésité. Il m'a aidé à pousser laborieusement ma Ford sur le côté de la route, ma chère vieille Ford noire que j'abandonnais là, question voitures il n'y avait qu'elle sur terre, je la regretterais toute ma vie (ou peut-être la retrouverais-je ? (mais oui, qui sait ?)), j'ai pris tout ce que j'avais d'important à l'intérieur, posé au-dessus du volant une feuille avec mon nom et mon téléphone, fermé la portière à clé, tapoté le capot dégoulinant d'une paume malheureuse, puis j'ai grimpé dans le camion jaune.

Pendant le trajet, j'ai rempli toutes les lignes qui me concernaient sur son constat, que j'ai signé pour qu'il puisse ensuite le remplir à sa guise. Le brave Bruce m'a dit de ne pas m'inquiéter, il se débrouillerait certainement pour faire retaper le cul de son bahut par un pote, et le constat resterait au chaud dans sa fouille. Il était seize heures douze à l'horloge électronique quand j'ai pénétré dans le terminal des départs. Le bon, en plus. Bruce, le ciel te le rendra – je lui glisserai un mot en passant.

Je me suis précipité vers une cabine pour appeler Florence. À seize heures quatorze, je sortais ma carte de crédit et une petite brune boulotte (en tailleur bleu) me tendait mon billet, que j'ai fixé un moment, d'un air vaguement incrédule je crois. De nos jours, c'est incroyable comme tout peut se faire facilement.

Je ne pensais plus du tout à Fabienne, mais à Anne-Catherine. Qu'est-ce que j'étais en train de faire ? Je partais à New York sans elle. Nous y étions déjà allés deux fois ensemble. Et si je ne revenais pas ? Si, une fois là-bas, je me faisais tuer comme un pauvre type ? Ou kidnapper à mon tour ? Ou emprisonner par la police locale ? Mais même s'il ne m'arrivait rien de dramatique (on ne sait jamais), je partais à New York sans elle. J'ai repéré le guichet où je devais me présenter à seize heures trente, d'accord, je me suis dirigé au petit trot (non sans une certaine grâce (due à l'état second dans lequel je me trouvais, je suppose)) vers la cabine la plus proche et j'ai téléphoné à la maison. Anne-Catherine était en train de dessiner. En deux mots, je lui ai confirmé que je partais. Elle a réagi faiblement. Je lui ai raconté ce qui s'était passé avec la Ford, qu'elle aimait autant que moi. Je lui ai demandé de noter « Maison de Sade, Cindy », au cas où les flics se réveilleraient subitement. Elle ne parlait pas beaucoup. Avant de raccrocher, elle m'a simplement dit, d'une voix triste et lointaine, de penser à sa robe. Chez Rose Is Vintage.

Toute la fatigue de la nuit passée à jouer au cow-boy me retombait dessus maintenant. J'avais du mal à respirer, du vide partout dans le corps, les jambes sans muscles et des brûlures dans les yeux. Je dormirais dans l'avion. Il me restait une dizaines de minutes. J'ai appelé le gros Gilles pour l'informer que j'avais trouvé un billet à huit cent cinquante francs et qu'il était actuellement dans ma poche. En entendant la somme, il a immédiatement accepté de me rembourser si je ramenais la montre de son père. Et que je sois malin, pour une fois, que je ne me fasse pas choper par les douaniers. Il m'a donné l'adresse de sa belle-mère, que j'ai notée en sachant que je n'aurais sûrement pas le temps de passer la voir. Il m'a appris qu'il avait réussi à localiser un certain Jules du Val d'Orvault, qui était bien le père de Fabienne, mais roulait sur la paille et sous la table plutôt que sur l'or. Cependant, sa femme Andrée tenait à récupérer leur fille – lui paraissait n'en avoir rien à foutre. Si on savait la prendre, elle lâcherait quelques billets pour qu'on lui ramène sa progéniture en cage. (J'espérais qu'elle en lâcherait plus d'un – et avant d'avoir remis la main sur Fabienne, que je n'avais pas du tout l'intention de lui livrer –, car même en supposant que je retrouve miraculeusement ma Ford à mon retour, il me faudrait pas mal d'argent pour lui redonner vie. Or à mon retour, je serais ruiné.) Je partais avec la bénédiction du gros Gilles, c'était toujours ça.

Après avoir jeté un coup d'œil à l'horloge, j'ai composé le numéro de Marie-Sophie. Elle était debout, cette fois. Elle avait trouvé l'adresse de la Maison de Sade dans l'annuaire (c'était à Manhattan, dans la 23ᵉ rue, entre la 8ᵉ et la 9ᵉ avenue), et s'était renseignée auprès d'un de ses amis noctambules : il s'agissait d'une sorte de bar de nuit sans grand intérêt où l'on frappait les clients.

Il me restait une minute, j'ai appelé Geny Courses. Souviens-Toi, que j'avais joué à cheval dans la troisième, n'était nulle part. En revanche, dans le quinté, Cash Is King était arrivé troisième : le cheval de François me rapportait trois cent soixante-dix francs pour cent francs de mise. La sixième n'était pas encore courue. Mon compte était donc remonté à quatre cent vingt-deux francs, et je pouvais encore espérer un exploit de Pantouflard.

Ragaillardi, je me suis mis en marche vers le guichet d'embarquement, presque plein d'une force nouvelle, mais je me suis arrêté brusquement à dix mètres de la dame et je me suis fait cette réflexion : Philippe Jaenada, né dans les Yvelines, tu es l'un des êtres les plus stupides que la terre ait portés jusqu'à maintenant.

J'ai foncé aux toilettes, j'ai attendu qu'un gros blond en bermuda ait fini de pisser dans l'urinoir et j'ai déposé, à regret, mon Beretta dans la poubelle.

Quand le Boeing a décollé sous la pluie, j'ai pensé que c'était l'une des premières fois depuis bien long-temps que je ne laissais pas un mot sur la table basse de mon salon avant de prendre l'avion. J'avais pris cette habitude après avoir entendu à la télé la fiancée d'un jeune homme qui avait péri dans le crash d'un DC 10 en Afrique. Elle disait, à peu près : « Il était si content de partir, si enthousiaste. C'était l'opposé de la mort. » Je n'aimais pas ça, l'idée qu'on peut mourir à l'instant où on s'y attend le moins, où on est plus vivant que jamais. Déjà, la mort n'est pas spécialement juste et aimable, même quand elle prévient de sa venue, alors quand elle attaque par surprise... Aussi, j'écrivais toujours ceci sur une feuille mise en évidence sur ma table : « Dans une heure, je pars à tel endroit en avion. Je sais que cet avion va s'écraser. Je sais que je vais mourir pendant ce vol. » Et je signais. C'était pour conjurer le sort, bien sûr, pour montrer à la mort que ce n'était pas la peine qu'elle se donne du mal, puisque j'étais au courant. Il faudrait attendre un autre moment pour me surprendre. Quand je rentrais, je déchirais le papier et ne passais pour un tocard aux yeux de personne. En revanche, si l'avion s'écrasait vraiment, alors là je passais pour un visionnaire de génie aux yeux de tous. Tous mes amis seraient sidérés et ne m'en regretteraient que davantage. Mais cela paraîtrait si incroyable que quelqu'un puisse avoir une telle prémonition, puisse prédire un accident d'avion (et sa propre mort) avec une telle assurance, une telle certitude, que ce n'est quasiment pas possible. Donc, en toute logique, si on laisse un mot de ce genre chez soi, l'avion ne peut pas s'écraser.

Bon, cette fois, je n'avais pas pu.

L'an dernier, il m'est arrivé ce qui arrive à beaucoup de joueurs – mais moi, c'est vrai. Ma mère, Marie, est

née le 30 juillet 1941. Depuis que j'ai l'âge de m'intéresser au tiercé (six ans), je joue sa date de naissance :
3 7 1 – ça pourrait être 3 7 5, mais quand on est petit,
on prend ce qui saute aux yeux. Je ne pariais pas régulièrement jusqu'à quinze ou seize ans, mais quand ça
m'arrivait, j'ajoutais toujours un ticket à mes jeux, 3 7 1.
De seize à trente-quatre ans, j'ai tenté ma chance dans
tous les tiercés que le PMU a faits, sans jamais oublier
de mettre cinq puis six francs sur le 3 7 1 (et si je ne
trouvais pas le temps de le jouer le matin, je mettais
dix francs sur le trio 1 3 7 l'après-midi). Quand, il
y a une dizaine d'années, j'ai lu *La Dame de pique*,
de Pouchkine, j'ai redoublé d'espoir et d'attention :
c'est dans ce livre qu'est révélé le secret pour gagner
immanquablement à un jeu de cartes dont j'ai oublié
le nom. Il faut jouer le trois, le sept et l'as – dans cet
ordre-là. Le destin m'encourageait, je devais persévé-
rer. L'année dernière, le PMU a organisé un quinté
sur un champ de courses de province, un mercredi, à
l'occasion du Grand National du Trot. Les quintés le
mercredi étaient encore assez rares. Et comme c'était
à perpette, peut-être à Reims, je n'ai pas fait attention.
J'ai cru que c'était une réunion ordinaire, je n'ai pas
fait le tiercé 3 7 1 auquel je m'accrochais désespérément depuis des milliers de courses. Évidemment, il est
sorti. 3 7 1. Je sais, c'est improbable, ça semble trop
cruel. Moi-même, quand on me raconte un truc comme
ça, je me dis que les gens sont prêts à n'importe quoi
pour se rendre intéressants. Mais qu'on me croie ou
non, il est sorti. Je me suis vu mourir à la seconde où
j'ai lu les numéros sur TF1, par hasard, après le journal. C'était possible ? Courir pendant trente ans après
quelque chose et le rater à l'arrivée ? Courir pendant
trente ans, le regard rivé sur un objectif, et se rendre

compte qu'on l'a dépassé et perdu à tout jamais parce qu'on a cligné des yeux au mauvais moment ? J'aurais sombré dans la plus profonde dépression, voire dans la folie rageuse, si une pensée déconcertante ne m'était pas venue inopinément à l'esprit. Et si je n'avais pas oublié de le jouer ? Si, pour la quatre ou cinq millième fois, j'avais mis ma petite pièce ce matin-là sur le 3 7 1 ? J'aurais touché six cent trente et un francs. Courir pendant trente ans pour toucher six cent trente et un francs à l'arrivée ? Ce serait bien pire – là, pour le coup, je ne m'en serais pas remis. Et même si le tiercé avait rapporté cinq mille francs : trente ans de patience et d'efforts pour gagner cinq mille francs ? Un drame. Non, ce n'était pas l'ignominieux démon de la malchance inconcevable, qui avait désigné mon crâne de son long doigt verdâtre ce mercredi-là, au contraire, c'était le doux séraphin du coup de bol inespéré, avec son petit index potelé. J'avais, en fin de compte, une chance insolente, mais j'avais pris énormément de risques : pourquoi m'étais-je acharné sur ces trois numéros depuis l'âge de six ans, qu'est-ce que j'avais dans la tête pendant toutes ces années, pour courir ainsi au désastre ? (Que je pense ou non à les jouer le jour où ils sortiraient, c'était la déconvenue assurée, la déception, l'effondrement.) Bon, il faut courir, j'imagine.

Si l'avion s'écrasait aujourd'hui, j'aurais plus de mal à trouver une parade pour me remonter le moral pendant la chute. Mais finalement, je crois que même si j'avais pu laisser un mot sur ma table basse, je me serais fait en tombant vers la mer, à une allure vertigineuse, la même remarque que si j'avais empoché les six cents trente et un francs du tiercé : « Tu parles d'une victoire… »

J'ai essayé de dormir après le repas, mais je n'avais pas la tête à ça. J'avais la tête à l'inquiétude, qui est au sommeil ce que le marteau piqueur est au silence : néfaste. En feuilletant le *Turf* (tiens, j'avais oublié d'acheter celui d'aujourd'hui, pour demain à Longchamp), j'ai appris la mort de Suave Dancer, peut-être mon cheval préféré parmi tous ceux que j'ai vus courir. Je n'ai pas raté une seule de ses courses, de la première, à laquelle j'ai assisté par hasard, à la dernière. Dès que j'apprenais qu'il était sur la liste des partants, je me rendais sur l'hippodrome, quel qu'il soit. Il a peu couru, mais j'ai toujours été là pour le voir, dans le Jockey-Club et dans l'Arc-de-Triomphe, entre autres, qu'il a remportés en survolant ses adversaires. L'annonce de sa mort m'a réellement attristé (c'est idiot mais c'est comme ça) – il ne courait plus depuis quelques années, mais il était encore jeune. Il a été tué par la foudre. Carbonisé par un éclair. C'est beau, pour un grand crack. C'est plus noble et prestigieux que la maladie ou la vieillesse. Voilà comment j'aimerais mourir, tiens. Comme mon idole, Suave Dancer. *Philippe Jaenada tué par la foudre.* Quoique… Quand on n'a pas une carrière glorieuse derrière soi, ça ne fait pas le même effet.

Je n'arrêtais pas de penser à la mort. C'est mauvais, en plein vol. Surtout quand on ne peut pas fumer pour se calmer. Et surtout quand on se souvient soudain, au-dessus de l'Atlantique, qu'on a rêvé deux nuits de suite d'un gros avion blanc qui descend en silence vers l'océan calme et patient, et que rien ne pourrait empêcher de continuer à tomber, puis de sombrer. C'est mauvais, toujours, d'être obsédé par des pensées de mort. Surtout quand on fonce à 7 ou 800 km/h, seul, sans arme et sans bagages, vers un point de chute lointain, tumultueux et hostile, où ne nous attendent que des ennemis armés jusqu'aux molaires et impatients de nous détruire.

Bien sûr, ce n'était plus comme si je sautais d'un plongeoir dans une piscine bientôt vide. Je savais que la piscine serait pleine. Bien pleine, même. Mais je ne me sentais pas sur un plongeoir. Je me sentais dans un avion. Je devais sauter d'un avion dans une piscine. Je n'allais pas la rater, c'était certain. Mais voilà, il était trop tard pour revenir en arrière, et j'avais l'impression d'être obligé de sauter sans parachute (parce que je n'en avais pas trouvé), avec l'espoir peu raisonnable d'en récupérer un avant d'arriver en bas.

Je n'ai pas réussi à dormir.

22

Attention !

Le taxi jaune à trente dollars m'a emmené de JFK au coin de la 23e rue et de la 8e avenue. J'avais à peine plus de vingt-quatre heures pour sauver Fabienne. Avant de sortir sur le large trottoir, dans l'atmosphère électrique et troublante de Manhattan (où l'on a le sentiment déstabilisant qu'à tout moment n'importe quoi peut vous tomber dessus de n'importe où), quand je lui ai donné quatre dollars pour le pourboire (c'est un peu compliqué, là-bas, on ne sait jamais si l'on donne trop ou pas assez), le chauffeur noir aux larges épaules m'a dit :

– Thanks, guy. Take care.

Il pleuvait. J'ai marché vers la 9e avenue et suis passé devant la Maison de Sade. De l'extérieur, ça ressemblait à un bar à putes : une façade noir et rouge, avec quatre hublots en miroir, probablement sans tain – en s'approchant, on devinait des lueurs rouges, derrière. Au-delà. Je n'ai pas traîné devant ces miroirs douteux : je me sentais observé. Depuis l'intérieur de ce bunker lubrique où j'allais devoir pénétrer pour rétablir crânement la justice, quelqu'un m'espionnait peut-être – Cindy, Spengler ou l'un de ses nombreux sbires dociles, prêts à mourir pour lui s'il le fallait, sous le feu nourri de mon Beretta (ah non, je ne l'ai plus (et « prêts à mourir sous mes coups de poing », ça sonne moins juste, je ne sais pas pourquoi)). Rien n'est pire, symboliquement, qu'un miroir sans tain. Il suffirait que je sonne à cette lourde porte pour passer de l'autre côté, mais je vais attendre un peu. J'ai besoin de me délasser après le voyage (normalement, dans ces cas-là, on prend une douche chaude puis on sort un whisky du minibar et on le boit sur son grand lit, une serviette blanche nouée autour de la taille, devant la télé de la chambre d'hôtel – mais là, il me manque à peu près tout), j'ai besoin de me familiariser avec le voisinage et les coutumes locales, je sens que c'est indispensable au succès d'une entreprise de ce genre. (Je connais Manhattan comme ma poche (puisque j'y suis allé deux fois), mais tout change tellement vite, ici, c'est dingue.) J'ai un peu de temps devant moi : la Bête disait au téléphone que ses comparses et Fabienne atterrissaient à Newark vers vingt et une heures. Ils ne seront pas ici avant vingt-deux heures, en supposant qu'ils viennent directement de l'aéroport. Et puis comment dire, ce bar sombre où l'on frappe les clients a un je-ne-sais-quoi d'impressionnant – à gauche de la porte, sous un panneau en verre, sont placardées des photos de sadiques cagoulés et de femmes écartelées. En temps normal, je me connais, je pénétrerais là-dedans comme dans une boulangerie de mon quartier. Mais aujourd'hui, je ne sais pas, je n'ai pas dormi depuis, combien, plus de quarante heures, c'est pas rien, alors forcément je suis assez faible, pâteux, je suis diminué, et déboussolé bien sûr, car je me trouve tout à coup à des milliers de kilomètres de ma France natale, où je me sens si à l'aise, en plus j'ai mal au ventre à cause de l'avion. Par voie de conséquence, je n'ose pas entrer tout de suite. (Je comprends mieux.) De toute façon, je n'ai plus de cigarettes. Je ne suis jamais entré quelque part sans cigarettes. Ce n'est pas aujourd'hui que je vais commencer. Pour l'instant, je fais demi-tour.

Je n'avais pu retirer que trois cents dollars au distributeur de l'aéroport. Ce serait certainement suffisant, mais j'essaierais de payer le plus de choses possible en carte de crédit. Bon, pas les cigarettes. Je suis entré dans l'épicerie qui faisait le coin avec la 8e avenue et j'ai acheté deux paquets de Camel. J'en ai profité pour prendre des chewing-gums, qui me donneraient peut-être l'air décontracté en cas de besoin, et un gros beignet gorgé d'huile pour me mettre au goût du jour. Quand je suis sorti de sa boutique, le petit Hindou en turban m'a lancé :

– Thank you, sir.

– Bye, ai-je répondu comme si j'avais parlé anglais toute ma vie.

– Bye. Take care.

La pluie s'était changée en une sorte de bruine tiède et grisâtre, comme si on pulvérisait de l'eau de vaisselle sur la ville. Après avoir avalé mon beignet, j'ai ressenti le besoin d'un peu de liquide à l'intérieur aussi, pour dissoudre au plus vite la pâte huileuse qui gonflait dangereusement dans mon estomac. J'aurais pu aller boire un Perrier à la Maison de Sade, entre deux tortionnaires vêtus de cuir et équipés de matraques à pointes, mais je ne digère correctement que lorsque je me sens en sécurité. Je suis passé devant la terrasse d'un café. Je me serais bien installé là, à regarder Buick et Cadillac défiler sur la 8e avenue, mais les chaises de plastique blanc étaient trempées (et à l'intérieur, c'était aussi accueillant que la chambre froide d'une boucherie). C'est con, les chaises. On en voit des dizaines par jour, la plupart du temps on n'y prête aucune attention, c'est fait pour s'asseoir dessus, c'est tout. Pourtant, quand on voit une chaise ou un banc mouillés, sur une terrasse ou dans un parc… C'est ennuyeux, bien sûr, parce qu'on ne peut pas s'asseoir, mais on ressent quelque chose de plus. Même quand on est en pleine forme, qu'on a des jambes impeccables et qu'on n'avait pas l'intention de s'asseoir, on éprouve toujours un étrange malaise à voir une chaise ou un banc mouillés, des flaques dessus. En ce qui me concerne, dans la vie de tous les jours, je trouve peu de choses aussi tristes, rageantes, aussi profondément cafardeuses qu'une chaise ou un banc mouillés. Ça me désole, ça m'emplit de mélancolie, de frustration et d'abattement, ça me fait penser à l'oubli, à l'abandon, à la disparition de la vie sur la terre. Je n'aime pas voir une chaise mouillée. Avec des flaques dessus.

Après avoir glissé un regard de touriste, depuis le trottoir, à l'intérieur de plusieurs cafés vivement éclairés dans lesquels je n'entrerai que lorsque j'aurai de gros biceps bronzés, des pectoraux rebondis moulés dans un tee-shirt blanc, des cheveux courts et une mâchoire carrée, lorsque je me rendrai tous les matins dans une salle de gym et que je ne boirai que du jus de carottes, lorsque je pourrai passer plus d'une heure devant un verre sans fumer et que mes poumons supporteront l'inhalation prolongée d'un air pur et frais, surventilé, auquel on a probablement incorporé des molécules d'eau de Javel, après m'être dit que je n'étais finalement pas si mal comme j'étais, après avoir fait le tour du bloc, par la 22ᵉ rue et la 9ᵉ avenue, j'ai fini par trouver un endroit qui me convenait dans la 23ᵉ, à deux cents mètres de la Maison de Sade. Ça s'appelait le Westside Bar, il y avait un long comptoir avec des tabourets, des clients habillés comme ceux du Saxo Bar à Paris ou du café des Voyageurs à Veules-les-Roses, des jeunes et des vieux mais pas trop de monde, on y buvait de la bière et du whisky, c'était sombre et enfumé.

Deux écrans fixés en hauteur diffusaient en direct des courses de chevaux de la côte ouest. Comme quoi, il n'y a pas de hasard – je ne sais évidemment pas qui a dit ça, mais je donnerais cher pour qu'il ou elle m'accorde une minute, car je n'ai jamais compris cette phrase. Je me suis assis sur un tabouret et j'ai commandé un whisky. Le barman m'en a conseillé un irlandais, car il était irlandais et affirmait qu'il n'y avait pas de meilleur whisky que le whisky irlandais. Et puis quoi encore ? (Mais je n'ai pas osé le contredire – and what again ? – car je ne manie pas bien la langue.) Il s'appelait Gerard. Voilà pourquoi le peintre de Veules-les-Roses ne s'appelait pas Philippe mais Gérard. Il n'était pas du coin, il était certainement irlandais.

Le whisky irlandais n'était pas terrible, mais je profitais enfin d'un moment agréable – ça faisait un bail. J'avais mal partout, aux jambes, aux chevilles, au dos, aux épaules, à la cage thoracique, à la tête, à la gorge, aux yeux, au ventre, aux hanches (ce qui est pourtant rare). J'essayais de m'imaginer sur un grand lit moelleux, devant la télé dans ma vaste chambre d'hôtel, après une bonne douche chaude. J'avais l'élément central en main, le verre de whisky, mais malgré tous mes efforts de concentration, les yeux fermés, je n'arrivais pas à reconstituer mentalement le reste. La sensation de douche chaude et le lit moelleux, ça ne venait pas. Au mieux, je parvenais à me voir avec une serviette éponge blanche autour de la taille, c'était assez facile, mais ça ne faisait que me mettre mal à l'aise, devant tous les clients du bar.

J'ai pris deux autres verres, il ne fallait pas que je traîne mais j'en avais besoin – pour pouvoir régler avec ma carte (même si je sais bien qu'ils sont moins regardants ici qu'en France, on n'est jamais trop prudent). Je regardais les courses au-dessus du bar, le 3 avait l'air bien, pleine peau, ça me démangeait. Rester à l'écart, ne pas pouvoir jouer, c'est une torture. Mais je n'ai pas de compte aux États-Unis.

Pour détourner mon attention du terrain de jeux inaccessible, j'ai engagé la conversation avec Gerard, comme j'ai pu. Je lui ai demandé s'il connaissait un endroit « cool » dans le quartier, pour boire un verre la nuit, un endroit confortable et chaleureux. J'espérais évidemment qu'il m'indiquerait la Maison de Sade, le bar le plus paisible et le plus sûr de tout Manhattan, l'un des rares établissements de New York où l'on ne risque pas de se faire refroidir par des criminels sans scrupules assistés d'une poignée de pervers en uniformes de cuir, mais non. Il m'a répondu que le Westside Bar restait ouvert jusqu'à deux heures et que je ne pourrais me sentir mieux nulle part ailleurs. J'étais bien d'accord avec lui, mais on ne fait pas ce qu'on veut. À ce propos, il était grand temps de partir, je n'avais que trop traîné ici à me détendre, comme n'importe quel type normal qui n'a personne à délivrer dans la soirée. Il était vingt et une heures vingt. Je devais arriver à la Maison de Sade avant mes adversaires, pour les prendre par surprise (qu'est-ce que je ferais en les voyant entrer ? – je n'en avais aucune idée et préférais ne pas trop me pencher sur la question car il est important de ne pas broyer du noir à quelques minutes d'un grand rendez-vous) et pouvoir préparer le terrain en me liant d'amitié avec cinq ou six personnes influentes et sympathiques, comme je savais si bien le faire.

J'ai pensé à téléphoner à Anne-Catherine, mais il me faudrait sûrement des tonnes de pièces de vingt-cinq cents, et surtout ça ne ferait que l'inquiéter davantage. Non, je l'appellerais plutôt quand tout serait terminé, quand j'aurais sauvé Fabienne et réduit les barbares à l'état de légumes – dans deux heures, disons. Elle serait soulagée.

J'aimais de moins en moins la méthode de la connerie à ne pas faire, que j'avais inventée à l'époque où je ne connaissais pas encore bien la vie, avant-hier. On en découvre vite les limites. Parfois, on sait pertinemment qu'on va faire une connerie, mais on n'a pas le choix. Or si on y pense (« Je ne suis pas dupe, je vais faire une connerie »), on est encore plus dépité. On se sent non seulement téméraire, ce qui déjà fout la trouille, mais idiot. Pour retrouver un peu de courage et d'estime personnelle, il ne nous reste plus alors qu'à mettre le maximum d'atouts de notre côté, tout en sachant que l'autre plateau de la balance sera toujours plus lourd. Je ne connais personne à New York, hormis Marie-Sophie. Mais quoi ? Je vais lui demander de m'accompagner ? De téléphoner à ses amis pour qu'on attaque en force ? Oui, tiens. Pas qu'on attaque, on est des gens civilisés, ses amis et moi, mais qu'on fasse face. En force. Max, Véronique, le Docteur et Fabienne entrent dans la Maison de Sade… et trouvent à qui parler. Nous sommes huit, les enfants. Eh oui. Rendez-nous Fabienne et on ne fera pas d'histoires. À vous de voir.

Il y avait un téléphone à côté des toilettes. Je me suis empressé d'appeler Marie-Sophie, pour qu'elle ait le temps de contacter sept brutes imposantes dans mon genre (ça ne se trouve pas comme ça), mais elle n'était pas là. Je n'avais pas à me plaindre, on ne gagne pas à tous les coups. Je n'ai pas laissé de message sur son répondeur, pour ne pas l'affoler inutilement. Moi de toute façon c'est fait, je suis affolé de manière irréversible, autant ne pas semer la panique dans mon entourage. Je vais me débrouiller, ce n'est pas si grave, je vais entrer à la Maison de Sade tout seul, rendez-moi Fabienne et je ne ferai pas d'histoires.

J'ai avalé une dernière gorgée de whisky et salué mon ami Gerard.

— See you, Philippe. Take care.

Ils commencent à me crisper, tous ces gens aimables et prévenants qui se font du mauvais sang pour moi. Take care, take care, j'ai compris. J'ai l'air si fragile ? Et même, ça va, je fais attention. J'ai rarement été autant sur mes gardes. Pas la peine de me mettre davantage la pression en m'avertissant du danger dès que je m'apprête à mettre un pied dehors. Je suis au courant.

J'ai avancé dans la 23e rue sur le même trottoir jusqu'à la porte noire et massive de la Maison de Sade. Il fallait entrer, maintenant, je n'étais pas venu à New York pour manger un beignet et boire du whisky irlandais devant des chevaux sur lesquels je ne pouvais pas parier. Mais je me sentais, comment dire, dilué. Poreux. Mon enveloppe corporelle ne semblait plus vraiment étanche, je fuyais de partout, comme si tout mon être voulait se désagréger pour échapper à l'épreuve. Il était indispensable que je me rassemble, pour pouvoir pénétrer d'un bloc à l'intérieur. Je me suis souvenu d'une chose dont m'avait parlé Anne-Catherine. Quand elle était petite (et parfois encore maintenant, je l'avais remarqué), elle se compressait le plus possible dans ses vêtements, en remontant ses collants aussi haut qu'elle pouvait, en serrant ses ceintures de pantalon ou de manteau jusqu'au dernier cran, à la limite du supportable. Je comprenais pourquoi.

J'ai sonné à la porte, après avoir serré toutes mes ceintures mentales jusqu'au dernier cran.

23

Un mercredi à Reims

Cher Journal,
Tu ne devineras jamais où je suis.

J'observe attentivement mon verre de whisky, car je ne me sens pas encore très à l'aise dans cet environnement nouveau. De toute manière, il fait assez sombre, je ne sais pas si je pourrais distinguer grand-chose autour de moi : ça risque de me faire peur plutôt qu'autre chose, il est préférable d'attendre que mes yeux se soient accoutumés à cet éclairage de bordel clandestin – juste quelques petites lampes rouges dispersées dans la salle, et deux néons du même rouge sombre au-dessus du comptoir auquel je viens de m'installer précautionneusement. L'homme qui m'a ouvert la porte n'était vêtu que d'un string de cuir noir et de deux lanières entrecroisées sur le torse. Il avait un clou enfoncé dans chaque joue, mais n'a fait aucune difficulté pour me laisser entrer – mes cheveux de psychopathe et mon visage de supplicié ont probablement joué en ma faveur. Ses cinq ou six collègues sont accoutrés de la même manière, tous en cuir ou en latex noir : les filles en string et soutien-gorge ou en combinaison moulante, les garçons en string ou en short trop serré, torse nu ou bardés de sangles. Ils et elles ont tous plus de métal dans la chair que de cuir sur la peau. Et plus de surface corporelle tatouée que recouverte. Une dizaine de clients sont assis dans l'ombre, à de petites tables vers lesquelles je n'ose pas encore porter mon attention. Je suis seul au comptoir. Ce n'est pas bon pour l'anonymat dont je rêve plus que jamais, mais je m'y suis dirigé tout droit, par automatisme, car je me sens toujours trop vulnérable assis à une table. En ce qui concerne l'ambiance sonore, elle n'est manifestement pas destinée à mettre le timoré à l'aise (ce qui va contre toutes les conventions) : d'une part, provenant du plafond, les ululements métalliques, graves et lugubres d'une musique composée par Lucifer et interprétée par le fantôme de Rommel, de l'autre et surtout, provenant du centre de la salle, les cris étouffés mais déchirants d'un type d'une soixantaine d'années, en costume très classe (le pantalon sur les chevilles), qu'une blonde énorme et déchaînée, en combinaison de latex, est en train de fouetter de toutes ses forces, le visage congestionné par la haine. On lui a enfoncé une balle de caoutchouc rouge dans la bouche, il est attaché debout entre deux pylônes, bras en croix. La furie blonde s'acharne sur lui avec une rage maladive. Je suis extrêmement nerveux. Ah ! si seulement j'avais mon Beretta.

Après un quart d'heure et deux verres, j'y vois plus clair et retrouve mon assurance légendaire. Finalement, en y regardant d'un peu plus près (lorsqu'on a relevé la tête de son whisky), c'est un endroit très kitsch et tristement toc. C'est juste un peu désolant pour les introvertis, les timides et les refoulés qui viennent se donner ici des émotions courtes et raisonnables entre deux cocktails au Malibu, qui tremblent une heure à leur table avant d'oser se lever, chancelants, avancer jusqu'aux pylônes centraux et attendre qu'un employé déguisé accepte de venir les ligoter et leur donner une correction, puis, trois minutes plus tard, remontent piteusement leur pantalon ou rabaissent honteusement leur jupe pendant que le ou la sadique d'opérette, tout sourires, leur tapote le dos d'une main affectueuse mais méprisante et les renvoie à leur place comme des chiens auxquels on vient de donner un sucre (eh oui, si vous voulez recommencer, il faudra revenir demain soir), sous les regards compatissants et supérieurs des autres clients – mais après tout ils font ce qu'ils veulent.

Aux tables, personne ne ressemblait à Max, et encore moins à Fabienne (seule la grosse blonde pouvait être considérée comme une version laide et vulgaire de mon ex-boulet, mais je n'imaginais pas un instant qu'ils aient pu kidnapper une femme en France pour l'emmener travailler dans un bar SM de New York, où les postulantes au poste de frappeuse ne devaient pas manquer). Ils n'étaient pas encore arrivés. Les clients présents, de plus en plus nombreux, appartenaient à toutes les catégories de la population. Il y avait des couples entre deux âges, quelques hommes seuls et visiblement complexés, deux petits groupes de filles d'origine chinoise, hilares et surexcitées, quatre jeunes cadres bien propres sur eux mais imbibés, à l'air crétin, qui venaient apparemment enterrer la vie de garçon de l'un d'eux, un petit Japonais, assis seul, qui se recoiffait fébrilement toutes les vingt secondes et ne lâchait pas des yeux la grosse maîtresse blonde, ainsi qu'une poignée d'habitués qui m'avaient rejoint au comptoir.

Les employés, effrayants de prime abord, paraissaient en réalité aussi inoffensifs que des bambins avec des dents de vampire en plastique. En se forçant, on pouvait éventuellement les prendre pour des tortionnaires endurcis et assoiffés de violence, à condition de se livrer au même genre d'effort mental que pour se persuader que ce sont bien Mickey, Donald et Cendrillon qui paradent dans les allées de Disneyland – il suffit de le vouloir très fort et d'avoir gardé une âme d'enfant. Quand personne ne réclamait de punition entre les pylônes, ils discutaient gaiement au bar, comme Cendrillon et Donald dans les vestiaires, de la nouvelle voiture de Machin, du crumble que Machine avait fait la veille, de la dernière bêtise de leur fils ou du régime de leur mère – si je comprenais bien. J'ai vu une jeune femme rousse en string de latex, bandeau sur les seins et talons aiguilles de quinze centimètres, les cheveux tirés en chignon sévère, avec un collier de chien à pointes, une cravache dans une main et un martinet dans l'autre, disparaître par une porte au fond de la salle et revenir dix minutes plus tard en tee-shirt rose trop grand, jean délavé et baskets préhistoriques, les cheveux défaits (mi-longs, coupés un peu n'importe comment), pâle et fatiguée, soulagée d'avoir terminé, le visage aussi aimable et innocent que celui d'une étudiante en écologie.

Une seule des filles ne ressemblait pas à une figurante costumée qui fait tranquillement ses huit heures. C'était une blonde très maigre, elle aussi en string et soutien-gorge, au corps cassant et aux traits tirés, qui laissait sur son passage une trace de malheur et de résignation. Elle ne parlait à personne, n'échangeait pas de regards avec ses collègues et se traînait d'une table à l'autre pour enlever les verres et nettoyer avec son éponge et son torchon, affectée exclusivement au ménage. Pour mettre un peu d'animation quand aucun des clients ne se levait pour se faire fouetter, c'est elle qu'on allait chercher et qu'on attachait entre les pylônes. L'un de ses collègues masculins la battait, sans lui dire un mot, puis elle retournait à son travail. À voir, ce n'était pas la même chose qu'avec les petits messieurs faussement penauds ou les dames rougissantes en quête de frissons faciles. C'était douloureux.

Tous les consommateurs n'étaient pas là pour qu'on leur malmène l'arrière-train. Certains préféraient se contenter de regarder. Les hommes semblaient apprécier particulièrement le spectacle des jeunes Chinoises américanisées offertes aux coups : elles y sont toutes passées les unes après les autres (en relevant leurs jupes plissées, comme il se doit, sur des culottes de coton blanc qu'on leur permettait de garder), volontaires et dociles, la tête baissée sur la poitrine, poussant de petits cris d'oiseau chaque fois que le fouet du maître occidental – et beau et musclé – s'abattait sur leurs fesses coupables. S'il n'avait pas été évident qu'elles venaient ici avec enthousiasme entre filles de bonne famille, une fois par mois ou par an, simplement pour se dévergonder (rien de tel que la honte pour aiguillonner le plaisir) et retrouver à peu de frais les saines valeurs (l'homme a tous les droits sur ce qui se trouve sous la jupe de la femme) qu'avaient abandonnées leurs parents en émigrant vers la tiède et bien-pensante Amérique, n'importe qui aurait pensé qu'elles étaient salariées par le patron du bar, tant elles paraissaient faites pour le rôle. Quand l'une d'entre elles s'avançait vers la potence, se laissait ligoter et trousser, recevait humblement le fouet puis retournait rejoindre ses amies à leur table en baissant les yeux mais sans pouvoir dissimuler un sourire de contentement, bien des clients se raclaient la gorge et buvaient une gorgée de leur cocktail – « On dira ce qu'on veut, ils savent vivre, dans ces pays-là ».

Après une ou deux Chinoises et un sexagénaire confus, ça devient lassant. Je surveille la porte. L'avion en provenance de Londres a dû prendre du retard. Je me sens seul. Tout ici est faux.

Un gros Noir de courte taille, avec un costume gris en forme de cube et des chaussures bicolores, fait son entrée flanqué de deux gamines blondes, dont la plus petite doit mesurer un mètre quatre-vingts, qui auront l'âge de fréquenter cet endroit quand la plupart des autres clients seront morts. Elles portent des robes soyeuses et légères, l'une rouge l'autre jaune, qui leur arrivent à mi-cuisses. Lui ne ressemble pas à un mac ni à un milliardaire qui s'offre une jeune pute de luxe de chaque côté comme une femme de belles boucles d'oreilles, on dirait plutôt que c'est un gentil routier endimanché qui vient de les gagner à un concours. Ils s'installent à une table près des pylônes, il commande une bouteille de champagne et, après une flûte, les deux fillettes vont se faire enchaîner et flageller l'une après l'autre par la grosse blonde en colère. La première porte un string en dentelle blanche, l'autre pas de culotte – elle a la chatte rasée. Après que la maîtresse rougeaude leur a zébré le cul chacune leur tour, elles se recoiffent, aussi émues que si elles venaient d'acheter un ticket de métro, s'éloignent vers deux employés mâles au torse imberbe et bronzé, et n'accordent plus un regard au routier chanceux. Resté seul avec les trois flûtes et la bouteille, désemparé, il prend sur lui pour accepter son sort.

Il y avait à présent beaucoup plus d'agitation au comptoir. On y discutait comme dans n'importe quel bar de nuit chic, à Paris ou à New York, en dédaignant le cirque pathétique qui se déroulait dans le reste de la salle. Ici, des jeunes gens élégants et creux en toilettes coûteuses, aussi bien coiffés que manucurés, sirotaient toutes sortes de vodkas parfumées en travaillant de jolis gestes superflus et en s'interrogeant sur le goût de la dernière-née d'Absolut ou sur la nouvelle coupe 2010 de Crysta Jonkova. Ils se touchaient et s'embrassaient sans cesse. Un seul et même véritable sentiment semblait les animer tous, une seule lueur sous les beaux cheveux, la haine de ceux et celles qu'ils touchaient et embrassaient. Mais après tout, certains se regroupent bien par amitié, alors pourquoi pas ?

Une sorte de trafic avait lieu d'un côté du comptoir à l'autre. Plusieurs fois, j'ai vu un client tendre un sac à la barmaid – une brune en latex d'une cinquantaine d'années, qui voulait en paraître quinze, mais que la peau de ses bras trahissait. Elle ouvrait le sac, examinait l'intérieur, l'emportait parfois derrière le bar puis revenait et tendait les billets verts au vendeur – ou, si c'était une livraison de petite valeur, notait sur un carnet ce qui pouvait être un crédit à boire, ou quelque chose de ce genre. C'était apparemment de la contrebande de troisième zone, surtout des cartouches de cigarettes. Dans un sac noir, j'ai cru reconnaître des flacons de sirop contre la toux.

Je ne comprenais pas la moitié de ce que disaient toutes ces répliques d'êtres humains, mais j'étais quasiment certain de n'avoir pas une fois entendu prononcer le nom de Cindy. La barmaid aux vieux bras s'appelait Linda (ou parfois Shosho (Chow-Chow ?)), la blonde brutale Sonia, et les deux autres serveuses présentes, Tina et Mandy. L'esclave maigre n'était jamais nommée par personne. Mais je ne la voyais pas servir de rouage central à un vaste mécanisme criminel. Cindy n'était peut-être qu'un mot de passe. Allais-je devoir l'utiliser moi-même ? (Il était vingt-trois heures, l'absence de mes adversaires devenait préoccupante.) Allais-je devoir demander à Linda si je pouvais rencontrer Cindy, au risque d'être immédiatement neutralisé par trois athlètes en string, traîné dans une cave et enfermé dans un sac ?

Peut-être pas. Je suis saoul, mais encore lucide.

Je ne reverrai jamais Fabienne. Je commence seulement à me l'avouer, assis face à mon mauvais whisky dans ce petit temple obscur de l'artificiel, mais je le sais au fond de moi depuis un moment déjà. Depuis l'avion, depuis que je me suis souvenu de mon rêve de lente catastrophe, depuis que je me suis laissé posséder en vol par toutes ces pensées de mort. Je sais que je ne parviendrai pas à sauver Fabienne, il est trop tard. Depuis que j'ai pensé au tiercé de la date de naissance de ma mère. Je le savais en me remémorant ces courses, du mercredi à Reims, mais les avions vont vite, j'ai couru en descendant du Boeing, j'ai montré rapidement mon passeport au cerbère de la douane et je me suis élancé tout droit vers Manhattan, je suis passé sous le tunnel, j'ai bondi hors du taxi sous la pluie, j'ai fait le tour du pâté de maisons en m'arrêtant pour boire un verre et surtout ne pas trop réfléchir, puis je me suis engouffré dans cet endroit lugubre hors d'haleine, éreinté, pas rasé depuis quatre jours, je viens chercher ma victoire – mais tout ici est trop synthétique, truqué, qu'est-ce que je fais là ? Il n'y a rien ni personne, ici, les fantômes jouent mal, même les tables et les murs semblent illusoires, comment puis-je espérer y retrouver Fabienne ? La personne la plus réelle, la plus vivante, est l'esclave misérable qui passe son temps à nettoyer et à se faire battre. Tout le reste est factice, et moi j'attends là. Rien de tangible autour – un mercredi à Reims. J'ai atterri dans le vide, et je dégringole tout seul dans l'immatériel. Je ne trouverai rien. Je ne trouverai même pas de parachute, je l'ai peut-être laissé passer quelque part en clignant des yeux, je n'en sais rien, je ne trouverai rien de solide ici, rien à quoi m'accrocher. Je ne trouverai plus rien ici. Je me demande même comment je réussis à attraper mon verre sans que ma main passe au travers.

Je vais quand même attendre jusqu'à la fermeture.

24

Une belle femme tombée du ciel

Sonia, la grosse décolorée au regard impitoyable, commence à me tourner autour. Je suis bizarre. Je suis au comptoir et ne fais pourtant pas partie des habitués du lieu. D'un autre côté, on dirait que je ne m'intéresse pas beaucoup aux braves gens qui se font stimuler le derrière. Ça l'intrigue. Je dois chercher quelque chose. Son instinct ne la trompe jamais. C'est certain, je cherche quelque chose.

— Tu veux une fessée ? me demande-t-elle en anglais.

Je ne sais pas où j'ai appris ça, mais je me souviens que « spank » veut dire « fessée ». Cependant, non, je ne veux pas de fessée. Je n'ai pas envie de grand-chose, en ce moment, mais surtout pas d'une fessée. Ou de la part d'Anne-Catherine, alors. Pour rire. Oui, à bien y réfléchir, rien au monde ne pourrait me faire plus plaisir à l'instant présent qu'une fessée d'Anne-Catherine.

Mais d'imaginer cette blondasse adipeuse qui se prend pour une terreur, engoncée dans sa combinaison de latex comme un foie de veau dans une capote, en train de me claquer rageusement les fesses en serrant les dents, cramoisie, en grognant que je suis un vilain garçon et en secouant sa grosse tête en sueur, me retourne le cœur. Même si elle m'avait demandé : « Tu veux que je te caresse la joue ? », j'aurais refusé.

Elle croit que j'ai honte de me faire châtier devant les autres clients, ou bien que j'ai envie d'un truc spécial, réservé aux vrais amateurs et qu'on ne peut pas administrer en public (il y a des lois), le Super Traitement de la Redoutable Sonia. En articulant de son mieux (car même si je n'ai répondu que « No, thank you », elle a instantanément deviné que j'étais français (on ne peut pas lui enlever ça, elle a un instinct du tonnerre)), elle me fait comprendre que si j'ai quelques billets en poche, elle se fera une joie de m'entraîner dans une arrière-salle dont elle me désigne la porte, là-bas, au fond à gauche, et de me conduire jusqu'aux sommets de la douleur. Ma foi… Non, finalement, non. Ou alors j'y vais et, une fois enfermé avec mon charmant guide dans l'antichambre de la gaie souffrance, je lui pose une ou deux questions à propos de Cindy (si elle réagit trop vivement et menace de me livrer aux gardes, je l'assomme d'un puissant coup de tête, après avoir pris plusieurs pas d'élan). Ou mieux, je peux lui demander maintenant, devant tout le monde. De toute façon, elle n'existe pas. Ou moi, je ne suis pas vraiment là.

– Do you know Cindy ?
– Who ?
– Cindy.
– Wait a minute, Frenchie.

Elle contourne le comptoir, l'air soucieux, et entraîne Linda la barmaid vers le fond du bar. J'essaie de me rappeler ce que je viens de lui demander. Oui, c'est bien ça. Je lui ai demandé où était la cave, afin qu'on puisse m'enfermer dans un sac. Je ne bouge pas de mon tabouret. Je suis presque serein. Malgré les apparences, je suis en position de force, je suis sûr de faire une bonne opération : si la Maison de Sade n'a rien à voir avec les tueurs, ils ne connaissent pas de Cindy et ça s'arrête là, je pourrai ressortir sans une égratignure ; et si je viens effectivement de prononcer le mot de passe mortel, c'est bon aussi, c'est que je ne me suis pas trompé en venant ici, je suis bien à l'endroit où je peux retrouver Fabienne. Ensuite il y a le problème des égratignures, mais c'est une autre histoire. Je l'ai déjà dit, cette méthode de la connerie ne me convient plus du tout. Je suis au-delà. Par les hublots, on peut apercevoir le monde extérieur. La lourde porte est à vingt pas. À trente si on n'a pas dormi depuis des lustres. À quarante si, en plus, on a trop bu.

Quand Sonia la Dure réapparaît derrière le comptoir et revient vers moi, je m'attends à tout – et ne suis prêt à rien en retour. Elle a l'œil légèrement vitreux. Elle sourit. Elle me caresse la joue.

– Sorry, baby. Nobody knows any Cindy in here.

– Ah.

– So… Did you change your mind ? About the good old spanking party ?

Elle revient à la charge avec insistance. Je suis sans doute trop timide ou je bafouille trop en anglais pour m'être bien fait comprendre. Pendant qu'elle continue à me vanter les mérites de l'amour cinglant (discutables, mais je n'ai pas envie de discuter), de la raclée, de la volée, de la peignée, du pincement de mamelons et de la torsion de couilles, je me concentre sur sa réponse à propos de Cindy. Comme n'importe quel individu sensé, j'ai toutes les raisons de ne pas croire un mot de ce que dit cette mégère vicieuse. Cela dit, étant donné que personne n'est venu m'enfoncer un revolver dans les reins, qu'aucun des grands mâles dévêtus ne s'intéresse pas plus à mon cas maintenant que tout à l'heure, et que Sonia continue à se comporter avec moi de manière naturelle (si l'on considère comme naturel le fait d'essayer d'entraîner quelqu'un dans une petite pièce pour lui taper dessus sauvagement), je peux espérer qu'elle ait dit la vérité – celui qui a un jour affirmé que c'est drôle, la vie, quand même, n'était pas le dernier des imbéciles : j'ai traversé tout l'Atlantique pour venir ici, et je me surprends à « espérer » que je me suis trompé d'endroit.

J'en suis à me demander pourquoi je ne suis pas déçu, effondré que personne ne connaisse de Cindy ici, en dévisageant la dominatrice bouffie (qui se fait de moins en moins pressante, progressivement découragée par mon visage vide et niais), quand je sens une ombre froide passer près de nous. Je tourne la tête, mais trop tard. L'homme est déjà de dos et s'éloigne vers la porte. En marchant, il se gratte exagérément la tête. Je ne sais pas d'où il venait, peut-être des toilettes ou d'un local quelconque derrière le bar, mais je ne crois pas l'avoir vu entrer par l'allée principale, ni boire un verre au comptoir avant de nous frôler, Sonia et moi. Il est grand et mince, il porte un costume élégant. Des cheveux bruns et courts. Je n'ai vu Max que furtivement, jeudi à Romans, mais ça pourrait être lui, vu de dos. Ça pourrait aussi être cinq ou six millions d'autres individus sur terre. Le portier lui ouvre sans lui adresser la parole, il sort. Cette allure, tout de même. Cette coupe de cheveux.

Je me retourne vivement vers la barmaid Chow-Chow, pour lui tendre ma carte et régler les verres que j'ai bus jusqu'à présent (qu'est devenu le singe en moi ?), et pendant que je me retourne vivement, un feu d'artifice m'explose dans le crâne, trois réflexions simultanées : je me demande s'il est bien raisonnable de me lancer une nouvelle fois à la poursuite d'une ombre, je me rends compte que l'imposante maîtresse a disparu comme si une trappe s'était ouverte sous ses pieds pendant que je regardais ailleurs, et surtout je découvre une femme tombée du ciel assise au comptoir à un mètre de moi. Vingt dieux la belle église ! Je remets ma carte de crédit dans ma poche. Le plus étonnant, bien entendu, n'est pas la beauté de cette femme. Le plus étonnant est que cette belle femme assise à un mètre de moi ne se trouvait nulle part dix secondes plus tôt. J'en suis certain. Son visage, ses cheveux noirs, sa robe rouge, son allure indolente et sûre d'elle, je sais que même ivre, épuisé et harcelé par une grosse sadique, je les aurais remarqués. La seule explication aux deux énigmes simultanées qui m'égarent, c'est que Sonia se soit assise sur le tabouret pendant que je suivais des yeux le grand mince qui se grattait la tête, et que cette belle femme soit Sonia. Eh non, ça ne colle pas. Même aux États-Unis d'Amérique, une énorme blonde laide ne peut pas devenir une grande brune belle juste en s'asseyant. Bon, oublions l'énorme blonde laide, souhaitons qu'une trappe se soit ouverte sous ses pieds.

La grande brune belle, le visage tourné vers moi, observe pensivement le pied de mon tabouret. J'éprouve une drôle de sensation en la regardant du coin de l'œil. Elle est belle, je ne peux pas dire autrement, c'est une évidence, comme c'est une évidence que l'herbe est verte, que la nuit est sombre, que les enfants sont petits, que les fusées sont rapides, que les vieillards sont ridés, que la neige est froide et que le ciel est bleu quand il fait beau – elle est belle, mais cette beauté ne me convient pas tout à fait. Elle m'embarrasse, me dérange, me heurte. Ses yeux absents ? Sa langueur ? Je la regarde mieux. Quelque part dans cette beauté se cache quelque chose de méchant. Inscrit dans cette beauté. C'est peut-être du côté de la bouche. Je ne sais pas. Elle a la bouche molle.

Je la regarde, je la regarde, et je me dis que le plus étonnant, ce n'est pas qu'elle ait surgi du néant et se soit matérialisée sur ce tabouret pendant que j'avais la tête tournée. Ça, c'est presque de l'ordinaire, du mystère de pacotille, comparé à ce que je suis en train de réaliser. Le plus étonnant, et de loin, c'est que cette grande femme brune et belle à bouche molle qui vient d'apparaître à côté de moi, je la connais.

25

La grande à bouche molle

Je la connais. Mais je ne sais plus d'où. Je ne pense pas que ce soit à cause de l'alcool ou de la fatigue, ça m'arrive sans arrêt. Je croise une personne dans la rue et j'hésite à la saluer, car je ne me rappelle plus s'il s'agit de ma voisine du dessus, d'une grande star de cinéma, d'une fiancée de ma jeunesse, de la femme qui invite monsieur Marie à partager sa pizza ou de celle qui m'a fait une prise de sang la semaine précédente. Je parviens rarement à m'en souvenir, mais le cas échéant, c'est généralement l'une des caissières du Super U de l'avenue de Clichy ou l'employée de ma boulangère.

Le problème, c'est que l'employée de ma boulangère est triste et réservée, elle n'est sûrement pas venue boire un coup dans un bar sadomaso à six mille kilomètres de son lieu de travail. Qui peut bien être cette grande à bouche molle ? Une actrice américaine ? Un top model ? Non, j'ai l'impression de l'avoir déjà vue de près. Une femme que j'ai croisée dans un dîner à Paris, l'amie d'un de mes amis ? Je ne crois pas connaître le son de sa voix – et surtout, je ne m'imagine pas un instant lui adresser la parole. Pourtant je l'ai déjà vue, en vrai. Et récemment. À Veules-les-Roses ? Impossible. À l'aéroport ? Non. Je sais. Ça y est, je sais. Je l'ai aperçue au

Mercure de la zone industrielle, près de Romans. C'est la grande brune en minirobe jaune que j'ai remarquée dans le hall de l'hôtel, le soir de notre arrivée. Ensuite, en me promenant dans le jardin, je me la suis représentée téléphonant distraitement à son amant, couchée sur son lit, devant un film à la télé.

C'est elle qui attendait à l'arrière de la Mercedes noire, dans le parking, assise à côté de Fabienne.

C'est Véronique. Elle est belle, elle a la bouche molle. Elle est grande, charnelle, un peu absente. Je ne l'ai pas bien regardée, dans le hall de l'hôtel.

– Vous cherchez Cindy ?

Elle a parlé en français. Elle sait qui je suis.

– Pardon ?

Ou alors Sonia lui a dit que j'étais français. Elle ne sait peut-être pas qui je suis. Mais Cindy, c'est bien ici.

– Vous cherchez Cindy, monsieur le justicier ?

– Je… oui.

– Je m'en garderais bien, si j'étais vous. C'est dangereux, Cindy n'est pas fréquentable.

– Je ne sais pas, je… je ne la connais pas.

– Vous ne m'apprenez rien. Peut-être cherchez-vous plutôt mademoiselle Hélène ?

– Qui ?

– Votre amie Hélène. Hélène Delatour.

– Je ne connais pas d'Hélène Delatour.

– Eh bien, tout cela me paraît très compliqué. Vous ne trouvez pas ? Si nous allions en discuter dans un lieu plus intime, monsieur le justicier ?

– Je ne préfère pas, non. Je vais vous laisser. Je vais sortir d'ici.

– Je ne crois pas. Je suis très curieuse, j'ai envie de vous poser quelques questions. Et si je vous accompagne à l'extérieur, je crains que vous n'en profitiez pour me fausser compagnie. Je ne cours pas très vite, vous savez. Remarquez, ce n'est pas très grave. Je ne suis jamais pressée.

– Je n'essaierai pas de vous semer.

– Comme vous êtes amusant. J'ai appris à connaître les hommes, monsieur le justicier. Ils ne sont pas fiables. Croyez-moi, je préfère que nous allions discuter tranquillement, au chaud. Vous voyez la petite porte, là-bas ?

– Oui, mais je ne vous accompagnerai pas là-dedans. C'est la salle des tortures, je suis au courant.

– Des tortures, comme vous y allez… Quoi qu'il en soit, vous n'avez pas le choix. Vous pouvez vous mettre à hurler si vous voulez, vous pouvez vous précipiter vers la sortie, me sauter à la gorge ou vous rouler par terre, ça ne servira à rien. Et j'ai horreur de l'exubérance. Je ne connais pas tous ces pauvres clowns qui nous entourent, mais j'ai tout de même quelques bons amis ici. Ils vous empêcheront de vous donner en spectacle. Et ne vous faites pas d'illusions, aucun des insignifiants clients de cette maison ne songera à vous défendre, ni même à sortir pour alerter qui que ce soit. Bien, je crois que les présentations sont faites. Après vous, je vous en prie.

Cette femme n'a décidément rien à voir avec l'employée de ma boulangère. Je ne peux pas lutter, je suis coincé ici, le seul moyen d'avancer est de me diriger vers la petite porte de la salle des tortures. J'aviserai une fois là-bas, je pourrai peut-être lui donner un coup de poing si nous sommes seuls. Je me détache du comptoir, sous l'œil attentif de Linda la barmaid, passe entre deux jeunes gens vides et m'enfonce vers le fond de la Maison de Sade, suivi par celle après qui je cours depuis le début, Véronique. Personne ne s'occupe de nous.

– Entrez, monsieur le justicier, je vous en prie. C'est ouvert.

Avant de faire un pas à l'intérieur, j'y glisse la tête. Personne ne nous attend dans la pièce aux murs blancs. Que des objets, éparpillés sans ordre. Métalliques ou de cuir noir. Quelques fouets de différentes longueurs, deux martinets, deux cravaches, plusieurs matraques souples, des tapettes de matières et de formes variées, certaines agrémentées de petites pointes, des godemichés de toutes tailles, pour tous types de chattes et de trous du cul, des anneaux d'acier ou de caoutchouc pour la bite et les couilles, des menottes et des bracelets plus larges, reliés par des chaînes, pour les chevilles et les poignets, des pinces crocodile, des bâillons faits d'une balle de mousse et de deux courroies, une boîte pleine de longues et fines aiguilles, des gants cloutés (pointes vers l'extérieur), un « fauteuil » qui ressemble à une chaise électrique, une sorte de potence en X, en bois brut, fixée contre le mur du fond, avec de solides lanières aux quatre extrémités, sur la gauche un système de chaînes et de poulies, avec deux barres de fer réglables munies chacune de deux bracelets de cuir, une en haut une en bas, et au centre de la pièce, une table de gynécologie, avec des étriers classiques mais aussi de larges sangles pour maintenir les bras, les jambes, la taille et le cou.

Elle referme la porte derrière nous, j'examine le décor dans l'espoir de trouver un objet qui puisse me servir d'arme contre elle, mais je ne vois rien d'approprié. Je ne vais pas bondir sur un fouet et tenter de la mater avec. Je ne vais pas non plus la bombarder de gods lancés comme des poignards. Dès qu'elle a tourné le verrou, elle sort un petit revolver noir de son sac à main noir brillant, les deux assortis à ses cheveux.

— Pose ton sac là, dit-elle en désignant un coin de la pièce.

Elle attend que j'aie obéi, je laisse mon sac matelot contre le mur, puis elle me fait signe de m'installer sur la chaise électrique. Je m'exécute.

— On sera mieux ici, fait-elle d'une voix douce en s'asseyant jambes pendantes sur la table d'auscultation, comme on fait en attendant que le médecin ait enfilé ses gants. Ne perdons plus de temps. Qu'est-ce que tu sais ?

— Rien.

— Menteur.

— Non, c'est vrai.

— Je n'ai pas envie de t'attacher sur cette chaise, je n'ai pas envie de te faire mal, murmure-t-elle de la même voix chaleureuse, en posant son revolver à côté d'elle. Je n'aime pas la souffrance. Mais si tu m'y forces, je laisserai mes principes de côté. Alors sois honnête avec moi. Tu sais parfaitement que je peux faire ce que je veux. Commençons par le commencement. Comment t'appelles-tu ?

— Ernest.

— C'est original, ça. Ernest comment ?

— Gauthey. Ernest Gauthey.

— Je pense que si j'allais vérifier dans ton sac, je trouverais autre chose. Mais je vais faire semblant de te croire, pour que notre conversation démarre sur de bonnes bases. À vrai dire, ton identité n'a aucune importance pour moi. Où habites-tu ?

— À Paris.

— Hélène Delatour, c'était ta femme ?

— Qui est Hélène Delatour ?

— La rousse… enrobée, disons. L'un de mes amis vient de me confirmer que c'est toi qu'il a vu avec elle en France, à l'hôtel Mercure.

— Elle ne s'appelle pas Hélène Delatour.

347

– Je m'en doute. Mais qu'elle s'appelle Hélène Delatour ou Julie Dupont, je m'en fiche. C'était ta femme ?

– Non. Pourquoi « c'était » ?

– Que faisais-tu avec elle ? Tu trompes ta femme ?

– Jamais de la vie.

– Alors ?

– C'est une fille que j'ai prise en stop sur l'autoroute. Elle était un peu paumée, je ne voulais pas la
lâcher comme ça dans la nature…

– C'est très charitable de ta part. J'apprécie. Et c'est
pour elle que tu m'as suivie jusqu'ici ?

– Je ne vous ai pas suivie, je… je voulais essayer
de la sauver.

– Tu me plais de plus en plus. Non seulement tu es
plein de bonnes intentions, mais en plus tu es courageux.
C'est toi qui as descendu notre ami, en Normandie ?

– La Bête ?

– Tu tiens absolument à mettre un nom sur tout le
monde, hein ? C'est toi ?

– Oui.

– Alors ça, en revanche, c'est moins correct de ta
part. Ça ne me fait pas plaisir. J'ai horreur de la mort.
Mais enfin, tu as l'honnêteté de le reconnaître, c'est
bien. Tu n'as pas peur des conséquences ?

– Je suis fatigué.

– Pauvre bonhomme. Je suppose que tu as réservé
le même sort à notre autre ami, après avoir quitté le
Mercure ?

– Christian Laverne, oui.

– Un empoté, en tout cas. Tim est doué pour beaucoup de choses, mais il recrute n'importe qui. Par
conséquent moi aussi, tu me diras. Il est très difficile
de bien s'entourer. C'est pourquoi je reste le plus souvent possible sur le terrain. Mais je ne peux pas tout

faire. Bref. Même si c'était un empoté, cette mort non plus ne me fait pas plaisir. Mais il fallait bien que tu te défendes, je peux comprendre. C'est lui qui t'a amoché comme ça ? Pour tout te dire, je m'en fous. Bon. Tu as dû trouver des choses intéressantes, dans les poches de notre ami.

– Non.

– Allons, ne recommence pas à mentir. Tu ne vois pas que tu es entièrement à ma merci ? C'est la fatigue, sans doute.

– J'ai trouvé des choses, oui. Mais j'ai tout jeté.

– Ernest…

– Attendez, dis-je en glissant une main dans la poche intérieure de ma veste (elle n'ébauche même pas un geste vers le revolver posé près d'elle). J'ai gardé quelques pages de son agenda. Son carnet d'adresses.

– Bien. Non, ne bouge pas, si tu es fatigué.

Elle se lève, laissant son arme sur la table d'auscultation, et marche jusqu'à moi pour prendre les feuilles que je lui tends, sur ma chaise électrique. Sa bouche molle me sourit. L'idée de lui sauter dessus pour l'assommer (ce serait sans doute un jeu d'enfant) ne me vient même pas à l'esprit. J'ai la tête qui tourne, je me sens lourd et perdu, incapable de quoi que ce soit. Elle me regarde droit dans les yeux, d'un air sincèrement compatissant. Elle dégage une légère odeur de cerise.

– Tu as prévenu la police ? demande-t-elle d'un ton machinal en retournant s'asseoir sur la table.

– Non.

– Pourquoi ?

– J'ai tué deux hommes, j'avais peur des ennuis.

– Tiens, tu es comme moi. Je déteste les ennuis, moi aussi.

– De toute façon, je ne crois pas que tout ça les intéresse beaucoup. Si vous voulez savoir, je leur ai écrit quelques lettres.

– Ta franchise me touche profondément, Ernest. Et que leur racontais-tu, dans ces lettres ?

– Ce que je savais. C'est-à-dire pas grand-chose. Que vous aviez tué une femme, kidnappé une autre, près de Romans, que vous l'aviez séquestrée à Veules-les-Roses.

– C'est mince, en effet. Tu as donné des noms, toi qui y attaches tant d'importance ? Continue à être sincère, s'il te plaît. Je vais l'être, moi aussi : au point où tu en es, ça ne peut plus aggraver ta situation.

– Ceux que je connaissais, oui. Laveme, Spengler, Salordi, Max… et Véronique.

– C'est moi, Véronique ?

– Je pense, oui.

– Pourquoi pas. En résumé, tu ne leur as rien dit du tout. Des noms de villes, des noms de personnes… Rien. Et comment as-tu su que tu me retrouverais ici ? Simple curiosité.

– J'ai entendu la Bête parler à Spengler au téléphone, dans la maison de Veules-les-Roses.

– Quand tu dis ça, tu ne te rends pas compte à quel point c'est… Comment dire ? Vide ? Tu ne te rends pas compte que si tu disais : « J'ai entendu le Chien parler à Johnson au téléphone, dans la maison de Concarneau », ce serait la même chose ?

– Peut-être, oui. Si vous voulez. Mais… Qu'est-ce que vous avez fait de Fab… d'Hélène ? De Fabienne.

– Tu es un vrai sentimental, toi.

– Si vous voulez.

– Et aussi curieux que moi, on dirait. Je vais répondre à tes questions, tiens. Ça me changera. Qu'est-ce que tu veux savoir ?

– Où est Fabienne ?

– Je ne sais pas exactement. Quelque part sous terre, c'est tout ce que je peux te dire.

– Vous l'avez tuée ?

– Pas moi, non. Je ne tue jamais personne. Le Docteur s'est chargé de cette tâche.

– Mais pourquoi ? Où l'avez-vous enterrée ?

– Une question à la fois, s'il te plaît, je n'ai pas l'habitude de ce genre d'exercice. Elle est enterrée du côté de Veules-les-Roses, j'imagine. Il a fallu que le Docteur trouve un autre fossoyeur en dernière minute, après mon départ, puisque tu as eu l'impolitesse d'éliminer celui que nous avions prévu. Enfin, je me demande bien en quoi l'endroit où elle est enterrée t'intéresse. Elle n'est plus en surface, ça ne te suffit pas ? Tu aimerais aller jeter un coup d'œil, c'est ça ? T'appesantir un peu sur son cadavre ?

– Non. Je ne sais pas.

– Je ne te le conseille pas, si je peux me permettre. De plus, le cadavre en question n'a plus de tête.

– Quoi ? Mais qu'est-ce que… ? Pourquoi ?

– Calme-toi, Ernest. Que ton amie soit enterrée avec ou sans sa tête ne change rien. C'est la mort qui est insupportable. Et non l'état dans lequel on se trouve après. Heureusement, d'ailleurs…

– Mais pourquoi lui avez-vous coupé la tête ?

– Le Docteur a dû se résoudre à cette extrémité, si j'ose dire. Ton intervention inattendue et regrettable, quoique très louable, nous a forcés à accélérer la manœuvre opératoire. Dans l'urgence, l'efficacité prend le pas sur la délicatesse. Je t'assure que nous n'avions pas l'intention de nous livrer à un acte aussi barbare. Cela dit, sois tranquille, elle n'est pas morte par ta faute. Nous l'aurions tuée de toute façon, même si nous ne lui avions pas coupé la tête.

– Mais pourquoi ?

– Tu te répètes. Sois plus précis, Ernest. Plus inventif.

– Pourquoi l'avez-vous tuée ? Vous lui avez… pris quelque chose ?

– C'est bien. Mais dépêche-toi, je commence à me lasser de répondre à tes questions. Je te l'ai dit, ce n'est pas mon genre. Tu ne sais pas la chance que tu as.

– Vous vouliez… quoi ? ses yeux ?

– Allons. Est-ce qu'on tue quelqu'un pour lui voler ses lunettes ?

– Ce n'est pas rien, les yeux. Quoi, alors ? Ses oreilles, sa bouche ?

– Ne fais pas l'imbécile, je t'en prie.

– J'en ai marre. Elle est morte, et vous êtes en train de me faire jouer aux devinettes.

– Tu as raison, c'est bête. Nous voulions son cerveau. Voilà. Moi aussi, j'en ai marre. Tu n'as pas besoin de savoir tout ça.

– Vous avez pris le cerveau de Fabienne ? Mais qu'est-ce que… ? Fabienne se comportait de façon très bizarre, je ne vois pas ce que… Je ne dis pas qu'elle était idiote, au contraire, mais…

– Ne te mets pas dans des états pareils. Ta Fabienne ou une autre, tu sais… L'intelligence, la normalité, tout ce que tu voudras, ce n'est pas mon affaire. Ce qui m'intéressait, c'était le cerveau. Point.

– Et qu'est-ce que vous comptez faire avec ?

– Tu ne comprendrais pas.

– Je m'en fous, de ne pas comprendre ! Je veux savoir.

– Ne me parle pas sur ce ton. Tu as le droit d'être en colère, mais je ne saurais trop te suggérer de me respecter. Je ne sais pas si je te l'ai dit, je suis assez susceptible. Bref. Toute cette histoire est très compliquée, Ernest. Disons que la mort de ton amie va aider des gens.

– Qu'est-ce que c'est que cette connerie ? Vous allez me sortir l'éternel machin de la mort d'une personne pour sauver la vie de dix autres, c'est ça ?

– Non. Si ça ne tenait qu'à moi, je te l'ai déjà dit, personne ne mourrait. Mais on ne fait pas ce qu'on veut.

– Je suis au courant.

– Il y a là-dedans des intérêts qui te dépassent.

– Du fric, c'est ça ?

– Qu'est-ce que ça peut te faire ?

– Je veux savoir pourquoi vous avez tué Fabienne. Pourquoi elle ?

– Parce que la personne que nous avions choisie initialement s'est avérée inutilisable.

– Mais pourquoi être aller chercher quelqu'un en France pour ramener son cerveau ou je ne sais quoi ici ?

– Qu'est-ce que ça peut te faire, enfin ? Pourquoi, pourquoi, pourquoi, c'est tout ce que tu sais dire. Tu es un enfant, Ernest. Qu'est-ce que ça peut te faire, qu'on ait choisi une personne en France, au Japon ou au Burundi ?

– Vous voulez savoir ce que ça peut me faire ? C'était mon amie, comme vous dites.

– Et alors ? Si c'était l'amie de quelqu'un d'autre, tu t'en moquerais ? C'est sûr, tu ne poserais pas toutes ces questions, si c'était l'amie de quelqu'un d'autre. Ce n'est pas important, l'amie de quelqu'un d'autre.

– Si.

– Mais tu ne serais pas là.

– Vous me faites chier.

– Quoi ? glapit-elle, étonnée.

Je tourne la tête vers mon sac matelot, qui m'attend dans un coin. Je n'ai plus envie de rester ici, sur cette chaise électrique, entouré de ces instruments douloureux et ridicules. Je ne veux plus d'explications. Je suis déprimé, écœuré. Je veux ressortir.

— J'en ai assez. Je sais que vous ne me direz rien, de toute façon.

— Reste poli, je ne te le répéterai pas. Et ne sois pas injuste. Je t'en ai déjà dit beaucoup.

— Si vous voulez. Et vous avez raison, ça ne changera rien. Qu'est-ce que vous comptez faire, maintenant ? Me tuer, non ?

— Tu n'écoutes pas assez ce qu'on te dit, Ernest. Tu fouilles comme une belette, tu t'intéresses à des choses dont tu n'as pas à te mêler, des choses qui ne t'avanceront rigoureusement à rien, mais tu n'écoutes pas assez ce qu'on te dit. Je déteste l'idée de mort.

— Vous vous permettez quelques écarts, pourtant. Vos amis s'en chargent, vous allez me dire.

— Mes amis, oui. Mais j'assume la responsabilité de ce qu'ils font, puisque c'est moi qui le leur demande. Si tu préfères, je ne tue pas les gens, je les laisse mourir. Seulement quand il m'est impossible de faire autrement, cependant. Je ne suis pas Dieu.

— J'ai cru remarquer, oui.

— Merci. Moi, s'il ne m'est pas absolument indispensable d'éliminer quelqu'un, j'évite. Or il ne me paraît pas indispensable de t'éliminer. Tu n'as pas grande importance.

— Donc, vous allez me raccompagner jusqu'à la sortie de cette boîte de tocards, me serrer la main, et me laisser parcourir le vaste monde pour dénoncer le trafic que vous avez organisé avec vos amis Spengler, Salordi et compagnie. C'est ça ?

– Qu'est-ce que je te disais ? Tu n'écoutes rien. Fais attention, Ernest, ça pourrait te jouer des tours. Spengler et Salordi, comme tu les appelles, ne sont que des accessoires. Pour que tu comprennes mieux : si on retrouve l'arme du crime, disons un couteau plein de sang, est-ce que l'enquête est terminée ? Est-ce qu'on tient le meurtrier ?

– Non, mais on tient une piste. Et ça se remonte, une piste.

– Attends… Tu es en train d'essayer de me convaincre que je dois te tuer ? Tu es touchant, tu sais. Je t'aime bien. Allez, je t'accorde que l'arrestation de Spengler, de Salordi ou de celui que tu connais sous le nom de Max – et moi Tim – pourrait me causer quelque contrariété. Mais seulement parce qu'ils me sont utiles de temps en temps. Pas un flic sur cette terre ne pourrait me retrouver. Et je n'évoque cette hypothèse que pour te faire plaisir. Car pas un flic sur cette terre ne pourrait non plus mettre la main sur Spengler ou Salordi. Tu les connais, toi ? Encore une fois, sois plus attentif. Ce ne sont que des noms. Tu n'as rien d'autre que des noms. Et de vagues soupçons. Tu ne sais rien, comme tu disais si justement tout à l'heure – excuse-moi de t'avoir traité de menteur. Tu n'as aucune preuve. Aucune piste. Un cadavre sans visage, abandonné près d'un hôtel, et un cadavre sans tête, qu'il reste encore à retrouver – ce qui ne sera pas commode, à mon avis. Dès demain, Spengler et Salordi n'existeront plus que dans ta mémoire. Les maisons où ils vivaient, les endroits où nous sommes passés, seront vides, habités seulement par tes souvenirs. La police n'y trouvera rien de plus que tes souvenirs. Qui se dissiperont vite, tu verras.

– Vous êtes, quoi, la plus grande organisation criminelle du monde ? La mafia ? Le FBI ?

– Ne sois pas sarcastique, ça te va très mal. Nous ne sommes rien de tout ça. Et bien moins organisés que tu ne penses. Pour tout te dire, je suis toute seule. Je recrute mes amis, je leur demande des services, parfois je m'en sépare – tout le monde fait ça. Je ne suis qu'une femme comme les autres, peut-être un peu plus maligne. Et encore. Tiens, Véronique Vanier, si tu veux un nom.

– Sûrement...

– Tu vois. Je comprends que la disparition de ton amie te touche, mais tu ne peux rien y faire de plus que si elle était morte du cancer ou d'un accident de la route.

– Si vous le dites. Sur ces bonnes paroles, je vais vous laisser, puisque vous n'avez rien à craindre de moi. J'ai besoin de dormir, là. J'ai la migraine.

– Je n'aime pas que tu prennes cette attitude avec moi, Ernest. Je vais t'expliquer. Je t'ai dit que tu étais incapable de me faire grand mal, mais même si tu ne faisais que me déranger – qui me dit, par exemple, que tu ne me caches rien, que les deux braves garçons que tu as abattus ne t'ont pas confié certains détails plus compromettants avant de mourir ? –, si tu m'importunes un tant soit peu, je ne pourrais pas m'empêcher de t'en vouloir. Et ce serait regrettable pour toi. Comme je t'apprécie, je vais t'épargner ces éventuels désagréments. Ou, plus clairement, t'ôter l'envie de me causer des problèmes. Mais il me faut le temps d'étudier ton cas. Je vais t'emmener en lieu sûr, et j'aviserai pendant que tu profiteras d'un sommeil bien mérité – le décalage horaire ne me fait rien, mais je sais que ça perturbe certaines personnes plus fragiles. Je vérifierai ton identité, puisque tu y accordes tant de valeur, et je verrai s'il est possible, en localisant certains de tes proches, de te convaincre qu'il est nécessaire de rester tranquille. Si tu n'as pas de proches, ce qui est malheureusement le cas de bien des gens, je connais quelques moyens très efficaces – et indolores, je te rassure – de te rendre insouciant et docile jusqu'à la fin de tes jours. C'est-à-dire pendant très longtemps, je te le souhaite. Je te saurai gré de remarquer qu'il me serait infiniment plus simple et plus pratique de t'éliminer.

La grande à bouche molle se lève de la table d'auscultation, marquant ainsi la fin de cette conversation instructive, et ramasse mon sac matelot, qu'elle passe sur son épaule avec une petite mimique amusée. Puis, d'un signe de tête aimable, elle me désigne la porte. Je quitte péniblement la chaise électrique, balaie une dernière fois la pièce du regard, tous ces objets en cuir et en acier me font pitié, et j'avance vers la porte, dont je tourne moi-même le verrou. La grande à bouche molle est sûre de sa force. Moi, moins. Elle me tient. Je vais devenir fou s'ils touchent une oreille de mes parents, de ma sœur ou d'Anne-Catherine. Elle n'a qu'à plonger la main dans mon sac, ouvrir mon portefeuille en fronçant les sourcils, et ma vie est détruite. D'un autre côté, je n'ai aucune envie de passer le restant de mes jours à sourire bêtement, insouciant et docile. Bon, insouciant, à la rigueur, ça irait.

En sortant de la salle de torture, je suis accueilli par le grand Max, ou Tim, ou John, Sam, Jack. Il me lance un regard mécontent et réprobateur, le regard du type qui a une vessie de porc en travers de la gorge. Dans mon dos, sa patronne dit :

– On l'embarque. En douceur.

Il me prend par le coude, me plante ses ongles dans la chair à travers la veste, comme une fillette furieuse qui se venge discrètement pour ne pas se faire choper par la maîtresse, et me guide vers la grande porte de la Maison de Sade. Un gros bonhomme aux faux airs d'Helmut Kohl se fait corriger par Sonia la Terreur, qui gronde « Nasty little boy ! » Personne ne s'occupe de nous. J'aurai au moins bu quelques verres de whisky à l'œil.

26

Les oies sauvages

À l'arrière de la Chrysler qui nous emportait dans les rues éclairées de Manhattan, j'étais assis entre la grande à bouche molle, qui tenait mon sac sur ses genoux, et Max, Bill ou Tom. Il m'avait palpé des chevilles aux poignets en passant par les aisselles avant de me pousser à l'intérieur, sous le regard navré de sa patronne, qui avait eu plus tôt l'élégance de ne pas se donner cette peine inutile. À présent, il fixait la nuque du chauffeur – un petit frisé qui devait tendre le cou pour apercevoir la route au-dessus de son volant –, mais je sentais bien que c'était moi qu'il observait, intérieurement. Il ne me pardonnait pas d'avoir déjoué sa ruse luminaire. Vessie de porc, vessie de porc, c'était quand même bien trouvé. Ni d'avoir descendu si facilement le petit nerveux qu'il avait engagé. À ma droite, la grande à bouche molle, le visage tourné vers la vitre, regardait défiler les façades ténébreuses et humides des immeubles. Elle semblait apprécier l'atmosphère nocturne de cette ville.

– Calme-toi, Tim, a-t-elle dit froidement sans quitter la rue des yeux, sans même esquisser un mouvement de tête vers nous. Tu ne lui feras rien, c'est mon affaire. Tu serais plus avisé de t'en prendre à toi-même. Remarque, c'est aussi mon affaire.

Puis elle s'est replongée dans la contemplation muette des mystères de Manhattan. Je n'arrivais pas à réfléchir. Je ne parvenais qu'à me répéter « Tu n'as pas réussi à sauver Fabienne, tu as fait ce que tu as pu mais c'est raté, elle est morte à Veules-les-Roses », je butais sur cette pensée que je formulais de toutes les façons possibles, pour aboutir toujours à la même conclusion : « Dommage. » Il est trop tard. Quant à échafauder un plan pour revenir à une vie normale, je n'essaie même pas. Revenir à une vie normale ? J'oublie Fabienne. Je vois Anne-Catherine, assise dans notre gros fauteuil noir, dans le XVIIe arrondissement de Paris, rue Gauthey. Elle referme un livre et regarde l'heure sur le magnétoscope.

La Chrysler a descendu la 7e avenue, nous avons traversé Greenwich Village, où j'avais marché des heures avec Anne-Catherine, où j'avais mangé des trucs énormes avec Anne-Catherine, où elle avait trouvé le rideau de douche avec des poissons rouges que nous avons toujours à la maison, où je lui avais un jour faussé compagnie parce qu'elle m'énervait (je l'avais retrouvée deux heures plus tard, pâle et paniquée, son éventail à la main, plantée à l'endroit du trottoir où je l'avais laissée), nous avons coupé King Street, où habite Marie-Sophie, Canal Street, où Anne-Catherine avait cherché des lunettes dans toutes les boutiques toc qui se montent dessus jusqu'à Little Italy (je n'en pouvais plus de la suivre, il faisait une chaleur épouvantable, j'avais les jambes et les pieds en fusion, mais j'étais en train de me rendre compte que je voulais passer ma vie près d'elle), où moi j'avais acheté des cartes postales, puis nous avons obliqué vers l'est pour rejoindre le pont de Brooklyn, que j'avais refusé de franchir à pied avec

Anne-Catherine parce que son ancien mec avait pris de belles photos d'elle ici l'année précédente.

Le petit frisé a arrêté la Chrysler devant un immeuble assez luxueux de Brooklyn, sur une avenue très large, deux ou trois kilomètres après le pont. Un vaste espace vert et boisé, presque une forêt, s'étendait au-delà du trottoir d'en face. D'où était garée la voiture, j'ai réussi à déchiffrer le mot « museum » sur le panneau qui se dressait à l'entrée – il s'agissait peut-être d'un grand jardin botanique, ou quelque chose comme ça. Il me paraissait utile de savoir à peu près où nous nous trouvions.

Quand Bob ou Mike ou Stan a ouvert sa portière, sa patronne lui a ordonné de la refermer, ce qu'il a fait sans broncher mais manifestement mécontent.

– Quand est-ce que Morrison nous donne le cochon ? a demandé la grande à bouche molle.

– Demain, à vingt et une heures.

– Chez lui ?

– Oui.

– Bien. Morrison, c'est Spengler, m'a-t-elle gentiment expliqué.

– …, n'ai-je pas répondu.

Qu'est-ce que ça pouvait me faire, que Morrison soit Spengler ? J'étais prisonnier, quelque part dans Brooklyn, d'une bande d'assassins qui n'avaient pas de noms fixes et dont le travail consistait apparemment à échanger des cerveaux contre des cochons.

– Mais Gulick vous attend cette nuit à West Egg pour les certificats, a fait remarquer Pat ou Joe.

– Muldoon m'attend cette nuit, tu veux dire. De toute façon, c'est toi qu'il verra arriver.

– Pourquoi ?

– Eh bien parce que c'est toi qui iras chercher les certificats, tête de pioche.

– Mais pourquoi ? Il veut vous les remettre en main propre.

– Il n'a pas à vouloir ceci ou cela. Il te les donnera, point. Et s'il renâcle, dis-lui de me téléphoner ici, je le calmerai.

– Pourquoi n'y allez-vous pas vous-même, comme prévu ?

– Tim est un cousin à toi, Ernest ? me demande-t-elle en posant sur moi un regard las. « Pourquoi ? », c'est tout ce qu'il sait dire. Je n'y vais pas moi-même, tête de pioche, car je n'ai pas envie de te confier notre ami. Le temps que je fasse l'aller-retour jusqu'à Long Island avec Microbe, tu pourrais lui casser dix fois la tête. Je te connais. Tu n'aimes pas qu'on te rappelle ton incompétence. Et je te l'ai dit cent fois, tu es trop rancunier. Pas moi. Je ne veux pas qu'on lui fasse trop de mal, à ce petit Ernest.

– Mais vous n'allez pas avoir de problèmes ?

– Pour qui me prends-tu ? Je ne serai pas seule, d'ailleurs, Robert est là-haut. Et je crois qu'Ernest a compris qu'il ne gagnerait rien à faire le malin avec moi. N'est-ce pas, Ernest ?

– Oui.

Sans permettre à Dan ou Pete de discuter davantage, elle a ouvert sa portière, est descendue de la Chrysler avec mon sac à l'épaule et m'a fait comprendre que je devais la suivre, en me regardant fixement et en sortant son revolver de son petit sac noir. Pendant que je me traînais à l'extérieur, sous la pluie, elle a lancé au chauffeur :

– Sois prudent sur la route, Microbe.

Nous avons franchi une première porte vitrée, moi devant elle, puis, face à la seconde, elle m'a demandé d'appuyer sur l'interphone au nom de T. G. Cummings. La voix rauque et brutale de Robert a résonné dans le hall. Il avait un fort accent français.

– Yes ?

– C'est moi.

Une sonnette a retenti aussitôt, et j'ai poussé la porte.

– On prend l'ascenseur, je suis sûre que tu as mal aux jambes.

Exact. J'ai appelé l'ascenseur. En attendant qu'il descende, je me suis dit que la grande à bouche molle venait enfin de commettre une grave erreur. Car elle ne le savait sûrement pas mais je suis l'un des plus grands spécialistes français de la vie en ascenseur. Il y a quelques années, j'ai même réalisé une sorte d'étude (pour mon compte) à ce sujet. Je ne suis pas toujours très détendu dans le monde, mais alors dans un ascenseur, je n'en connais pas beaucoup qui soient aussi à l'aise que moi. Ça allait peut-être me servir.

– Quel étage ? ai-je demandé en me postant d'office près du panneau à boutons, à gauche.

– Septième.

– Eh ben… Heureusement que j'ai mal aux jambes.

– C'est amusant.

J'ai appuyé sur le bouton du septième étage d'un geste primesautier, comme si je montais tous les jours au septième étage de cet immeuble avec quelqu'un à qui je voulais faire visiter mon appartement, et en attendant que les portes se referment, j'ai commencé à siffloter. On allait voir ce qu'on allait voir.

Sans avoir besoin de me tourner vers elle, j'ai deviné que ce flegme soudain la désarçonnait et l'agaçait. Elle ne comprenait pas. On est comme ça, nous les timides et les maladroits, quand on décide de se lancer, de passer la frontière, on met le paquet. Et ça déroute tout le monde.

Quand l'ascenseur a entamé sa lente montée, je me suis carrément mis à chantonner – c'est le b.a.ba de la décontraction en ascenseur. « Par-dessus l'étang, soudain j'ai vu… passer les oies sauvages… » J'allais avoir besoin de toute ma science et de tout mon savoir-faire. Tout ce que j'avais découvert à propos de la vie en ascenseur, toutes les techniques remarquables que j'avais mises au point pour y paraître détendu et terrasser l'inconnu(e) qui effectue le trajet avec nous, il fallait que je m'en serve à présent au maximum, pour passer avec succès ce test suprême. Ce condensé serait sans doute grotesque, mais je n'avais pas envie de rencontrer Robert. Aussi, je me suis tourné vers le miroir et me suis recoiffé à deux mains. « Elles s'envolaient… vers le Midi… la Méditerranééééééé… »

– Calme-toi un peu, m'a-t-elle ordonné d'une voix sèche teintée d'un rien d'anxiété qui surprenait venant d'elle. Et puis ce n'est pas la peine de te faire beau, on ne va pas voir une princesse. On va voir Robert.

– « Un vol de perdreaux… »

– Et arrête avec cette chanson.

Je me suis retourné vers les portes, j'ai noté au passage son air tendu, déstabilisé – et j'ai noté également que nous étions déjà au quatrième étage. J'ai cessé de chanter mais poursuivi l'interprétation du classique de Michel Delpech en le fredonnant, comme un enfant à qui on interdit de s'exprimer. « Mmm mm mmmm, mm mm… mm mm mmmm. » Et là, espérant qu'il n'était pas trop tard, j'ai porté l'estocade. Le coup dont pas un seul caïd des ascenseurs ne se relève. En continuant à fredonner distraitement, j'ai entrepris de caresser le panneau à boutons d'un index machinal et rêveur : le mec qui est ailleurs, qui ne paraît pas se rendre compte qu'il est enfermé dans un endroit minuscule avec une personne qu'il ne connaît pas. Et qui, en la circonstance, pointe un revolver sur lui.

Elle n'a pas pu se retenir.

– Arrête !

En prononçant ce mot, elle a fait un pas dans ma direction et, de la main gauche, a essayé de me taper sur le bras pour m'empêcher de toucher le panneau à boutons. Mon bras a esquivé le coup et mon poing a fusé vers sa tête. Après son pas vers moi et son mouvement du bras gauche, et à cause du poids de mon sac matelot, inhabituel pour elle, elle n'était plus en appui solide sur ses jambes, elle n'avait plus la position et la stabilité nécessaires pour avoir le temps de rebraquer son arme sur moi et de me tirer dessus. Mon poing avait déjà fusé vers sa tête. Par instinct, j'avais visé la bouche, molle. Et tapé de toutes mes forces. J'ai senti ses lèvres et ses dents exploser contre les os de mon poing.

C'était la première fois que je frappais une femme (et même un être humain, si l'on excepte la Poisse, vaguement, et Frédéric Tailleur, qui avait dit devant tout le monde que je savais même pas c'est quoi un clitoris). Elle a été projetée contre la paroi de l'ascenseur, que sa tête a heurtée violemment, et s'est effondrée assise, à demi inconsciente. Elle avait une fricassée sanglante à la place de la bouche. Je suis très fort.

J'ai bondi sur le revolver qu'elle avait lâché en volant en arrière et j'ai appuyé sur le bouton rouge pour arrêter l'ascenseur, quasiment dans le même geste – un observateur mal réveillé n'aurait rien vu (« Ils sont deux ou quoi ? »). J'ai levé les yeux vers l'affichage à cristaux liquides : 6. Pas mal. J'ai écrasé le bouton 0. La grande à bouche broyée me dévisageait, complètement abasourdie. Bizarrement, je n'osais pas diriger le canon de l'arme vers elle.

Un instant plus tôt, je priais pour que cet ascenseur monte plus lentement, maintenant pour qu'il descende plus vite. Car lorsque j'avais entrevu la possibilité de l'assommer d'une manière ou d'une autre avant que nous arrivions au septième, obligé de réfléchir à toute berzingue, je m'étais bêtement imaginé en train de fuir tout seul – comme si je lui avais tapé dessus dans un couloir ou un escalier. Mais on ne reste pas en suspension au sixième étage, quand on se fait mettre KO dans un ascenseur. Elle fuyait avec moi, c'était désagréable. Et cette fois, pour combattre le malaise, je ne pouvais pas me mettre à chanter ou à caresser le panneau à boutons. Non, impossible.

J'aurais pu la prendre en photo, mais j'avais compris depuis un moment que ça ne servirait à rien. De toute façon, elle était barbouillée de sang.

Enfin, nous avons atteint le rez-de-chaussée. Quand les portes se sont ouvertes, j'ai réalisé que je lui laissais mon sac matelot sur l'épaule – une faute de blanc-bec. Je me suis prudemment approché d'elle, prenant sur moi pour pointer le revolver sur elle. C'était peut-être une précaution inutile : elle paraissait vraiment groggy. Mais je ne doutais pas de ses talents de comédienne. J'ai attrapé le fond du sac et j'ai fait glisser lentement le cordon le long de son bras gauche, comme si je craignais de la réveiller. Mais elle n'avait pas perdu connaissance. Elle a refermé les doigts pour essayer d'attraper le cordon noir au passage et j'ai tiré d'un coup sec, trop fort, lâchant mon sac qui est tombé derrière moi. Elle a replié une jambe, redressé le buste pour basculer vers moi, j'ai empoigné ses cheveux de la main gauche et lui ai envoyé un violent coup de genou dans la bouche, ou ce qu'il en restait. J'ai cru que je m'étais brisé la rotule.

Je lui faisais mal, à cette vipère.

Les portes se refermaient. J'ai tendu le bras qui tenait le revolver pour les rouvrir, j'ai appuyé sur le bouton de l'étage le plus élevé, le neuvième, j'ai ramassé mon sac et je suis sorti. Puis je me suis retourné vers elle et j'ai attendu, en la regardant. Elle était étendue par terre dans une position ridicule, désarticulée, les jambes largement écartées (l'une tordue, le pied coincé sous la cuisse), un bras sous le dos, l'autre replié sur le ventre. Je voyais sa culotte. Ses lèvres et ses gencives étaient en bouillie, un mélange de chair rouge, de pulpe rose et de dents cassées baignant dans le sang, emporté par le sang qui lui dégoulinait sur le menton, sur la poitrine. Elle a réussi à relever la tête pour me voir. C'est difficile à dire, à cause du magma sanguinolent qui remplaçait sa bouche, mais, quand les portes de l'ascenseur se sont fermées, il m'a semblé qu'elle me souriait.

27

La robe à rayures

Je suis sorti de l'immeuble en courant, j'ai hésité sur le trottoir – je pouvais foncer vers le jardin botanique, mais s'il fallait escalader une grille pour y pénétrer, je perdrais beaucoup de temps. De plus, la fenêtre de Robert donnait peut-être sur la rue : ne nous voyant pas arriver, il pouvait jeter un coup d'œil, m'apercevoir en train de courir vers le parc et descendre me cueillir pendant que je me débattrais comme un malheureux, mon pantalon pris sur un pic du portail. Je me suis donc élancé sur la droite, une douleur aiguë au genou. J'avais quelques secondes devant moi : la grande à bouche molle n'arrêterait sûrement pas l'ascenseur avant le septième étage, où elle pourrait ordonner à Robert de foncer sur mes traces. C'était l'une des raisons pour lesquelles je l'avais frappée une seconde fois dans la bouche, plus fort que la première, alors que j'aurais pu me contenter de la repousser. Je préférais qu'elle ne soit pas en état de me suivre : elle n'aurait rien pu me faire, puisque j'avais le revolver, mais j'aurais sans doute été forcé de lui tirer dessus. Et malgré tout ce que j'avais à lui reprocher, malgré l'assassinat de Fabienne, je n'en avais pas envie. Je n'aime pas la mort, moi non plus.

Mais quel plaisir, de lui avoir balancé mon poing et mon genou dans la gueule.

Je descendais le long de l'interminable avenue rectiligne que nous avions empruntée en voiture pour venir. Il ne pleuvait plus. En ralentissant, j'ai fourré le revolver dans mon sac. J'aurais bien voulu le jeter, pour ne plus rien avoir affaire avec tout ce qui concerne le crime, mais je prenais peu à peu conscience de ma situation : j'étais seul, exténué, français, et je courais dans Brooklyn au milieu de la nuit. Je n'y étais jamais venu, la population de cette partie de New York était certainement accueillante et pacifique, mais enfin tout était désert, tout devenait sombre et sinistrement délabré trois cents mètres à peine après l'immeuble de Robert, une voiture passait de temps en temps, venant de Manhattan, mais pas un seul taxi ne traînait dans les parages, et même si les apparences sont trompeuses, disait un type qui trouvait toujours une heure ou deux pour étudier les choses en profondeur, les rues désolées de Brooklyn sont bien moins rassurantes, la nuit, que celles de Manhattan.

Ce n'est pas une bonne idée, de continuer en ligne droite sur cette grande avenue. Robert ne pourra pas me louper. La bonne idée, ce serait de me faufiler dans une ruelle obscure et de me fondre dans le décor. Mais le problème avec les bonnes idées, c'est que tout dépend du point de vue : si on fait un pas de côté pour les observer sous un autre angle, on ne les reconnaît plus. Par exemple, on remarque que l'une des caractéristiques fondamentales d'une ruelle obscure, c'est d'être une ruelle obscure. Où n'importe qui peut se fondre dans le décor.

Luttant contre le désir de filer directement vers Manhattan (dont j'apercevais les lumières au loin, en face de moi), et celui, plus vif encore, de ne pas tomber sur des gens hostiles fondus dans le décor, j'ai plongé dans la première petite rue perpendiculaire qui se présentait sur ma droite. Ombres lugubres, laissez-moi aller en paix. Je suis gentil et je ne fais que passer. Vieux bâtiments fissurés, tenez debout. J'ai déjà mal partout, j'ai des bleus plein le visage et la rotule droite qui me lancine. Réverbères antiques, donnez tout ce qui vous reste. On voit rien, ici.

Après deux ou trois cents mètres parcourus sans respirer en milieu fantomatique, me décomposant sur place au moindre bruissement, me liquéfiant à la moindre ondulation de la nuit, j'ai pu reprendre sur la gauche, dans une artère plus large et mieux éclairée, et remettre ainsi le cap sur Manhattan et ses buildings qui protègent de tout, même du ciel – je me voyais là-bas, respirant enfin, au fond de cette jungle illuminée et pleine de vie, à l'abri, minuscule, caché dans ce gros cocon de fer, de pierre, de verre et de lumière. J'ai tourné une nouvelle fois à droite, dans une rue plus étroite et plus ténébreuse, puis à gauche, vers Manhattan, encore à gauche, puis à droite, et j'ai zigzagué ainsi dans Brooklyn, évitant de m'attarder sur les grands axes mais gardant toujours en point de mire l'île aux gratte-ciel, jusqu'à ce que je me retrouve devant une station de métro. Ouverte.

J'ai attendu plus d'une demi-heure en sous-sol, sur un banc. Les rares personnes qui flottaient sur le quai semblaient presque aussi fatiguées que moi, délavées et gazeuses, et aussi inoffensives que moi. J'écarquillais les yeux pour ne pas m'endormir. Je devais avoir l'air fou. J'essayais de penser. À ce qui m'était arrivé ces dernières heures, ces derniers jours. Fabienne était morte. Je pouvais rentrer. J'étais même allé trop loin, mais je ne savais pas. Comme si j'avais continué à jouer le 3 7 1 de ma mère pendant deux ou trois semaines encore après que les numéros étaient sortis, un mercredi à Reims. Je l'avais ratée. Elle était morte. Je ne pouvais pas oublier ça, me féliciter d'avoir échoué, comme pour le tiercé et ses six cent trente et un francs, je n'avais rien pour me réconforter d'être passé à côté. Je l'ai ratée, ça s'arrête là. Le pire, c'est que je ne pense pas que j'aurais pu la sauver, sauf si j'avais été quelqu'un d'autre, puisque j'ai l'impression d'avoir fait de mon mieux. Comme pour le tiercé. Alors je n'aurais peut-être pas dû essayer de la rattraper, de la délivrer. Comme je n'aurais pas dû jouer le 3 7 1 pendant tant d'années. Si. J'ai eu raison. Parce que j'aime la date de naissance de ma mère. Parce qu'il m'était impossible de laisser Fabienne se faire enlever à l'hôtel Mercure sans réagir, en haussant les épaules. Impossible. Je le sais. Parce qu'on ne peut pas laisser les gens disparaître. J'ai même couru comme un acharné depuis vingt-quatre heures après son cerveau. J'ai traversé l'océan à toute allure derrière une boîte ou une glacière qui contenait le cerveau de la fille que je tenais tant à sauver. J'ai poursuivi jusqu'au jardin botanique de Brooklyn le cerveau de la fille que je poursuivais depuis Romans et dont le corps est resté à Veules-les-Roses, en chemin. Et pourtant je ne me suis trompé nulle part, il me semble. J'ai très mal à la tête.

Le métro est enfin arrivé, je me suis assis en face d'une femme sans âge, immobile et froide, son sac sur les genoux, programmée pour aller travailler, même le dimanche, même la nuit. Qu'est-ce que je devais faire, moi ? Rentrer à Paris sans chercher à anéantir le gang de la grande à bouche molle ? Comme elle l'avait souligné, je n'avais pas les moyens de leur faire du tort, ni même d'aider les gardiens de la paix à les anéantir. Ils n'avaient pas de noms, pas de domiciles, ils se foutaient qu'on les tue ou qu'on leur détruise la bouche. Ils échangeaient des cerveaux contre des cochons. Avec ça, Fabienne était morte, eux insaisissables, et moi paumé quelque part entre les deux. Ils étaient responsables de la disparition de Fabienne. Mais quoi ? Puisque je ne pouvais plus rien faire.

Nous sommes passés sous l'East River. Dans le wagon, personne ne bougeait.

J'ai repensé à un après-midi d'avril, nous étions à la terrasse du Soleil, avenue de Clichy, Anne-Catherine et moi. C'était notre premier verre en terrasse après l'hiver. Devant nous, un coursier en scooter a essayé de passer très vite entre une voiture et le trottoir, ou bien la voiture a brusquement serré sur sa droite, je n'ai rien vu, je regardais Anne-Catherine, le coursier a percuté un panneau de signalisation, a perdu son casque, a tenté de garder l'équilibre mais a lâché son scooter, a été projeté violemment contre un de ces petits poteaux qui bordent certains trottoirs pour empêcher les voitures de se garer, l'a percuté au niveau de la cage thoracique et a rebondi comme un pantin pour aller se fracasser la tête dans le caniveau. La voiture s'est arrêtée aussitôt, le conducteur en est descendu, un attroupement s'est vite formé autour du corps gémissant, cinq ou six personnes munies de portables ont appelé les pompiers en même temps et un passant savant s'est penché sur le blessé, comme toujours dans ces cas-là. Une ou deux minutes plus tard, une femme grisâtre, aux lèvres minces et aux yeux rapprochés (elle ressemblait vaguement à celle qui était assise en face de moi, sous l'East River), s'est arrêtée près de notre table. Ne pouvant franchir le cercle dense qui entourait le coursier à terre, elle venait glaner quelques renseignements auprès de nous, qui avions certainement « tout vu ». Mais non, nous n'avions rien vu, et n'avons pu répondre que par des haussements d'épaules à ses questions en rafale : « Comment ça s'est passé ? Vous savez ? Qui est en tort ? Vous savez qui est en tort ? La voiture a coincé ce pauvre garçon contre le trottoir ? Le chauffeur a voulu l'empêcher de passer, c'est ça ? C'est lui qui est en tort ? Il a refusé de se laisser doubler, ce salaud ? Ou bien c'est le scooter ? Il n'avait pas la place de passer, hein ? Il a voulu s'infiltrer à droite de la voiture à toute vitesse alors qu'il n'avait pas la place ? Oui ? Ils sont complètement cinglés, ces coursiers. C'est lui le fautif, non ? Vous n'avez pas vu qui a commis la faute ? Lequel des deux est responsable de ça ? » Elle ne savait même pas ce que c'était, « ça ». Ce n'est qu'au moment de partir, après avoir compris que nous constituions de mauvais collaborateurs pour son enquête, qu'elle nous a demandé, histoire de ne pas s'être dérangée pour rien : « Il est blessé, le gosse ? Il est mort ? » J'avais envie de la frapper en pleine tête. Anne-Catherine aussi. Cette obsession de la responsabilité, ce besoin viscéral de trouver un coupable… Pauvre femme.

Une fois dans Manhattan, je suis descendu à Fulton Street pour prendre une correspondance en direction d'East Village : je n'avais aucune idée de l'endroit où je pourrais dormir, et ce quartier que je connaissais vaguement, pour y avoir passé quinze jours avec Anne-Catherine, me semblait une destination moins absurde qu'une autre.

Je suis resté encore un long moment assis sur le quai, malade, à attendre un métro qui pourrait me déposer à Astor Place. Des corps éteints erraient lentement devant moi dans la lumière fade. Personne ne parlait, personne ne s'occupait à quoi que ce soit, personne ne regardait personne. Personne ne pensait à la veille ni au lendemain. Ils bougeaient à peine. Les visages

stoïques n'arboraient aucune expression particulière :
ce n'étaient que des yeux, des nez, des bouches, des
fronts, et des cheveux au-dessus. Ils se traînaient. Un
cauchemar en sous-sol.

Je ne comprenais plus rien. Des cerveaux contre des
cochons. Des certificats. Des femmes laissées sans tête.
Des êtres sans nom qui se déplacent à travers le monde
et qu'on ne peut pas arrêter. Je ne pouvais rien faire,
je ne comprenais rien.

Et je m'en foutais.

Depuis le début, d'ailleurs.

Je courais juste après Fabienne. Ou, finalement,
c'était peut-être Véronique ou je-ne-sais-comment,
la grande à bouche molle, que j'étais venu chercher
jusqu'ici. C'est tout ce que je pouvais me dire, puisque
c'est tout ce que j'avais réussi à faire, rouler, courir,
voler de Paris à Brooklyn, en passant par Romans et
Veules-les-Roses, en perdant plein de trucs en route et
en tuant des gens, pour lui cogner dans la bouche le
plus fort possible, ici. Elle était partout depuis le début,
dans le hall de l'hôtel Mercure dès notre arrivée, dans
la Mercedes noire que j'avais suivie jusqu'à Veules,
dans la maison de la cavée du Renard, avant et après
moi, au comptoir du café des Voyageurs, un matin où
je dormais, et de l'autre côté de l'Atlantique à la Maison de Sade. J'étais toujours à côté d'elle, devant ou
derrière elle, jusqu'à ce que j'arrive enfin à la coincer
dans l'ascenseur. Et vlan, dans la bouche. C'est idiot.
Je m'endormais. Mes pensées résonnaient dans mon
crâne. Ça faisait de l'écho. J'ai croisé des tas de gens,
soupçonné des tas de gens, une voiture qui me suivait,
un gros chauve à l'air louche, des voyous de petite
envergure, la Poisse et la Bête, j'ai cru que Max était
le chef, puis Spengler ou Salordi, je m'imaginais une

puissante organisation, je me suis intéressé à un tas de gens différents mais pas à cette Véronique, qui décidait tout. Au fond je le savais peut-être. Non. Mais j'ai fini par le savoir, je l'ai retrouvée, je l'ai massacrée dans un ascenseur. Avoir fait tout ça pour donner un coup de poing dans la tête d'une grande femme indolente ? Il fallait que je la frappe, que je venge Fabienne, que je me venge. Cédant à moitié au sommeil, à moitié au délire, je me demandais si elle n'avait pas engagé Persin pour me tirer hors de Paris, me forcer à franchir le périphérique et m'attirer jusqu'à l'hôtel de Romans, où elle se chargerait elle-même de la suite. Et Fabienne ? Elle l'a engagée aussi. Persin s'est arrêté dans la station-service où elle m'attendait. Ensuite, rien de plus facile que de me faire entrer à l'hôtel, le lendemain Fabienne les rejoint, ils se sauvent ensemble, déposent Fabienne dans n'importe quelle station-service, et je continue derrière eux comme un âne. Derrière cette Véronique qui a tout organisé, qui a tout calculé. Pour m'entraîner. Cette histoire de cerveaux et de cochons… N'importe quoi. C'est une invention. Des cerveaux contre des cochons. Et moi je marche, je suis. Tout le monde me trompe. Véronique m'a roulé dans la farine. Oui mais pour quoi faire, en fin de compte ? Pour me laisser la boxer dans un ascenseur à Brooklyn et repartir ? N'importe quoi. Il faudrait que je dorme.

En escaladant les marches de l'escalier qui monte vers Astor Place (sans même me rappeler être monté dans le métro à Fulton Street et avoir voyagé jusqu'ici – assis en face de qui ?), je ne pensais plus qu'à deux choses. À Fabienne, au cadavre décapité de Fabienne, enfoui à Veules-les-Roses ; et à la Maison de Sade, aux whiskies que je n'avais pas payés à la Maison de Sade. J'avais tendu ma carte de crédit vers la barmaid, mais la grande à bouche molle s'était matérialisée à côté de moi avant que celle-ci n'ait eu le temps de la prendre, et plus tard elle m'avait fait sortir, avec Max ou Tim, sans que je règle ma note. Si j'avais pu payer, ils connaîtraient mon nom. Ma vie serait détruite.

J'ai marché dans East Village sans savoir où aller. Je ne tenais plus debout. J'ai téléphoné à Marie-Sophie et n'ai pas laissé de message sur son répondeur – je savais que j'aurais eu du mal à parler (et qu'est-ce que j'aurais pu dire ?). J'ai marché encore, entre la 2e et la 10e rue, entre la 2e avenue et l'avenue B, j'ai regardé en passant la façade trouble de deux ou trois hôtels. J'ai hésité à appeler Anne-Catherine. Ma voix l'aurait effrayée. De toute façon c'était fini, maintenant, je ne risquais plus rien. Quand est-ce que je rentrais ? Dimanche soir ? Demain soir ? J'ai marché jusqu'au Life Cafe, où nous allions tous les matins et tous les soirs l'an dernier, car nous habitions tout près. C'était fermé. Il devait être très tard. En face se trouvait le parc que nous longions chaque jour en sortant de l'appartement. Tompkins Square. Il dégageait une odeur bizarre, qu'on remarquait chaque fois qu'on passait à côté. Une odeur forte. Un mélange de pourriture végétale, de terre humide et de bois en décomposition. Anne-Catherine aimait cette odeur. Ça l'enivrait, ça l'excitait.

J'ai pénétré dans le parc désert, j'ai longé le terrain de basket, avancé dans l'obscurité, il faisait bon, et je me suis assis au pied d'un arbre, sur la terre encore gorgée d'eau. Je me suis endormi aussitôt.

Vingt minutes ou deux heures plus tard, j'ai été réveillé par un vieux clochard couvert de poils et de cheveux qui voulait me prendre mon sac et que j'ai chassé à coups de pied, sans me relever. Il s'est éloigné en grommelant, large et voûté, empaqueté dans plusieurs manteaux miteux qui lui donnaient une apparence monstrueuse.

J'ai réussi à me mettre debout malgré l'envie de me laisser retomber dans le sommeil sans résister, j'ai déambulé un long moment dans le parc sans savoir pourquoi, sans savoir ce que j'attendais ni ce que je cherchais, j'ai vu le clochard sortir sur la 7e rue en se dandinant, j'ai regardé autour de moi, j'étais seul dans la pénombre au milieu des arbres, enveloppé dans cette odeur prenante. J'ai lancé le revolver de la grande à bouche molle dans un petit étang, sorti mon portefeuille de mon sac pour le glisser dans la poche intérieure de ma veste, et je me suis de nouveau recroquevillé au pied d'un gros tronc noir.

J'ai passé tout le dimanche à traîner dans Manhattan. Ce billet d'avion farfelu ne l'était pas assez : j'aurais payé le double pour pouvoir reprendre un vol tout de suite (ça n'aurait pas été nécessaire – un aller-retour avec arrivée à New York le samedi à dix-neuf heures trente et départ de New York le dimanche à, disons, neuf heures, ça devait aller chercher dans les cinquante ou soixante francs). Mais j'ai dû traîner toute la journée dans Manhattan comme un zombie, sous le soleil. Réveillé très tôt par un groupe de basketteurs matinaux, longs, fins et souples, qui devaient engloutir au saut du lit des kilos de corn flakes dans des litres de lait, je suis parti au hasard vers la 1re avenue, avec ma tête de déterré. Je suis entré dans quelques cafés plus agréables que ceux de l'ouest mais où je ne pouvais boire que du jus d'orange ou de la bière pour me maintenir éveillé (leur café m'aurait fait vomir), dans un deli où j'ai pu avaler péniblement

377

un gros cheese-burger en le noyant de ketchup, j'ai appelé trois fois Marie-Sophie sans succès, j'ai traversé Little Italy, Soho et Greenwich Village d'un pas de grand blessé de guerre, j'ai évité Chelsea, les environs de la Maison de Sade, je suis reparti vers l'est par la 14ᵉ rue, j'ai voulu finir le *Mort aux rats* de Despentes dans Union Square, mais les mots se brouillaient, se dissolvaient, j'ai essayé de retirer encore quelques dollars dans un distributeur qui m'a ri au nez, j'ai bu du whisky dans deux bars calmes pour pouvoir payer en carte, je me suis endormi à différents endroits pendant quelques minutes, sur un banc du côté de Bowery, dans Washington Square, à la terrasse d'un bar de Bleecker Street où tous les clients étaient identiques (et torse nu), sur le quai de l'Hudson River, réveillé chaque fois par des cris ou des klaxons, je m'asseyais partout où je pouvais, j'essayais d'observer ce qui se passait autour de moi mais n'arrivais à fixer mon attention sur rien, j'avais mal partout, mes yeux se fermaient, mes jambes ne voulaient plus me porter.

À un moment de la journée, j'ai réussi à retrouver le magasin Rose Is Vintage, dans la 7ᵉ rue est. C'était faiblement éclairé, étroit et tout en longueur. Des centaines de robes d'occasion, de toutes les formes, de toutes les tailles, de toutes les matières et de toutes les couleurs, étaient accrochées ou entassées partout. J'avais du mal à respirer. Étouffé, aveuglé, j'en ai heureusement vite trouvé une qui plairait à Anne-Catherine et lui irait bien. C'était une robe en nylon très simple, droite et légère, à manches courtes, avec des rayures verticales, bleu marine, rouges et blanches. Les rayures blanches étaient plus fines que les rayures rouges, et les rayures rouges plus fines que les rayures bleu marine. La vendeuse me l'a mise dans un sac en plastique rose, j'ai dû la payer en liquide, pas cher, et je suis ressorti dans le dimanche éreintant de Manhattan. Sur le trottoir, mon sac plastique à la main, je me suis arrêté pour respirer calmement. Voilà, je ramènerais ça à Anne-Catherine.

28

Sauve qui peut

L'avion décollait. J'étais assis dans la rangée du milieu, entre une femme d'affaires en tailleur écru, qui tapotait un gros dossier vert d'un ongle fuchsia, et un garçon d'une dizaine d'années, aux cheveux presque rasés, qui tapotait un album de BD futuriste d'un ongle rongé. Je tenais mon sac matelot sur les genoux. La robe à rayures, dans son sac de plastique rose, était à l'intérieur. Je m'éloignais de New York, je prenais de l'altitude, la grande à bouche molle et ses amis ne m'avaient pas rattrapé au sol. Je m'échappais.

En sortant de Rose Is Vintage, j'étais allé m'asseoir au comptoir du Life Cafe, où l'on pouvait boire du bon whisky, payer en carte pour n'importe quelle somme, et j'avais griffonné quelques mots sur une feuille de mon bloc : d'une écriture vacillante et dans un anglais pitoyable, j'avais écrit le peu de choses que je savais, la Maison de Sade, l'immeuble de Brooklyn en face du jardin botanique, l'appartement de T.G. Cummings au septième étage, je donnais quelques noms, Robert, Véronique Vanier, Tim ou Max, Spengler ou Morrison, et… c'était à peu près tout, je ne savais même plus comment s'appelait l'homme de Long Island qui délivrait des certificats. J'avais même parlé du commissariat de

Romans, en France. Personne n'accorderait le moindre crédit à ces lignes insensées. J'avais donné l'enveloppe à Thomas, le barman, en lui demandant d'y inscrire l'adresse de n'importe quel commissariat et de la poster – il m'avait reconnu, malgré mon nouveau visage, et m'avait demandé des nouvelles d'« Ann ». À propos de l'enveloppe, il n'avait pas posé de questions. Je savais que tout ça était parfaitement inutile, mais je l'avais fait par réflexe, pour laisser une trace de mon passage à New York.

Vers vingt heures, j'avais réussi à trouver sur Broadway un taxi pour JFK, après en avoir arrêté six ou sept que le long trajet n'intéressait pas. Il m'avait pris quarante dollars pour m'emmener jusqu'à l'immense aéroport, que j'avais arpenté jusqu'à l'heure de l'embarquement en goûtant toutes sortes de confiseries, de beignets et de sandwiches, et en buvant de la bière sans mousse pour dépenser mes derniers billets verts. Je sortais de l'aérogare tous les quarts d'heure pour fumer une cigarette. Je ne restais jamais longtemps assis par crainte de m'endormir et de rater mon avion – oublié ici, je mourrais rapidement et dans l'indifférence générale. Je me sentais si lourd que je me demandais comment nous allions pouvoir décoller, avec un tel poids à bord.

En fouillant machinalement dans la poche arrière de mon pantalon, j'avais trouvé une feuille pliée en quatre. Elle contenait l'adresse de la belle-mère du gros Gilles, dans l'Upper East Side. Tant pis pour la montre. Je lui raconterai que je n'ai pas eu le temps d'aller la récupérer, ou que les douaniers américains sont sur les nerfs en ce moment à cause de rumeurs d'attentats islamistes et que je n'ai pas voulu prendre le risque de me la faire confisquer, ce serait triste. Il dira ce qu'il voudra. Tant pis. Je n'ai plus très envie de travailler pour lui : traquer, surprendre, dénoncer de braves gens qui font ce qu'ils peuvent, et ne pas être capable d'empêcher de grands fourbes qui font ce qu'ils veulent de leur couper la tête… non, je ne suis plus motivé. Tant pis, je paierai moi-même le voyage, les frais et la réparation de la Ford, si ça se passe mal. Et les du Val d'Orvault pourront garder leur argent. Je leur affirmerai que je n'ai pas rattrapé Fabienne (ce n'est pas faux), que je me suis rendu à New York pour rien, qu'elle m'a échappé ou que c'était une fausse piste, que je l'ai vue pour la dernière fois à Romans, que j'ai voulu la suivre mais que j'ai dû me tromper, qu'elle est certainement montée dans la Mercedes de son plein gré, simplement pour changer de conducteur, et qu'il m'est désormais impossible de retrouver sa trace. Elle s'est enfuie de chez eux volontairement, elle s'est propulsée pour le prestige. Qu'elle soit morte ou non, que son cerveau ait ou non été échangé contre un cochon, je ne la rendrai pas à ses parents.

Si elle n'est pas morte, elle doit sillonner le réseau autoroutier dans sa robe vert pomme, boire des sodas dans les stations-service et convaincre des voyageurs faibles de la trimbaler dans leur véhicule – elle ne doit pas avoir envie de rentrer.

Mais, même morte, sa famille ne la récupérera pas. Je ne vais pas faire à Fabienne ce qu'on a fait à la pauvre vieille de Fontaine-le-Dun qui ne voulait pas qu'on la prenne en photo. On l'a dans le cercueil, c'est toujours ça. Je ne vais pas la retenir, la capturer après sa mort.

Dans un avion au-dessus de l'Atlantique, quand on regarde autour de soi, on ne voit pas grand-chose. Surtout des cheveux. Mais on est au milieu, on ressent la présence physique de tous ces passagers enfermés dans une coque métallique en plein ciel, on est avec eux. L'ensemble est un groupe qui se déplace, avant de se disperser et de se remettre à bouger ailleurs. On devine leur vie en pause, entre deux pays ou deux villes, entre deux décors, on sait qu'ils patientent, qu'ils s'occupent en attendant, qu'ils pensent à ce qu'ils ont quitté ou à ce qu'ils vont trouver à l'arrivée. On les sent en suspension, en courte période de latence, mais vivants. Leurs activités ne sont que réduites, nécessairement, par l'immobilité qui leur est imposée. C'est pourquoi l'image de l'avion qui descend vers la mer me terrifie à ce point : ce n'est pas de penser que deux cents personnes vont mourir (il doit en mourir bien plus à chaque seconde), c'est de les imaginer vivantes au moment de la chute, de les imaginer en transit, occupées à des activités réduites, et de savoir ce qu'elles faisaient, puisque tout le monde fait à peu près la même chose dans un avion. Je ne vois pas deux cents futurs morts, à l'intérieur du fuselage blanc, je vois une fille blonde qui entame sa barquette de carottes râpées, un homme à lunettes qui feuillette un magazine, deux jeunes amoureux qui se chatouillent, une femme qui baisse son pantalon aux toilettes, un retraité qui appelle une hôtesse. Et brusquement, tout est interrompu.

À ma gauche, la femme d'affaires étudie une série de chiffres, sur une page de son dossier, en fronçant les sourcils. À ma droite, le garçon aux ongles rongés est plongé dans les aventures d'un courageux guerrier qui, si je comprends bien, doit débarrasser la planète d'une multitude de tortues géantes très énervées. À côté de lui, son père semble sur le point de se lever et de hurler de bonheur en voyant une hôtesse souriante mais aux traits tirés lui apporter un deuxième cognac. De l'autre côté de l'allée, un couple discute à voix basse et, au bout de la rangée, une vieille dame avec un chapeau noir regarde par le hublot. Du côté de la femme d'affaires, trois adolescents dorment. Quelques rangées devant nous, un steward bronzé est penché depuis dix minutes au-dessus de quelqu'un. Plus loin, un quadragénaire pâle et ébouriffé se lève et s'étire comme en sortant de son lit. Une jeune femme avec des couettes et une dent de devant en moins passe dans l'allée, se dirigeant vers les toilettes.

Comme tous les enfants, j'aimais faire signe aux autres voitures quand mes parents nous emmenaient quelque part, ma sœur et moi. Collé à la vitre ou accoudé à la plage arrière, j'agitais la main sans arrêt et j'exultais quand on me répondait. Bien entendu, je ne me suis jamais demandé pourquoi je faisais ça, ni pourquoi j'éprouvais tant de plaisir lorsque ça « marchait ». Tous les jours, à l'heure où le vieux train passait près de chez elle en Alsace, Anne-Catherine attendait à côté des rails, agitait la main et repartait heureuse si le conducteur lui avait rendu son salut. Aujourd'hui, quand je suis ou double des voitures et que je vois des petits, sur leur banquette arrière, dire bonjour à tout le monde et se mettre à crier, à trépigner de joie (et de surprise) dès qu'ils obtiennent un mouvement de main en réponse, je m'étonne toujours. Pourtant, c'est exactement ce que j'ai envie de faire en ce moment, dans l'avion : me tourner vers les autres passagers et leur faire signe. Mais bien sûr, au-delà d'un certain âge, ce n'est plus possible.

Et si ça se trouve, ils sont tous cons.

Alors je termine mon gobelet de whisky, et je m'endors jusqu'à Manchester.

29

Un détective sous la pluie

Je n'avais pas de bagages à récupérer, je pouvais quitter Roissy sans attendre. Après une escale de deux heures à Manchester, dans une étrange aérogare circulaire entièrement vert clair (où j'avais mangé deux saucisses grillées, deux œufs au plat et des haricots blancs, et lu de la première à la dernière page (mais en diagonale) un quotidien anglais dans lequel j'avais appris qu'une forte tempête était passée la veille sur le sud du pays et s'était faite encore plus violente sur toute la moitié nord de la France), je me trouvais de nouveau à Charles-de-Gaulle, bien moins pressé que quarante-huit heures plus tôt : il me tardait de rentrer, de retrouver Anne-Catherine, mais j'avais le temps.

Je suis allé acheter le *Turf*. J'en ai même pris deux : celui du jour, lundi, pour commencer à faire le papier des courses du lendemain à Enghien, et celui d'hier dimanche, pour savoir ce qu'avait fait Pantouflard samedi dans la sixième et jeter un coup d'œil aux courses qu'il restait encore à disputer l'après-midi à Vincennes, histoire de me remettre rapidement dans le bain. Je suis allé m'installer au comptoir du bar qui se trouve au fond du terminal et j'ai commandé un café. Le pauvre Pantouflard était arrivé avant-dernier. Tant pis. J'ai levé la tête vers l'horloge, il était quinze heures trente-cinq. Je pouvais encore jouer dans les quatre dernières courses de la réunion de Vincennes (je n'aime pas le trot, mais on joue sur ce qu'on peut). Dans la cinquième, j'ai remarqué Jeep Boro, sur lequel j'avais déjà misé plusieurs fois sans jamais le toucher (il partait toujours à des cotes astronomiques, délaissé par presque toute la France turfiste). Il finirait bien par arriver un jour, et ça paierait cher. Je mettrais cent francs dessus.

En lisant les partants de la sixième course, j'ai failli laisser tomber le journal (quand il s'agit de *Paris-Turf*, c'est pour moi le signe d'un véritable séisme intérieur). Le numéro 13 s'appelait Ernest le Rebelle. J'ai relu trois fois le nom pour être sûr : c'était bien Ernest le Rebelle, entraîné par Pascal Barthélémy, son propriétaire, et drivé par monsieur Besnard, un amateur. Je n'avais jamais entendu parler de ce cheval, j'avais du mal à y croire. J'ai touché la médaille de l'ancêtre de Fabienne au fond de ma poche. J'ai entendu la voix suave et insidieuse de la grande à bouche molle : « Calme-toi, Ernest. » Le Rebelle n'était donné qu'en sixième position par le pronostiqueur du *Turf*, mais la coïncidence me paraissait si extraordinaire que j'ai décidé de parier cent francs gagnant sur lui.

En payant mon café, je me suis aperçu qu'il ne me restait que cent cinquante francs dans les poches. Le distributeur de l'aéroport a refusé de me donner quoi que ce soit, j'avais épuisé mon crédit pour la semaine. Je ne pourrais pas rentrer à Paris en taxi – à cette heure, il faut bien deux cents francs. Tant pis, je prendrai le train.

Ma Ford n'était sans doute plus sur le bord de la route, j'appellerai la police pour savoir ce qu'ils en avaient fait.

Le trajet en train me fatiguait d'avance, au bout de ce long voyage. Mais je pouvais me remonter le moral. Comme j'avais davantage d'argent sur mon compte PMU que sur moi, j'ai téléphoné et j'ai joué Jeep Boro dix fois placé dans la cinquième et, dans la sixième, Ernest le Rebelle dix fois gagnant. Il me restait encore deux cent vingt-deux francs.

Dans le train qui me ramenait péniblement vers la gare du Nord, j'étais assis en face d'un vieux clochard, vêtu de la même façon que celui qui m'avait réveillé dans Tompkins Square. De visage aussi, il lui ressemblait : des cheveux, des poils, des yeux rouges et humides. Il tenait à deux mains un petit poste de radio Sony, bleu, apparemment neuf, et le contemplait comme un trésor. Le regard brillant, la barbe souriante, il le caressait du bout des doigts. Rien de tout ce qui l'entourait ne comptait pour lui, il était orienté vers son poste, il faisait corps avec lui et semblait retarder avec délice le moment où il allait l'allumer, lui donner vie, pouvoir l'entendre. Je le regardais sans me gêner, il ne me voyait pas. Ce vieil homme largué, sale, démoli, détaché de tout, tenait le monde entre ses mains, sur ses genoux. Radieux, il couvait son petit Sony bleu. Il n'avait plus qu'à tourner un bouton pour entrer en contact avec le monde entier.

Dehors, il pleuvait. Des gouttes d'eau fuyantes zébraient les vitres du train. Le clochard a fini par allumer son poste, avec de grandes précautions, comme on regarde par le trou d'une serrure dans une chambre où se déshabille une jolie fille. Sur les stations qu'il écoutait émerveillé les unes après les autres, on ne parlait que de la tempête qui avait dévasté une partie de la France, turfiste ou non, la veille. Des milliers d'arbres avaient été déracinés, les reporters insistaient beaucoup là-dessus. Des dizaines de milliers d'arbres déracinés, arrachés, cassés. Quelques personnes étaient mortes dans la tourmente. Un journaliste, qui répétait certainement ce genre de nouvelle depuis le début de la journée, a prononcé une phrase étrange, avec une ellipse que personne n'a dû remarquer dans le flot d'informations similaires – mais j'entendais parler de cette tempête et de ses ravages pour la première fois, sa phrase m'a déconcerté. Au lieu de dire qu'une femme avait été tuée par la chute d'un arbre, il a déclaré tristement : « Une femme de soixante-dix ans a été tuée par un arbre. » Sorti de son contexte, ça fait bizarre.

Cher Journal,
Non, laisse tomber.

À la gare du Nord, j'ai choisi de prendre un taxi plutôt que le métro : d'ici, je pouvais me l'offrir. Ce serait plus cher et pas plus rapide, mais plus confortable – et j'avais envie de revoir Paris en surface.

Avant de sortir, j'ai appelé Geny Courses d'une cabine. La cinquième était arrivée : Jeep Boro ne figurait pas parmi les trois premiers, comme d'habitude. Ce serait pour la prochaine fois. Et je pouvais encore compter sur le Rebelle. Le départ de la sixième étant prévu dans dix minutes, je suis allé boire un demi à l'un des comptoirs du grand hall – j'avais ingurgité toutes sortes de boissons depuis mon départ de France, je me sentais gorgé de liquide. Mais un dernier arrêt avant de rejoindre Anne-Catherine me permettrait de tout apaiser à l'intérieur et de ne pas l'assaillir avec mes malheurs à peine entré dans l'appartement, bla bla bla bla.

La bière était plate et trop claire, mais je m'en foutais, je n'avais plus de papilles, et pas spécialement envie d'une bonne bière. En regardant les voyageurs pressés qui arpentaient la gare à grands pas, j'essayais d'assimiler mon retour, de me voir fixe, de ressentir Paris autour de moi. J'ai pensé que la veille, à la même heure, je dormais sur un quai de l'Hudson River ou titubais dans Bleecker Street. Je n'arrivais pas à faire le lien. J'ai pensé à Persin, mon conducteur, qui s'était échappé vers le sud. Il y était peut-être toujours, sans se douter de ce qui s'était passé à l'hôtel Mercure après son départ. Et même sans se douter que je l'avais suivi pendant quelque temps. Je n'allais pas le rattraper, je n'allais pas permettre qu'on le capture et qu'on le ramène dans son sous-sol. J'ai pris le Pentax dans mon sac et j'ai rembobiné la pellicule sur laquelle se trouvaient les preuves de l'adultère en bleu. J'ai fait trois pas pour la déposer dans une poubelle. Bonne route, Persin. Elle contenait aussi les quelques photos que j'avais prises ensuite, mais tous ceux qui figuraient dessus étaient morts.

J'ai demandé au barman de ne pas jeter ce qui restait de ma bière et je suis retourné téléphoner à Geny Courses. La sixième était courue. Chose prodigieuse, Ernest le Rebelle avait gagné. Le sensationnel Ernest le Rebelle. Ça paraît incroyable, mais c'est vrai. Je le jure, il a gagné. Le fantastique Ernest le Rebelle, mon double. Il avait contourné le peloton, il avait dévoré ses adversaires, il avait fini en trombe et créé la décision dans les deux cents derniers mètres avec une facilité insolente – les pieds dans la bouche, comme on dit sur les champs de courses. Il rapportait moins que je n'aurais pu l'espérer (huit francs quarante pour un franc), mais on s'en fout. Mon compte remontait à mille soixante-deux francs.

J'ai sorti de ma poche la médaille d'Ernest du Val d'Orvault pour m'assurer que je n'avais pas inventé tout ça. Non, c'était du réel, du solide. Belle médaille. Je n'étais pas devenu fou. Beau profil. Fier et rebelle. Ça n'a rien à voir avec moi, c'est certain, mais je suis là malgré tout, vivant, gare du Nord. Et quand même, comme disait l'autre, c'est moi le réalisateur du spot Yop. Quand même, j'ai abîmé la tête de la grande à bouche molle. Dans l'ascenseur, deux bons coups : un coup de poing, un coup de genou. C'est moi qui ai fait ça. Tu parles d'un rebelle. Un peu de sang sur la bouche de ma victime. Quasiment rien, pour elle. Je repense à son air nonchalant et venimeux, à son sourire ensanglanté quand les portes se sont refermées. Je repense à Fabienne, à son geste de la main avant de disparaître derrière la porte des toilettes – « Je me grouille. » Ce geste vers moi. Et mon coup de genou dans l'ascenseur.

Depuis toujours, sans en avoir réellement conscience, je me suis efforcé d'appliquer la même méthode : tout regarder autour de soi et essayer de comprendre. Ça fonctionnait à peu près.

J'appelle Anne-Catherine pour la prévenir que je suis revenu, que je serai devant la porte dans une demi-heure et que je lui rapporte une robe de New York. Une belle robe, avec des rayures bleu marine, rouges et blanches. Elle me dit que la police n'a pas téléphoné, le gros Gilles non plus, que rien ne s'est passé à la maison à propos de mon histoire et qu'il lui tarde de passer la robe. Avant de raccrocher, elle ajoute : « Je t'invite à l'Indien, ce soir. »

Pour l'instant je retourne au comptoir, finir ma bière.

Un clochard interpelle le barman. Je l'ai remarqué depuis un moment, à cause de son grand manteau rouge de femme – et surtout parce que je ne savais plus quoi regarder. Je l'ai vu venir de loin, il rôdait dans la gare comme s'il cherchait quelque chose, paraissant tour à tour excité, soucieux, énervé, plein d'espoir et découragé. Il a parcouru le hall jusqu'ici en plusieurs diagonales serrées, d'un pas de plus en plus rapide, il s'est approché de tous les buffets, de tous les bars, de tous les stands de vente à emporter, et s'en est éloigné furieux ou écœuré après avoir échangé trois mots avec le responsable. Je pensais qu'il quémandait quelque chose à manger, mais non : quand il s'avance vers le comptoir où je viens de reposer mon verre vide, je m'aperçois qu'il tient à la main une boîte de sardines à l'huile (ou à la tomate), ces belles petites conserves plates et rectangulaires qu'on trouve partout depuis des siècles. Il est maigre et terne dans son manteau rouge, ses cheveux sont collés par paquets et ses yeux fondent sur ses joues. Au barman qui l'interroge d'un signe de tête agressif, il demande le plus poliment possible une clé pour ouvrir sa boîte.

– Comment ça, une clé ?

– Une clé à sardines, quoi. Vous voyez ce que je veux dire ? Pour enrouler la ferraille, là.

– J'ai pas ça.

– Mais c'est pas vrai… C'est pas vrai, putain ! J'ai demandé partout dans cette putain de gare, que dalle ! Je fais quoi, moi ? Ça existe plus, ces trucs-là ? C'est pas possible…

Il repart en pestant, en secouant la tête, en parlant tout seul, c'est pas possible, et se dirige lentement vers l'escalier qui descend dans le métro, putain, sa boîte à la main. Toutes ces bonnes sardines.

Dehors, il fait plutôt bon mais il tombe une pluie forte, dense et grise. Des centaines de personnes se hâtent dans toutes les directions devant la gare, rapides et concentrées dans l'averse. Je prends ma place dans la file pour les taxis, à l'abri. Il y a beaucoup de monde devant moi. J'aurais peut-être dû suivre l'homme aux sardines inaccessibles dans le métro. Je peux aussi rentrer à pied, finalement, tant pis pour la pluie. En attendant de me décider, je regarde ces passants qui vont vers la gauche ou la droite en baissant la tête sous l'eau, qui traversent la rue de Dunkerque, rasent les murs ou galopent vers une voiture. Ils portent tous quelque chose, un sac, un paquet ou un journal, certains s'en servent pour se protéger la tête. Fabienne sort souriante d'une boulangerie, sa médaille d'Ernest au cou, et part vers le carrefour du boulevard Magenta dans sa robe vert pomme. Les autres marchent seuls aussi ou à plusieurs, par deux, trois ou quatre, agacés par ce temps, indifférents ou amusés. La Poisse attend nerveusement qu'un feu passe au rouge, au croisement du boulevard de Denain, entortillé dans son costume mouillé. Il est trempé, comme les autres. Eux ou leur parapluie, et ce qu'ils portent. François et Laurent, du café des Voyageurs, lèvent la tête vers le ciel chargé. Des hommes et des femmes passent près d'eux, crispés sous la pluie tiède. Les terrasses des bars sont inondées. Il y a des flaques sur les tables et les chaises. La grande à bouche molle passe d'un pas léger devant une brasserie, elle sourit, ses cheveux noirs dégoulinants, dans sa robe rouge devenue presque transparente. Elle a de beaux seins. Les autres se pressent vers leur bureau ou leur appartement, déroutés, ils hésitent à se mettre à l'abri. Anne-Catherine est de l'autre côté de la rue, près du kiosque à journaux, avec sa robe à rayures de New York. Ils lèvent le bras pour s'appeler d'un trottoir à l'autre, ou pour arrêter une voiture. Ils passent. Et plus loin, derrière les grands immeubles gris, dans toutes les rues parallèles et perpendiculaires, d'autres se dépêchent aussi dans leurs vêtements imbibés d'eau, hésitent à se mettre à l'abri, regardent autour d'eux et se déplacent en tous sens, indécis et trempés, dans tout Paris. Et encore au-delà, désorientés, ruisselants, sans vraiment savoir quoi faire.

Remerciements

Jacques P., pour m'avoir entraîné sans le savoir ; Marie-Sophie Boivin, Florence Piombini et ma sœur Valérie, pour les voyages ; Thierry, pour le Beretta que je n'ai plus ; Gilles Steiner, qui m'a permis de travailler pour lui malgré une certaine inaptitude au métier ; Christian G., alias la Poisse ; François, Laurent, et les clients du café des Voyageurs à Veules-les-Roses ; Madeleine, de l'hôtel Napoléon à Veules-les-Roses ; Anne-Marie, Manu, et tout le personnel du Channel à Veules-les-Roses ; Gérard Depardieu, qui m'a posé la main sur l'épaule ; Élise D., qui m'a peut-être sauvé d'une carrière dans la pub ; Patrice Laporte, de *Paris-Turf* ; Jean-Pierre Bailly, le meilleur commentateur hippique de la planète ; Pascal Barthélémy, pour son Ernest le Rebelle ; Alain Fabert et son camion jaune ; la Maison de Sade, pour les whiskies gratuits ; Fabienne V. ; ma mère Marie, pour sa naissance ; mon père Antoine, pour les expressions que je lui emprunte ; Catherine Lefebvre, pour sa nouvelle *Il faut doubler le camion jaune* ; Anne-Catherine, pour son regard sur ce livre, et pour tout le reste.

Le Chameau sauvage
prix de Flore
Julliard, 1997
et « Points », 2018

Néfertiti dans un champ de canne à sucre
Julliard, 1999
et « Points », n° P2069

Le Cosmonaute
Grasset, 2002
et « Points », n° P2705

Vie et mort de la jeune fille blonde
Grasset, 2004
et « Points », n° P4800

Les Brutes
(dessins de Dupuy et Berberian)
Scali, 2006
et « Points », n° P2070

Déjà vu
(photos de Thierry Clech)
Éditions PC, 2007

Plage de Manaccora, 16 h 30
Grasset, 2009
et « Points », n° P2327

La Femme et l'ours
Grasset, 2011
et « Points », n° P2861

Sulak
Julliard, 2013
et « Points », n° P3301

La Vraie Vie
Éditions In8, 2015

La Petite femelle
Julliard, 2015
et « Points », n° P4423

Spiridon superstar
Steinkis éditions, 2016

La Serpe
prix Femina
Julliard, 2017
et « Points », n° P4872

RÉALISATION : NORD COMPO À VILLENEUVE-D'ASCQ
IMPRESSION : CPI FRANCE
DÉPÔT LÉGAL : AOÛT 2020. N° 139912 (3039180)
IMPRIMÉ EN FRANCE

Éditions Points

DERNIERS TITRES PARUS